Excelで気軽に化学工学

化学工学会 編　　伊東 章 著

第2版

丸善出版

> 本書に掲載されている Excel ファイルは，丸善出版株式会社のホームページより無償でダウンロードすることができます．
> https://www.maruzen-publishing.co.jp/news/n115838.html
> ファイルの解凍に必要なパスワードは以下のとおりです．
> **パスワード：Echemengi2** 　（半角英数）

- Excel は米国 Microsoft Corporation の米国およびその他の国における登録商標または商標です．

- ダウンロードされた Excel ファイル，プログラムの著作権は，本書の著作者に帰属します．

- 本ファイルの使用による読者の計算機やソフトウェアなどの損傷，事業上の損害など，ファイルの使用に関して読者に損害が発生したとしても，著作者および丸善出版株式会社はその責任を負いません．

第 2 版　はじめに

　本書は化学工学の最近の進展を取り入れて，2006 年に上梓した『Excel で気軽に化学工学』初版の例題を増補，改訂したものである．初版は，従来の図式解法による化学工学計算が Excel 上で簡単にできることを提案した例題集であった．幸いこの本は化学工学学習の補助テキストとして好評を得てきた．

　しかし初版以来 20 年が経ち，Excel ソルバーの操作手順などに記述修正の必要が生じている．また，化学工学教育・化学工学計算をめぐる状況もこの間に以下のように変化している．

1. 初版の出版当時は全国の大学の改組により「化学工学科」が消滅の危機にあった．しかし今日は工学系化学の 4 分野(有機，無機，高分子，化学プロセス)の一角に定着して，むしろ化学工学基礎，反応工学などは化学系共通の必須科目となっている．このため良い化学工学基礎の教科書が多く出版されている．
2. 初版の趣旨であった化工計算の図式解法からパソコン上での解法への移行は，今は普通になっている．したがって初版の趣旨はほぼ達成されているといえる．
3. 化学プロセス系企業の実務では，技術者の計算の道具として化学プロセスシミュレータや流体解析法 (CFD) の利用が普及している．

　以上の背景から，今回の改訂にあたっては，最小二乗法などの初歩的な例題は省略して，以下のように新しく化学工学学習に有用と思われる例題，手法を記述した．

・2 章　蒸留：操作型問題と設計型問題(例題 2.7)，多成分系蒸留の FUG 法 (例題 2.9)
・4 章　吸収：微分方程式解法(例題 4.3)，HETP の解説(例題 4.5)
・6 章　液系の膜分離：血液透析のモデル(例題 6.8)
・7 章　吸着・クロマトグラフィー：LDF モデル(例題 7.2)，破過曲線の Klinkenberg 解(例題 7.4)

・10章 粒子系操作・晶析：沈降分離(例題10.6)
・13章 伝熱：熱交換器(例題13.8)

　また，全体に K-value や Rachford 法(例題 2.6)など，プロセスシミュレータで用いられる手法を紹介した．これらの改訂により本書の役割も，学部の化学工学入門書と大学院での化学工学演習の橋渡しという位置づけになる．

　この20年で著者自身の担当の学部，大学院における化学工学講義・演習授業内容も新しい計算の道具を活用して，以下のように発展している．
・「化学プロセス計算」では物理化学との接続を重視する[1]こと，およびシミュレータの利用[2]
・「移動現象論」では Excel による数値計算[3,4]，および CFD の適用[5]
・「分離工学・単位操作」では Excel の活用により旧来の図式解法を脱する[6]こと，およびシミュレータの活用[2]

これら著者の最新講義の内容は各々参考文献に示すテキストとなっている．本書とあわせて読者の参考にしていただければ幸いである．

　初版およびこの改訂版とも内容については多くの方々にお世話になっている．その皆様は初版の前書きに記載したとおりであるが，ここでは初版の共著者である上江洲一也氏(北九州市立大学教授)，および恩師である浅野康一氏[7](東京工業大学名誉教授)に再度感謝の意を記したい．

　2025年9月

伊　東　　章

初版 はじめに

　本書は，社団法人化学工学会の機関誌「化学工学」で2004年7月から2005年11月まで連載された内容をもとに，学部学生でも自習できるように各単位操作の原理の簡単な解説を付し，化学工学計算の解説をやさしくして再構成したものである．化学工学を習得しようとしている学生だけでなく，もう一度体系だった化学工学教育が必要と考えている人やケミカルエンジニアの知識を必要とする化学工学系以外のエンジニアも対象に，現場のエンジニアにも役立つ教材として企画してあり，例題を表計算ソフトExcelで解くことが特徴である．これは，パソコンの普及でExcelが技術者の日常の道具になっているにもかかわらず，これを技術計算に活用する方法があまり紹介されていないなかでExcelの活用により化学工学計算が「気軽に，手軽に」おこなえることを示したいとの企画趣旨による．

　本書の執筆にあたっては第1～15章までを伊東が，第16章の総合問題を上江洲が担当した．

　本書では，例題としてExcelによる化学工学計算を単位操作ごとに数多く紹介している．採用した例題は表計算による特徴が出るようなものを選んだが，化学工学会編の『BASICによる化学工学プログラミング』[8]および『化学工学プログラミング演習』[9]からの引用が多い．これは従来のプログラミングによる化学工学計算がどこまでExcelで代替できるかを示そうという挑戦的試みでもある．プログラミングによる解法と本書での解法を比較することで，Excelによる技術計算の特徴も理解されるであろう．

　蒸留，吸収，抽出などの例題解法では，これまでの図式解法をそのままExcel上でおこなうのではなく，表計算ならではの特徴を生かした取扱いを試みている．手軽な計算道具の使用を前提にすると，単位操作のモデル解法も従来とはやや違った方法になることが示唆される．

　化学工学計算で微分方程式の解法は必須である．そこで，Excelに付属しているプログラミング言語VBA(Visual Basic for Applications)を活用して，

プログラミングを読者自身がすることなしに微分方程式を取り扱うことができる「Excel シート」を本書では提供する．これを使用し，さらにグラフ表示を活用することで，試行計算の結果をリアルタイムで確認することができる．制御の章ではこのシートを使って，基本的な制御問題を連立常微分方程式の問題として解く例を示したが，これは提案的な内容となっている．

　技術の現場でも教育の現場でも，化学工学計算において電卓をたたいて膨大な計算に時間を費やす時代はとうに過ぎた．Excel という道具を使いこなして，化学工学計算を「気軽に」おこない，化学工学が有用な手法であることを示したいものである．本書がその一助になれば幸いである．

　本書の内容は多くの方々のご協力によるものであり，いわば以下の方々との共著ともいえるものである．化学工学誌連載の企画グループは，上江洲，高梨信彦氏(塩野義製薬株式会社)，大嶋孝之氏(群馬大学)であったが，中村昌允氏と猪股宏氏，それから吉羽健二氏の多大な支援がなければ，連載を実現することはできなかった．また，三輪靖雄氏(川崎重工株式会社)，梶畠賀敬氏(川崎重工株式会社)，赤松憲樹氏(東京大学)，北川尚美氏(東北大学)には原稿の細部まで校閲をいただいた．また，北九州市立大学大学院生の佐々野淳一君には解説を平易にするための貴重な助言をいただいた．個々の例題においてご助言をいただいた浅野康一氏(東京工業大学名誉教授)，米本年邦氏(東北大学)，山下善之氏(東北大学)，加納学氏(京都大学)，小尾秀志氏(森永乳業株式会社)に感謝申し上げる．

　2006 年 11 月

伊　東　　　章
上江洲　一　也

目 次

1 技術計算のための Excel のツール ················1
1.1 化工計算―モデルと方程式― ················1
1.2 方程式解法のための Excel のツール ················3
（例題）化学量論係数の決定(3)　沸点計算(5)　熱交換器の熱収支(6)　pH の計算(7)　データの数値積分(8)　破過曲線の数値積分(10)　生態系のモデル(11)　シュレーディンガー方程式(12)

2 蒸　　留 ················15
2.1 2成分系気液平衡計算 ················15
（例題）2成分系溶液の沸点計算(15)　2成分系の気液平衡図(16)　気液平衡データの相関(Wilson パラメータ)(17)
2.2 単　蒸　留 ················19
（例題）単蒸留の蒸留曲線(19)
2.3 フラッシュ蒸留 ················20
（例題）2成分系フラッシュ蒸留(21)　多成分系フラッシュ蒸留―Rachford-Rice 法―(23)
2.4 2成分系蒸留 ················24
（例題）精留(8段)(27)　Excel シート上での McCabe-Thiele の図式解法(29)
2.5 多成分系蒸留 ················32
（例題）FUG 法による多成分系蒸留計算(32)

3 抽　　出 …………………………………………………… *35*

3.1 液 液 平 衡 …………………………………………… *35*
3.2 連続単抽出 …………………………………………… *35*
　　　例題　連続単抽出(*35*)
3.3 多 段 抽 出 …………………………………………… *37*
　　　例題　並流多段抽出(*38*)　　向流多段抽出(*40*)

4 吸　　収 …………………………………………………… *43*

4.1 ガスの溶解度 ………………………………………… *43*
4.2 物質移動の2重境膜モデル ………………………… *44*
　　　例題　気液界面濃度(*45*)
4.3 ガス吸収塔の物質収支―操作線― ………………… *46*
　　　例題　最小液流量(*47*)
4.4 充填塔高さの求め方―微分方程式による解法― … *48*
　　　例題　充填塔の高さ(*49*)　　N_{OG}と充填塔高さZの計算(*51*)
4.5 吸収塔の理論段モデル ……………………………… *52*
　　　例題　吸収塔の理論段モデル(*53*)

5 ガス系の膜分離操作 ……………………………………… *55*

5.1 透 過 係 数 …………………………………………… *55*
5.2 ガス分離膜モジュールのモデル …………………… *55*
5.3 ガス分離膜モジュールの分離性能 ………………… *56*
　　　例題　両側完全混合モデル(*58*)　　供給側プラグフロー–透過側完全混合モデル(*59*)　　両側プラグフローモデル(*60*)　　供給側プラグフロー–透過側クロスフローモデル(*61*)　　4成分系のガス分離(*62*)

        5.4 パーベーパレーション操作における膜モジュールの分離性能
        62
                 (例題) パーベーパレーション操作のモデル(63)

6 液系の膜分離 **65**

    6.1 膜濾過のモデル 65
    6.2 精密濾過 MF の透過流束モデル 66
                 (例題) Ruth の濾過方程式(67) クロスフロー濾過(69)
    6.3 限外濾過の透過流束モデル(濃度分極モデル,浸透圧モデル)
        70
                 (例題) 限外濾過の浸透圧モデル(71)
    6.4 逆浸透・ナノ濾過操作の物質移動係数(流速変化法) 71
                 (例題) 流速変化法(72)
    6.5 膜濾過プロセスのモデル 73
                 (例題) 回分式濃縮操作(74) 逆浸透の連続濃縮操作(76)
                 限外濾過の連続濃縮操作(77)
    6.6 透析膜モジュールの分離性能 78
                 (例題) 向流透析膜モジュールの必要膜面積(79)

7 吸着・クロマトグラフィー **80**

    7.1 回 分 吸 着 80
                 (例題) 回分吸着(80) 粒子吸着材の LDF モデル(83)
                 LDF モデルによる非定常回分吸着(84)
    7.2 固定層吸着の破過曲線 85
                 (例題) 破過曲線の Klinkenberg 近似解―シリカゲルによる
                 空気の除湿―(87)
    7.3 クロマトグラフィー 89
                 (例題) 理論段モデルのパラメータ推定(92) 多成分クロ
                 マトグラムのパラメータ推定(93)

8　調　湿　……………………………………………………………… *94*

8.1　湿度図表　………………………………………………………… *94*
　　　　例題　湿球温度・露点温度(*95*)
8.2　調湿プロセスの計算　…………………………………………… *96*
　　　　例題　空気の調湿(*96*)　　断熱増湿装置(*97*)

9　乾　燥　……………………………………………………………… ***100***

　　　　例題　板状材料の熱風伝導乾燥(*100*)　　水滴の蒸発時間 (*101*)　　板状材料の減率乾燥―拡散方程式の差分解法― (*103*)　　多重効用蒸発(*105*)

10　粒子系操作・晶析　……………………………………………… ***108***

10.1　粒子径分布　……………………………………………………… *108*
　　　　例題　粒子径分布の諸計算(*108*)　　Rosin-Rammler 式(*110*)　　正規分布(*111*)　　粒度分布関数(*112*)
10.2　晶析操作　………………………………………………………… *113*
　　　　例題　完全混合槽型晶析装置(*114*)
10.3　沈降分離　………………………………………………………… *117*
　　　　例題　水平流型沈降槽の粒子分離性能(*117*)

11　プロセス流体工学　……………………………………………… ***120***

　　　　例題　ポンプ輸送の動力(*120*)　　コーナータップオリフィスの設計(*121*)　　粒子の飛跡(*122*)　　境界層方程式(*124*)

12　装置内の混合モデル　…………………………………………… ***126***

12.1　混合拡散モデル　………………………………………………… *126*
　　　　例題　混合拡散モデル―インパルス入力―(*127*)

12.2　槽列モデル ·· *128*
　　　　（例題）　槽列モデル―インパルス入力―（*128*）　　槽列モデルのパラメータ（*129*）

13　伝　　　　熱 ·· ***131***

　　13.1　伝　導　伝　熱 ·· *131*
　　　　（例題）　円管の保温（*132*）　　矩形材料の定常温度分布（*134*）　　円柱状材料の1次元非定常伝導伝熱（*135*）
　　13.2　対　流　伝　熱 ·· *136*
　　　　（例題）　温度境界層方程式（*137*）　　伝導，対流，放射の複合伝熱（*139*）　　伝導と対流の複合伝熱―缶ビールの冷却―（*140*）　　フィンの伝熱（*142*）
　　13.3　熱　交　換　器 ·· *143*
　　　　（例題）　熱交換器の性能（*145*）　　熱交換器の性能―微分方程式解法―（*146*）　　熱交換器システムの性能（*147*）
　　13.4　熱　　応　　答 ·· *149*
　　　　（例題）　周期変化の熱応答（*150*）　　加熱・冷却槽の温度応答（*152*）

14　反　応　工　学 ·· ***153***

　　14.1　平衡定数と平衡反応率 ·· *153*
　　　　（例題）　アンモニアの平衡反応率（*153*）
　　14.2　反応速度式 ·· *155*
　　　　（例題）　n 次反応の反応次数（*155*）　　Michaelis-Menten 式による相関（*157*）
　　14.3　複　合　反　応 ·· *157*
　　　　（例題）　逐次反応（*157*）

14.4 回分反応操作 ………………………………………………………… *159*

 例題 反応熱・反応速度を考慮した回分反応操作の解析(*159*)

14.5 連続撹拌槽型反応器 ………………………………………………… *160*

 例題 連続撹拌槽型反応器(CSTR：continuous stirred tank reactor)(*160*)

14.6 管型反応器 …………………………………………………………… *161*

 例題 液相押し出し流れ反応操作(*161*)　触媒反応層の温度分布(1)(*163*)　触媒反応層の温度分布(2)(*165*)

15 制　　御 ……………………………………………………………… *167*

15.1 プロセスの動特性 …………………………………………………… *167*

 例題 1次遅れ系のステップ応答(*168*)　2次遅れ系のステップ応答(*169*)　1次遅れ＋むだ時間系のステップ応答(*170*)

15.2 プロセス制御 ………………………………………………………… *171*

 例題 1次遅れ系/ステップ変化の比例制御(*172*)　1次遅れ系/ステップ変化の比例・積分制御(*173*)　2次遅れ系/ステップ変化の比例・積分制御(*174*)　1次遅れ＋むだ時間系/ステップ変化の比例・積分制御(*174*)　2次遅れ系/ステップ変化のPID制御(*176*)

参 考 文 献 ……………………………………………………………………… *177*

索　　引 ………………………………………………………………………… *179*

1 技術計算のための Excel のツール

1.1 化工計算—モデルと方程式—

化学工学では蒸留，吸収，抽出など単位操作別にプロセス技術の分類がなされている．そして各単位操作ごとに図式解法に代表される特有のプロセス計算法・モデル解析法があり，それが化工計算である．一般にモデル解析は「プロセスのモデル化（数式化）」と「モデル式の解を得ること」の二つで成り立っていると見ることができる．

たとえば化工計算の代表である蒸留塔の段数計算・McCabe-Thiele の図式解法(例題 2.8)は，物質収支から操作線・回収線の式を作成し，これと気液平衡曲線とから理論段数を図式解法で求める方法である．このモデル解析で，操作線の式(モデル式)を作成することがモデル化，モデル式の解を得る手法が図式解法である．その解法の見事さから，ともすれば後段のモデル解法・式解法が化工計算の中心であるかのように思い込みがちである．しかし，「図式解法」とはじつは連立方程式で記述されたモデル式を解く単なるテクニックである．計算機の登場以前は連立非線形方程式を解くことは非常に困難であり，そのモデル式をグラフ上で簡便・明快に解く手法が示されたため，蒸留計算といえばこの図式解法が蒸留計算の基礎となったものである．

見かけの解法テクニックにとらわれずに，数式モデルとして各単位操作の基礎式を見ると，蒸留や抽出は連立非線形方程式，吸収やガス膜分離は微分方程式，また，気液平衡計算は温度に関する非線形方程式になっている．このように方程式という観点からは，種々の単位操作で使われているモデルは，

連立方程式（多変数，線形）

非線形方程式（1 変数）・連立非線形方程式

常微分方程式（1階，高階）
　　　偏微分方程式
という5種類でほぼすべてをカバーしていると考えられる（図1.1）．
　一方，パソコンの進歩により，現在の技術者の手元には「方程式解法ソフト」など，これら方程式を解くツールがある．従来の図式解法などのモデル解法テクニックに代わり，方程式を解くツールを化工計算で活用すれば，化工計算がより簡単でわかりやすくなり，少ないツールで多くの単位操作に対応できるのではないか．実際，すでにそのような試みはあり[10]，それが本書の意図しているところでもある．
　ケミカルエンジニアの真の仕事はプロセスの本質を見極めてそれをモデル化することであり，既存のモデル式の解を得ることが中心ではない．パソコン上の計算の道具を活用して，化工計算のモデル数式を手軽に解くスキルを習得しておけば，オリジナルなモデルの作成作業の方に労力を傾注できる．方程式を解くツールをそのように役立てたいものである．

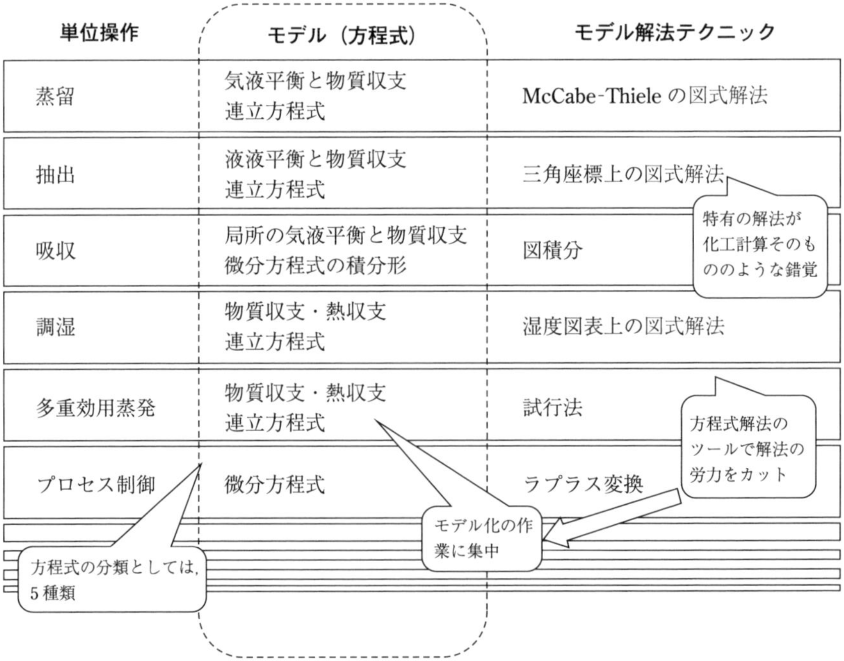

単位操作	モデル（方程式）	モデル解法テクニック
蒸留	気液平衡と物質収支 連立方程式	McCabe-Thieleの図式解法
抽出	液液平衡と物質収支 連立方程式	三角座標上の図式解法
吸収	局所の気液平衡と物質収支 微分方程式の積分形	図積分
調湿	物質収支・熱収支 連立方程式	湿度図表上の図式解法
多重効用蒸発	物質収支・熱収支 連立方程式	試行法
プロセス制御	微分方程式	ラプラス変換

（吹き出し）方程式の分類としては，5種類
（吹き出し）モデル化の作業に集中
（吹き出し）特有の解法が化工計算そのもののような錯覚
（吹き出し）方程式解法のツールで解法の労力をカット

図1.1　各種単位操作におけるモデルとモデル解法テクニック

1.2 方程式解法のための Excel のツール

本書では Excel 表計算上で連立 1 次方程式から常微分方程式までのモデル式を取り扱う．元来，表計算ソフトは集計用紙の電子化から発したものであり，方程式を解くという用途は考えられていなかった．それが Excel の場合，**ソルバー**や**マクロ(VBA)** などの機能追加により方程式解法も可能になったという経緯がある．そのため，以下のように扱う方程式の種類で解くためのツールが異なる．

〈モデル式〉	〈Excel 上のツール〉
連立 1 次方程式	ワークシート関数
非線形方程式(1 変数)	**ゴールシーク**
連立非線形方程式(多変数)	**ソルバー**
最小 2 乗法などの最適化	**ソルバー**
常微分方程式(1 階，高階)	**マクロ(VBA)**

Excel を技術計算で使いこなすには，まず問題に対して適切なツールを選択するというスキルが必要である．以下に各方程式解法に用いる Excel のツールを紹介する．

1.2.1 ツール1 ワークシート関数(行列演算関数)

連立 1 次方程式はワークシート関数の行列演算関数により解かれる．また本書では **VLOOKUP** 関数も活用される．

【例題 1.1】 化学量論係数の決定[11]〈eche1_1.xlsx〉

生体反応を簡略化して，炭化水素が酸素とアンモニアと反応して細胞物質と水，CO_2 が生成する反応とする．

$$CH_2O + a\, O_2 + b\, NH_3 \rightarrow c\, CH_2O_{0.27}N_{0.25} + d\, H_2O + e\, CO_2$$

また，呼吸商 (RQ)：$RQ = \dfrac{e}{a} = 1.5$ が追加の条件となる．元素収支から化学量論係数 $a \sim e$ を決めよ（参考：グルコースは $C_6H_{12}O_6$ である）．

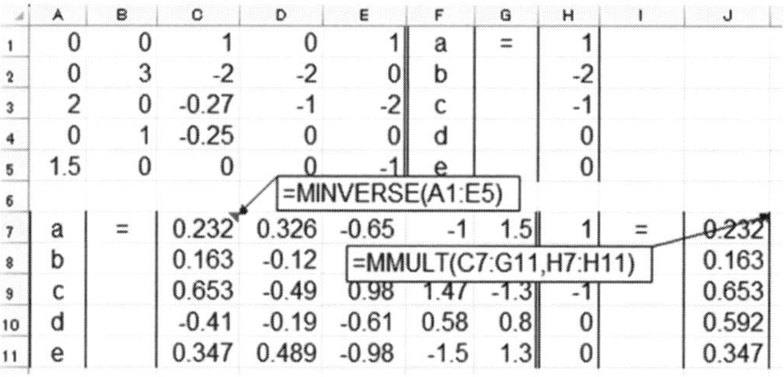

4　　1　技術計算のための Excel のツール

	A	B	C	D	E	F	G	H	I	J
1	0	0	1	0	1	a	=	1		
2	0	3	-2	-2	0	b		-2		
3	2	0	-0.27	-1	-2	c		-1		
4	0	1	-0.25	0	0	d		0		
5	1.5	0	0	0	-1	e		0		
6				=MINVERSE(A1:E5)						
7	a	=	0.232	0.326	-0.65	-1	1.5	1	=	0.232
8	b		0.163	-0.12	=MMULT(C7:G11,H7:H11)					0.163
9	c		0.653	-0.49	0.98	1.47	-1.3	-1		0.653
10	d		-0.41	-0.19	-0.61	0.58	0.8	0		0.592
11	e		0.347	0.489	-0.98	-1.5	1.3	0		0.347

図 1.2　行列演算関数による連立 1 次方程式の解法〈eche1_1.xlsx〉

〈解答例〉

反応式から各元素の収支をとる．

　　　　C 収支：$1 = c + e$
　　　　H 収支：$2 + 3b = 2c + 2d$
　　　　O 収支：$1 + 2a = 0.27c + d + 2e$
　　　　N 収支：$b = 0.25c$

これらより連立 1 次方程式を行列形式で書いたのが図 1.2 の**セル範囲 A1：H5**である．まず係数行列の逆行列を求める．解を記入する**セル範囲 C7：G11** を選択し，**逆行列**を計算する関数 "＝MINVERSE(A1：E5)" を**配列数式入力**する（配列数式入力ではセル範囲を指定し，最初のセルに式を記述して **Shift＋Ctrl＋Enter** で入力する）．次に J7：J11 を選択し，**行列積**を計算する関数 "＝MMULT(C7：G11, H7：H11)" を**配列数式入力**する．J7：J11 に連立 1 次方程式の解が得られる．$a = 0.232$，$b = 0.163$，$c = 0.653$，$d = 0.592$，$e = 0.347$ である．

1.2.2　ツール 2　ゴールシーク

　未知数一つの非線形方程式を解くには Excel 標準のツールである**ゴールシーク**を使う．ゴールシークでは未知数を変化させて，式を繰り返し計算することで，条件に合う未知数の値が探索される．ただし，解が複数ある場合には初期値を変えて探索する必要がある．

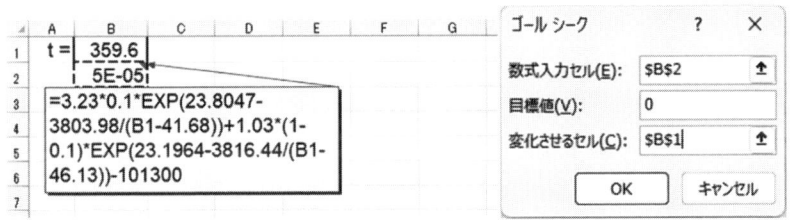

図 1.3　ゴールシークによる非線形方程式の解法〈eche1_2.xlsx〉

【例題 1.2】　沸点計算〈eche1_2.xlsx〉

10 mol% エタノール水溶液の大気圧下での沸点 t を求めたい．これは未知数 t に関する次式の方程式を解くことになる(例題 2.1 を参照)．

$$101.3 \times 10^3 = 3.23 \cdot 0.1 \cdot e^{\left(23.8047 - \frac{3803.98}{t-41.68}\right)} + 1.03 \cdot (1-0.1) \cdot e^{\left(23.1964 - \frac{3816.44}{t-46.13}\right)} \quad (1.1)$$

ゴールシークでこの方程式を解け．

〈解答例〉

図 1.3 の Excel シートで**セル B1** に t の初期値を入れ，**B2** に式(1.1)の残差（=(右辺)−(左辺)）を記述する．**データ→What-if 分析→ゴールシーク**で**設定ウィンドウ**を開く．このウィンドウで**変化させるセル**とは未知数(t)のことであり，**B1** を指定する．**数式入力セル**が方程式(式(1.1)の残差(右辺−左辺))のことであり，**B2** を指定する．その**目標値**を 0 と記入して，**OK** ボタンで**ゴールシーク**を実行する．解が**セル B1** に $t=359.6$ と得られる．

1.2.3　ツール3 ソルバー

ソルバーは複数の未知数による連立非線形方程式の解法に用いる．また，最小2乗法(未知数の数＜方程式の数)にも用いられる．ソルバーは多くの技術計算に活用できる強力なツールであるが，基本は一つの値(**目的セル**)について収束方法を指定するようになっている．この点で方程式を解く目的では使いにくい面もあり，使いこなすにあたって工夫が必要である．

ソルバーは**オプション**なので，**ファイル→オプション→アドイン→管理**：

Excel アドイン→設定→☑ソルバーアドインで設定する．これで（メニュー）データ→ソルバーに表示される．

【例題 1.3】 熱交換器の熱収支〈eche1_3.xlsx〉

熱交換器における熱収支から，未知数 Q, T_2, t_2 に関する3元連立方程式が次式である（例題 13.8 を参照）．他の値は図1.4の**セル A1：D4** の値で既知である．

$$Q = WC_p(T_1 - T_2) \tag{1.2}$$

$$Q = wc_p(t_2 - t_1) \tag{1.3}$$

$$Q = UA \frac{(T_1 - t_2) - (T_2 - t_1)}{\ln\{(T_1 - t_2)/(T_2 - t_1)\}} \tag{1.4}$$

この連立方程式を**ソルバー**で解け．

〈解答例〉

図1.4の**セル B5：B7** に未知数の適当な初期値を入れる．これと定数 **B1：D4** のセル座標により，式(1.2)～(1.4)の残差(＝(右辺)－(左辺))を **D5：D7** に記入する．**データ→ソルバー**から**ソルバー**の**設定ウィンドウ**を開く．**目的セル**が方程式の残差のことであり，**目的セルの設定**に D5 を指定し，**目標値**は 0 とする．その下の**変数セル**が未知数のことであり，**変数セルの変更**を B5：B7 とする．**制約条件の対象→追加**で "D6＝0"，"D7＝0" の条件を加えることで，3元連立方程式の解を求める設定となる．**解決**ボタンで解が B5：B7 のように得られる．

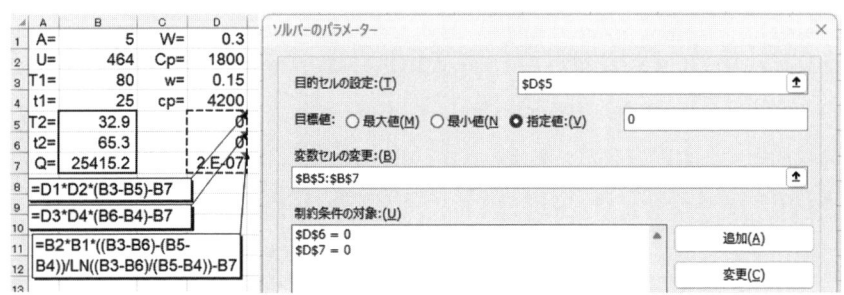

図 1.4　ソルバーによる連立方程式の解法〈eche1_3.xlsx〉

例題 1.3 の**ソルバー**による解法では，三つの**方程式の個々の残差を 0 にする**設定法で行った．この方法が連立方程式の解法としては普通である．しかし本書では以降の**ソルバー**による連立方程式解法を，**連立式の残差 2 乗和を最小化する方法**[*1] で行っている(例題 13.8 を参照)．これは簡便さと，最小 2 乗法との共通性の観点から統一しているものである．

【例題 1.4】 pH の計算 ⟨eche1_4.xlsx⟩

濃度 1×10^{-7} mol/L の稀薄な塩酸溶液の pH を求めよ．

⟨解答例⟩

水分子の解離により生成した H^+ イオン，OH^- イオンの濃度 [mol/L]: $[H^+]_w$, $[OH^-]_w$ を x とする($[H^+]_w=[OH^-]_w=x$)．溶液中の H^+ 濃度は塩酸から来るものと水の解離によるものの和である($[H^+]=[H^+]_{HCl}+[H^+]_w=1\times 10^{-7}+x$)．一方，$OH^-$ 濃度は水の解離のみによる($[OH^-]=[OH^-]_w=x$)．水のイオン積より，$[H^+]\times[OH^-]=1\times 10^{-14}$ なので，2 次方程式：

$$(1\times 10^{-7}+x)x=1\times 10^{-14} \tag{1.5}$$

となる．この方程式は数値が極端に小さいので，ゴールシークでは解けず，精度を調整できる**ソルバー**で解く．図 1.5 のように**セル B1** に x の初期値，**B2** に方程式(1.5)の残差を記述する．**ソルバー**のパネルから**目的セルの設定：B2, 目標値：0, 変数セルの変更：B1** とする．さらに**オプション→制約条件**の精度を $1e^{-16}$ と設定する．**解決**により $x=6.18\times 10^{-8}$ が得られる．これより $[H^+]=1.62\times 10^{-7}$．よって $pH=-\log(1.62\times 10^{-7})=6.79$ である．

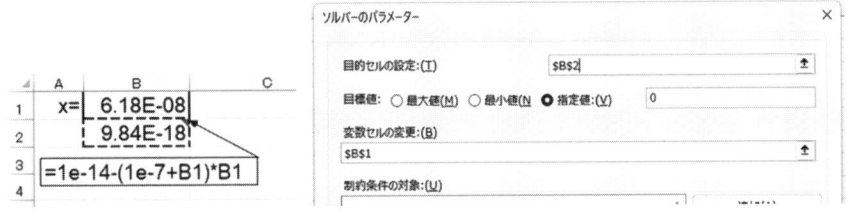

図 1.5　pH の計算(ソルバーによる 2 次方程式解法) ⟨eche1_4.xlsx⟩

---

*1: 本書の方法(残差 2 乗和最小)の場合，未知数や残差のオーダー(桁数)が大きく異なる条件ではサイズ調整(**ソルバー→オプション→☑自動サイズ調整**)が必要である．

1.2.4 ツール4 マクロ(VBA)

マクロとは表計算上でのキー操作を記録し,再生実行する機能であったが,ExcelではマクロがBASIC言語(VBA: Visual Basic for Application)で記述されるようになった.これにより数値計算など本格的プログラミングをExcel上で行える.本書では積分と微分方程式解法の二つのツールを用意するためVBAプログラムを利用した.VBAの基本的使い方の説明とともに例題で紹介する.

【例題 1.5】 データの数値積分〈eche1_5.xlsm〉

図1.6のExcelシートで,**A**,**B列**の(x, y)データは吸収操作の気相濃度と濃度推進力の関係である.移動単位数を求めるため,このデータを台形公式で積分するVBAプログラムを作成せよ(例題4.4を参照.ここでは例題4.4における$y, 1/(y-y^*)$をx, yに置き換えた).

数値積分における台形公式では,データ区間$(x_1, y_1) \sim (x_2, y_2)$の積分値を,
$$\Delta S = (y_1 + y_2)(x_2 - x_1)/2 \tag{1.6}$$
で求め,この総和を積分値とする.

〈解答例〉

VBAプログラムの作成を以下の手順で行う.

1. まず外枠(モジュール)をつくる.**表示→マクロ→マクロの記録**パネルで

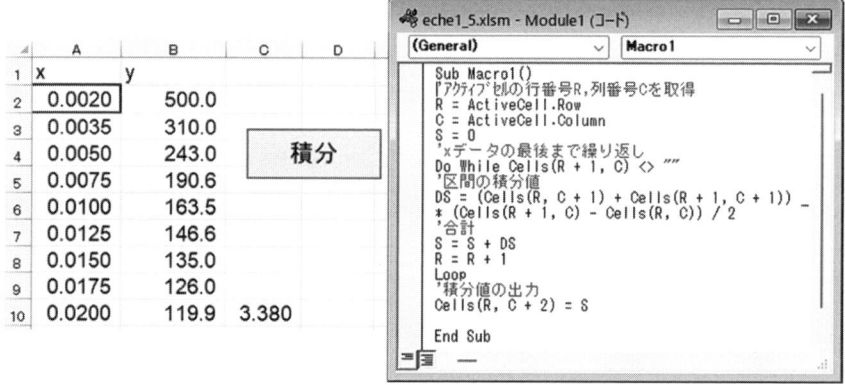

図1.6 マクロ(VBA)の作成(台形公式による数値積分)〈eche1_5.xlsm〉

マクロ名を指定(既定は"Macro1")→**OK**する．シート上で適当に操作して，**表示**→**マクロ**→**記録終了**とする．

2. 再度，**表示**→**マクロ**→**マクロの表示**から，作成されたマクロを**編集**する．**プログラム記述ウィンドウ**(図1.6右)が現れるので，Sub Macro1()～End Sub 内の先の操作記録は削除して，図1.6右のようにプログラムを記述する(ここではVBA文法の解説は省略する)．プログラム内容はコメントを参照されたい．9行が式(1.6)である．

3. プログラムを実行するための**ボタン**を作成する．**挿入**→**図**→**図形**から四角形を選択してシート上に**ボタン**を作成する．**右クリック**→**テキストの編集**で名前をつける．再度**右クリック**→**マクロの登録**で**マクロの登録**のパネルが現れるので，マクロ名を指定してOKする．これで図1.6左のようになる．

作成したシートで，最初の x データ(**セルA2**)をクリックして**アクティブ**にしてから，作成した**積分**ボタンの**クリック**でSub Macro1()が実行される．台形公式による積分値が**C10**に得られる．

VBAツール1 Simpsonの公式による積分シート：化工計算ではデータの積分値が必要なことが多い．上の例題のように，データの数値積分は台形公式による方法が普通であるが，実際にはデータのバラツキもあるので，ここでは最小2乗法でデータの相関式を求めて，その式を積分するという方法を推奨する．

データの相関式が決まれば，その式を数値積分するのは**Simpsonの公式**により容易である．すなわち定積分 $S = \int_a^b f(x)\mathrm{d}x$ を次式で計算する．

$$S = (1/3)h[f(a) + \{4f(a+h) + 2f(a+2h)\} \\ + \{4f(a+3h) + 2f(a+4h)\} + \cdots \\ + \{4f(b-3h) + 2f(b-2h)\} + 4f(b-h) + f(b)] \tag{1.7}$$

ここで，$h = (b-a)/n$ で，n は区間の分割数(偶数)である．本書ではSimpson法による数値積分を行うために**VBAプログラム**を含む「積分シート」を作成して使う．図1.7にそのシートとVBAプログラムを示す．プログラム部分は汎用であり，シート上のセルに任意の被積分関数と積分区間を記述する．このシートの使い方を例題で示す．

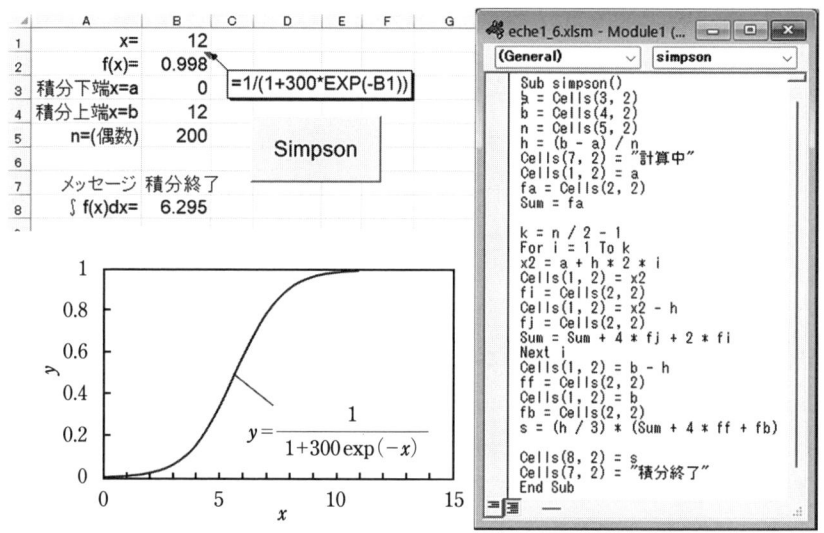

図 1.7 数値積分シートと VBA プログラム〈eche1_6.xlsm〉
[化学工学協会編,"化学工学プログラミング演習",培風館(1976), p.64 を参考に作成]

【例題 1.6】 破過曲線の数値積分〈eche1_6.xlsm〉

固定層吸着における破過曲線をロジスティック曲線:

$$f(x) = \frac{a}{b + c \exp(-ax)} \qquad (a=1, b=1, c=300) \tag{1.8}$$

で表した.(図 1.7 のグラフで示す)吸着容量を得るため,この式を区間 $[0, 12]$ で数値積分せよ.

〈解答例〉

図 1.7 の**セル B1** を変数 x として,関数 $f(x)$ を **B2** に記述する.積分区間と分割数を **B3:B5** で指定して,**ボタン"Simpson"**をクリックする.図 1.7 右のプログラムが実行されて,**セル B8** に積分値が 6.295 と求められた.

VBA ツール 2　Runge-Kutta 法による常微分方程式解法シート:化学工学における数式モデルの多くは微分方程式となる.微分方程式が 1 階の $\dfrac{dy}{dx} = y' = f(x, y)$ という形式(正規形)で,初期値 $y(x_0) = y_0$ が与えられれば,初期値から出発して数値積分できる.このための積分の手法としては Runge-

Kutta 法が標準的である．また，多階の常微分方程式は1階の正規形常微分方程式の連立式に書き直せる．正規形の連立常微分方程式も，初期値がすべて与えられていれば Runge-Kutta 法により解くことができる．

本書では正規形の連立常微分方程式を解くために，VBA プログラムを組み込んだ「**微分方程式解法シート**」を提供する．**VBA プログラム**本体(Module1)をリスト 1.1(p. 14)に示す．プログラムは 4 次の Runge-Kutta 法[12]である．特徴としてプログラム中の変数とシート上のセルの値を適宜入出力することで，(連立)常微分方程式をシート上のセル座標のみで記述する形式とした．定数もシート上に書いて参照するので，この形式により VBA 内部に触れずにセルの値や式のみ書き換えればよい．

シート上の "**Runge-Kutta**" **ボタン**をクリックすることで **Module1** の "**SUB A_onClick()**" から Runge-Kutta 法による積分が実行される．この Excel シートの使い方を例題で示す．

【例題 1.7】 生態系のモデル〈eche1_7.xlsm〉

生態系における被食者と捕食者の生存闘争モデルとして有名な Lotka-Volterra モデルは次式の連立常微分方程式である．

$$\frac{dx}{dt} = ax - cxy \tag{1.9}$$

$$\frac{dy}{dt} = -by + cxy \tag{1.10}$$

ここでは x をウサギ(被食者)の個体数，y をキツネ(捕食者)の個体数とする．t は時間で，両式の第 2 項(xy)が個体群間の相互作用を表す「交差項」である．ウサギが1000匹，キツネが100匹の初期状態から，このモデルにより個体数の経時変化を予測せよ．$a=0.01$, $b=0.05$, $c=0.0001$ とする．

〈解答例〉

図 1.8 が「微分方程式解法シート」である．**セル B1** に微分方程式の数 2 を書く．定数を **G2**：**G4** に記しておく．**B5** に式(1.9)を，**C5** に式(1.10)を記述する．その際，式中の変数 x, y は**セル B3**, **C3** を用いる．時間 t の積分区間と刻み幅を **B7**：**B9** に設定する．x, y の初期値 1000, 100 を **B12**, **C12** に記

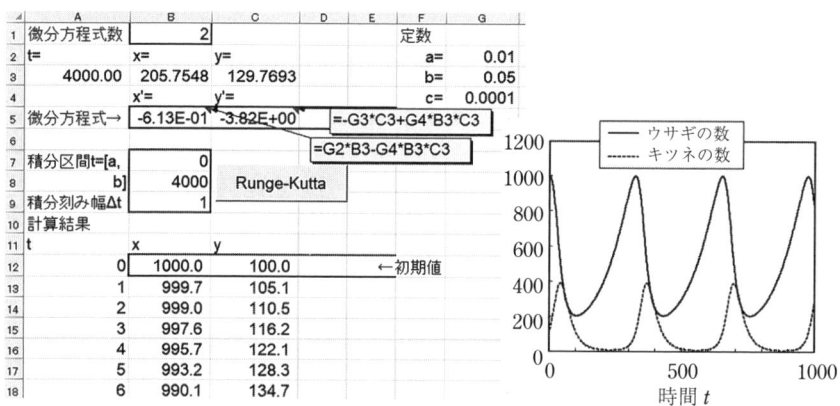

図 1.8 生態系モデルの微分方程式解法〈eche1_7.xlsm〉

入して，**ボタン"Runge-Kutta"**をクリックすると連立常微分方程式の積分が実行される．結果がシートの **13 行以下**に出力された．

計算結果を図 1.8 中のグラフで示す．初期はキツネが増え，ウサギが減少するが，ウサギが減少しすぎるとキツネも減少し，その後ウサギは増加する．このような生態系の周期変化が，簡単なモデル式により表現されていることがわかる．

【例題 1.8】 シュレーディンガー方程式〈eche1_8.xlsm〉

物理化学(量子化学)の基礎モデルである 1 次元シュレーディンガー方程式は波動関数 $\Psi(x)$ に関する 2 階の常微分方程式である．

$$\frac{d^2\Psi}{dx^2} = (V(x) - E)\Psi \tag{1.11}$$

境界条件は $x=0$，$\Psi=1$，$\Psi'=0$，または $x=0$，$\Psi=0$，$\Psi'=1$ である．ポテンシャル $V(x)$ は次式の井戸型ポテンシャルとして，外側($|x|>4$)で $\Psi(x)=0$ となる固有値 E の数値解を求めよ．

$$V(x) = \begin{cases} 0 \, (|x| \leq 4) \\ 5 \, (|x| > 4) \end{cases} \tag{1.12}$$

〈解答例〉

波動関数の解は固有値 E のとびとびの値 $(E_0, E_1, E_2, \cdots)$ で存在する．基礎式を正規形の連立常微分方程式：

$$\begin{cases} \Psi' = z \\ z' = (V(x) - E)\Psi \end{cases}$$

として微分方程式解法シートで $x=0$ から数値積分する．Ψ, z の初期値 **B12**：**C12** は基底状態 (E_0) で $(1, 0)$，以降 $(0, 1)$，$(1, 0)$，$(0, 1)$ である．図 1.9 のように領域外 ($|x|>4$) で $\Psi=0$ となる E の値 (**G3**) を試行する．結果は $E_0 = 0.1236$，$E_1 = 0.4934$，$E_2 = 1.105$ などとなる．

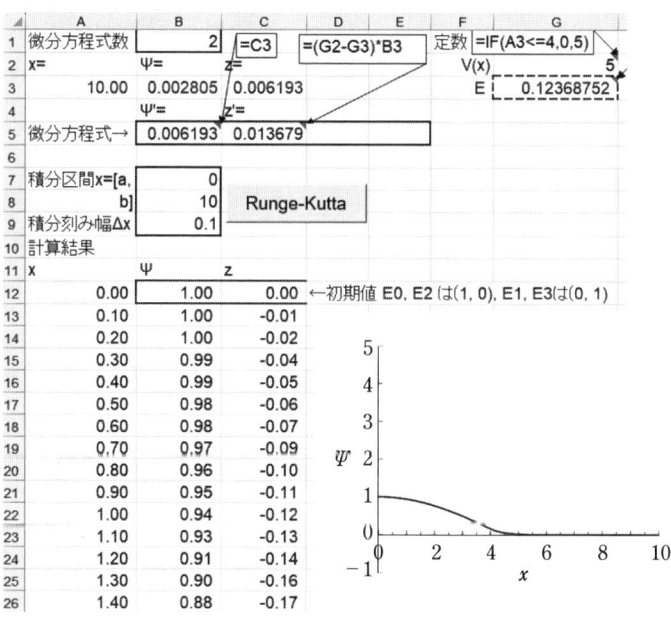

図 1.9 シュレーディンガー方程式の数値解法〈eche1_8.xlsm〉

```
Option Explicit
Dim YW(), KN()
Dim NM, NK, NZ, I, M
Dim XA, XB, Lin, XH, X, YDD

Sub A_onClick()
NM = Cells(1, 2)
NM = NM - 1
ReDim YW(NM), KN(4, NM)
'---- 区間, 刻み幅, 初期値
XA = Cells(7, 2)  ' a = tstart
XB = Cells(8, 2)  ' b = tstop
XH = Cells(9, 2)  ' dt (step)
For NK = 0 To NM
    YW(NK) = Cells(12, NK + 2)
Next
'---
X = XA
NZ = 0
'----
Do While X + XH / 2 < XB
    NZ = NZ + 1
        Call SubRK
    '---出力
    Lin = NZ + 12
    Cells(Lin, 1) = X
    For NK = 0 To NM
        Cells(Lin, NK + 2) = YW(NK)  '書き込む
    Next
Loop
End Sub


Sub SubRK()
'------Runge-Kutta
'各方程式のK1算出
Cells(3, 1) = X
For NK = 0 To NM
    Cells(3, NK + 2) = YW(NK)
Next
For NK = 0 To NM
    YDD = Cells(5, NK + 2)
    KN(1, NK) = YDD * XH
Next
'各方程式のK2算出
X = X + XH / 2#
Cells(3, 1) = X
For NK = 0 To NM
  Cells(3, NK + 2) = YW(NK)+KN(1,NK)/2#
Next
For NK = 0 To NM
    YDD = Cells(5, NK + 2)
    KN(2, NK) = YDD * XH
Next
'各方程式のK3算出
For NK = 0 To NM
  ells(3, NK + 2) = YW(NK)+KN(2,NK)/2#
Next
For NK = 0 To NM
    YDD = Cells(5, NK + 2)
    KN(3, NK) = YDD * XH
Next
'各方程式のK4算出
X = X + XH / 2#
Cells(3, 1) = X
For NK = 0 To NM
  Cells(3, NK + 2) = YW(NK) + KN(3, NK)
Next
For NK = 0 To NM
    YDD = Cells(5, NK + 2)
    KN(4, NK) = YDD * XH
    YW(NK) = YW(NK) + (KN(1, NK) + 2 * (KN(2, NK) + KN(3, NK))+KN(4, NK))/6
Next
End Sub
```

リスト 1.1 「微分方程式解法シート」の VBA Module1[*2]

[J. ハイルボーン編, 大矢健正訳, "数値計算プログラム BASIC", マグロウヒル好学社 (1982), p.82 を参考に作成]

[*2]: 境界層関係の【例題 11.4】(p.124),【例題 13.4】(p.137) は, 積分の精度を上げるため, Runge-Kutta-Fehlberg 法 (RKF45) による解法プログラムを用いた. これは刻み幅を自動調節するので変数変化の傾きが異なる連立常微分方程式の解法に適している. セル **B9** に刻み幅の代わりに仮の区間分割数を設定する.

2 蒸　　留

2.1　2成分系気液平衡計算

2成分系混合液で低沸点成分のモル分率を x とする(図2.1).この溶液の組成 x,大気圧 π における沸点 t を求める問題は,温度 t に関する非線形方程式:

$$\pi = \gamma_1 P_1^* x + \gamma_2 P_2^* (1-x) \tag{2.1}$$

$$\gamma_1 = 10^{A_{12}/[1+xA_{12}/\{(1-x)A_{21}\}]^2} \quad \gamma_2 = 10^{A_{21}/\{1+(1-x)A_{21}/(xA_{12})\}^2} \tag{2.2}, (2.3)$$

$$P_1^* = e^{\left(A_1 - \frac{B_1}{t+C_1}\right)} \quad P_2^* = e^{\left(A_2 - \frac{B_2}{t+C_2}\right)} \tag{2.4}, (2.5)$$

を解く問題となる.ここで,活量係数 γ は van Laar 式,各成分の純成分蒸気圧 P^* は Antoine 式で表した(添字は1が低沸点成分,2が高沸点成分).式(2.1)の右辺の各項が蒸気相の分圧であり,これらより蒸気相の組成が $y = \gamma_1 P_1^* x / \pi$ で求められる.このような未知数が一つの非線形方程式は Excel の**ゴールシーク**機能で解かれる.

【例題 2.1】　2成分系溶液の沸点計算〈eche2_1.xlsx〉

$x=0.1$ のエタノール/水混合液の大気圧下での沸点を求めよ.図2.2中にこの系の Antoine 定数[13,p.12](**C5：D7**),van Laar 定数(**C9：D9**)[14] を示す.

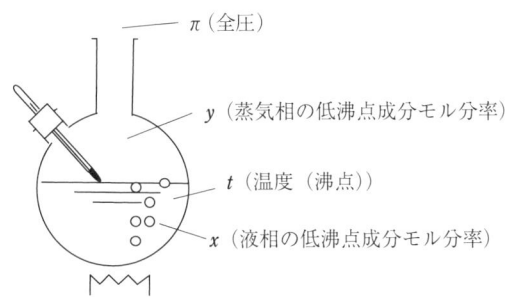

図 2.1　2成分系気液平衡

16　　2　蒸　　留

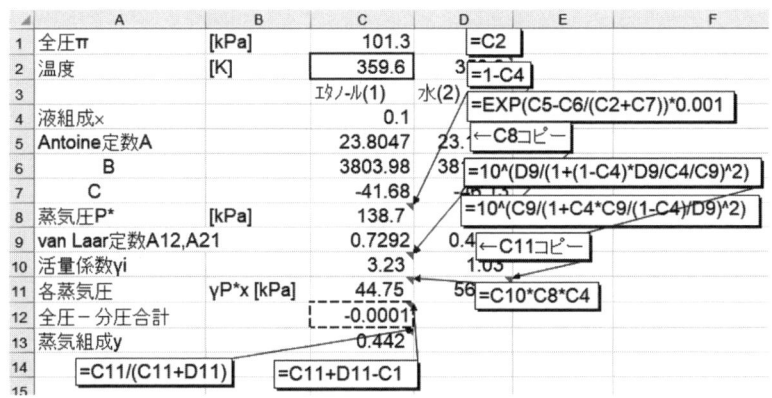

図 2.2　2 成分系気液平衡計算〈eche2_1.xlsx〉

[C5：D7 は，化学工学会編，"改訂七版 化学工学便覧"，丸善出版(2011)，p. 13；C9：D9 は，
H. J. Holmes, M. van Winkle, *Ind. Eng. Chem.*, **62**, 21-31 のデータを使用した]

〈解答例〉

仮の温度($C2$)と指定の組成 x($C4$)から両成分の蒸気圧をセル $C11$：$D11$ に計算し，式(2.1)の残差((右辺)−(左辺))をセル $C12$ に記述する．**ゴールシークで，数式入力セル：$C12$，目標値：0，変化させるセル：$C2$(温度)を指定**して実行する．$C2$ に沸点 t，$C13$ に蒸気組成 y が得られる．

【例題 2.2】　2 成分系の気液平衡図〈eche2_2.xlsx〉

液組成 x の全範囲について沸点計算を行い，x-y 線図および露点・沸点曲線のグラフを描け．

〈解答例〉

図 2.3 にこれを行った Excel シートの一部を示す．上の例題のように Excel で沸点計算を行うには(すなわち非線形方程式を解くには)ゴールシークの実行操作が必要である．これに対し図 2.3 の Excel シートでは沸点を直接計算するための工夫をした．15 行の液組成 x につき三つの温度で式(2.1)により蒸気圧を計算する(**22，26，30 行**)．次いでこれらの蒸気圧から大気圧での温度(沸点)を補間する(**31 行**)という方法である．沸点の補間には Lagrange の補間式を用いた．さらにこのワークシートではリストから 72 種の 2 成分系[14] を選択して，各系の気液平衡図が描かれるようにした．

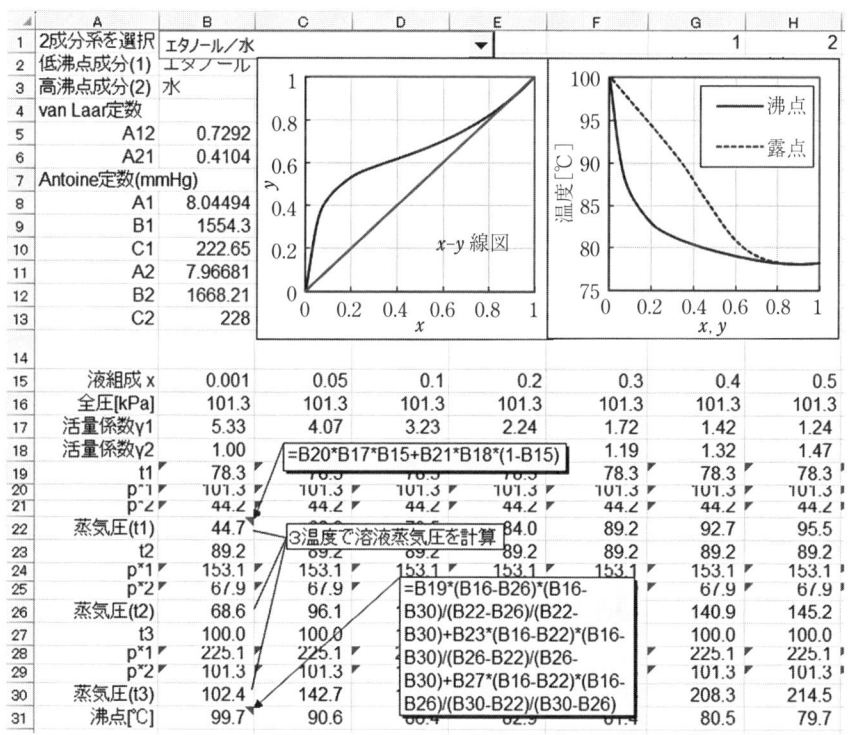

図 2.3　x-y 線図と沸点・露点曲線〈eche2_2.xlsx〉

[B8：B13 は，化学工学会編，"改訂七版 化学工学便覧"，丸善出版(2011)，p.13；B5：B6 は，H. J. Holmes, M. van Winkle, *Ind. Eng. Chem.*, **62**, 21-31 のデータを使用した]

【例題 2.3】　気液平衡データの相関（Wilson パラメータ）〈eche2_3.xlsx〉

図 2.4 中 **A**，**B**，**C** 列で示すエタノール／水系の気液平衡データ(101 kPa)[15]から活量係数に関する Wilson パラメータを求めよ．

〈解答例〉

非線形の最小2乗法の問題である．x，y，t のデータより活量係数を **F**，**G** 列に求める．Wilson 式[13,p.37]：

$$\ln \gamma_1 = -\ln\{x + \Lambda_{12}(1-x)\}$$
$$+ (1-x)\left\{\frac{\Lambda_{12}}{x+\Lambda_{12}(1-x)} - \frac{\Lambda_{21}}{(1-x)+\Lambda_{21}x}\right\} \quad (2.6)$$

18　2 蒸留

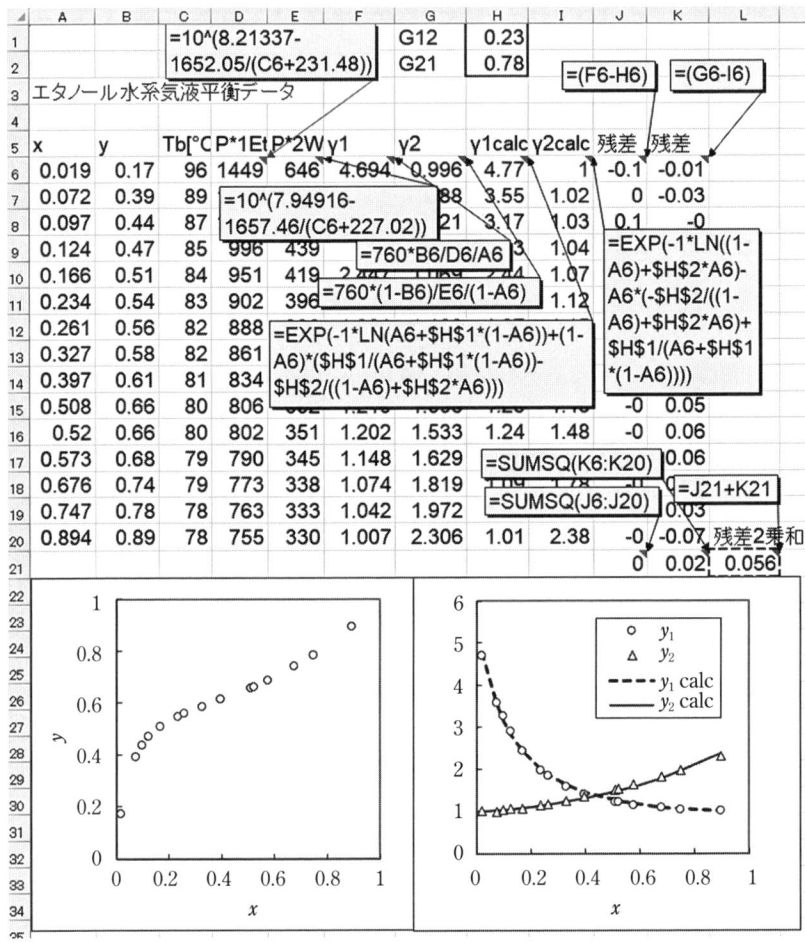

図 2.4 Wilson パラメータの推算〈eche2_3.xlsx〉

[A6：C20 は，平田光穂，大江修造，長浜邦雄，"電子計算機による気液平衡データ"，講談社(1975)のデータを使用した]

$$\ln \gamma_2 = -\ln\{(1-x) + \Lambda_{21}x\}$$
$$- x\left\{\frac{\Lambda_{12}}{x + \Lambda_{12}(1-x)} - \frac{\Lambda_{21}}{(1-x) + \Lambda_{21}x}\right\} \tag{2.7}$$

のパラメータ Λ_{12}，Λ_{21} の仮の値を H1：H2 に書く．H，I 列に式(2.6)，(2.7)による γ の計算値を求める．J，K 列に各々のデータ値との残差をつくり，L21 でその残差2乗和の合計値を設定する．ソルバーで目的セルの設定：

L21, **目標値**:最小値, **変数セルの変更**:**H1**:**H2** として実行する.図2.4中 **H1**:**H2** の Wilson 係数により活量係数が相関された.

2.2 単 蒸 留

単蒸留はスチル内の溶液から回分式に留出液を得る操作である.この操作は原液および留出液濃度が留出量に従い変化する,微分方程式の問題となる.

スチル内に液量 L_0, 組成 x_0 の2成分溶液を仕込み,単蒸留を行う(図2.5).操作中のスチルの液量を L,その組成を x,発生蒸気組成を y とする.微小量 dL だけ蒸留が進行し,液組成が dx 変化したとすると,物質収支は,

$$Lx = (L-dL)(x-dx) + ydL \tag{2.8}$$

となり,2次の微分項を省略して整理すると次式となる.

$$\frac{dL}{L} = \frac{dx}{y-x} \tag{2.9}$$

これは留出率:$\beta = 1-(L/L_0)$ を用いて書き換えると,

$$\frac{dx}{d\beta} = -\frac{y-x}{1-\beta} \tag{2.10}$$

となり,y と x の関係($y=f(x)$)が既知であれば,β に関する x の常微分方程式となる.これを単蒸留の Rayleigh の式[16,p.514]という.

【例題 2.4】 単蒸留の蒸留曲線〈eche2_4.xlsm〉

濃度 $x_0=0.5$ のベンゼン/トルエン溶液を単蒸留した場合の蒸留曲線を描け.この系の x-y 関係は理想溶液として,

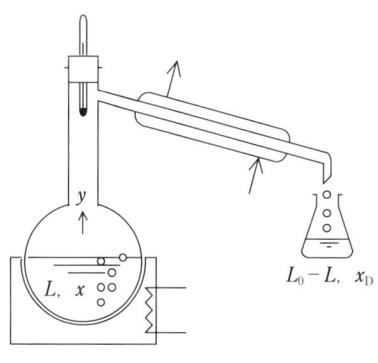

図 2.5 単蒸留

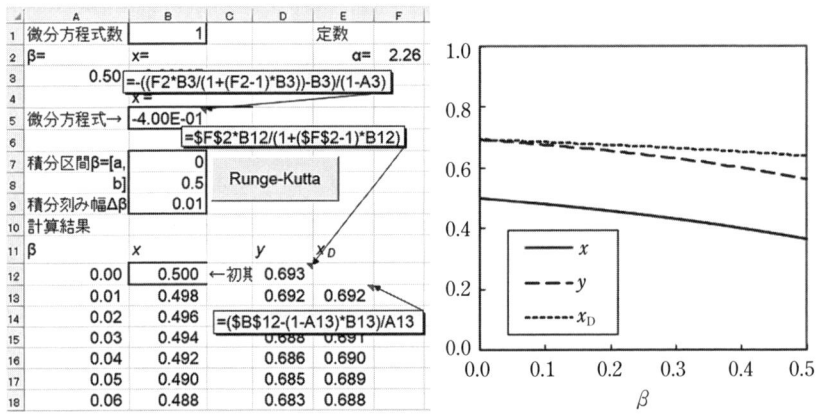

図 2.6 単蒸留〈eche2_4.xlsm〉

$$y = f(x) = \frac{\alpha x}{1+(\alpha-1)x} \qquad (\alpha = 2.26) \tag{2.11}$$

で表せるとする(α：相対揮発度).

〈解答例〉

図 2.6 に示したシートが「微分方程式解法シート」である．**セル B5** に微分方程式(2.10)を記述し，初期値を **B12** に設定する．積分区間，刻み幅を **B7**：**B9** で指定して，**ボタン**クリックで積分を実行する．x の値から蒸気組成 y（**D 列**），留出液平均組成 $x_D (= \{x_0 - (1-\beta)x\}/\beta)$（**E 列**）も求め，グラフのような単蒸留曲線が描ける．

2.3 フラッシュ蒸留

フラッシュ蒸留(平衡蒸留，連続単蒸留)では供給液を連続的に供給・加熱して一部を蒸発させ，分離器で気液を分ける．液が缶出液として，蒸気は全縮した留出液として得られる．

A(1)/B(2)の2成分系を考え，供給速度，成分濃度を F[kmol/s]，z_1, z_2 [モル分率]，留出蒸気を V, y_1, y_2，缶出液を L, x_1, x_2 とする（図 2.7）．全体と A(1)成分の物質収支は次式となる．

$$F = V + L \tag{2.12}$$

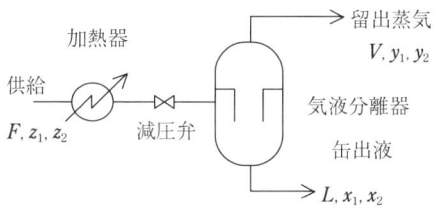

図 2.7 フラッシュ蒸留

$$Fz_1 = Vy_1 + Lx_1 \tag{2.13}$$

F, V, z_1 が指定されると L は式(2.12)から決まり，気液平衡から y_1 は x_1 の関数なので，これは x_1 に関する非線形方程式を解く問題となる．

【例題 2.5】 2成分系フラッシュ蒸留

エタノール(1)/水(2)系でエタノールモル分率 $z_1 = 0.3$ のエタノール水溶液 $F = 1$ kmol/h を大気圧でフラッシュ蒸留する．缶出液組成 $x_1 = 0.20$ となる缶出，留出量 V, L を求めよ．

〈解答例〉〈eche 2_5.xlsx〉

図2.8の Excel シートの **H 列**で活量係数を考慮した 2 成分系気液平衡計算を行う(例題 2.2 の Excel シートを利用)．この結果を **E2：E4** に転記して x_1 から y_1 を計算する．**B2** に V の初期値を入れ，**B7** に式(2.13)の残差((右辺)−(左辺))を記述する．**ゴールシーク**で**数式入力セル：B7，目標値：0，変化させるセル：B2** として実行する．$V = 0.50$，$L = 0.50$ kmol/h である．

〈別解〉〈eche2_5a.xlsx〉

一般に多成分系の気液平衡において，特定の i 成分について **K-value**(気液濃度比)K_i：

$$K_i \equiv \frac{y_i}{x_i} \tag{2.14}$$

を定義する[16,p.41]．理想溶液では $K_i = P_i^*/P$，非理想溶液では $K_i = \gamma_i P_i^*/P$ の関係がある（P^*：操作温度の純成分蒸気圧，P：全圧，γ：活量係数）．

図2.7における2成分(1)，(2)の物質収支式は以下である．

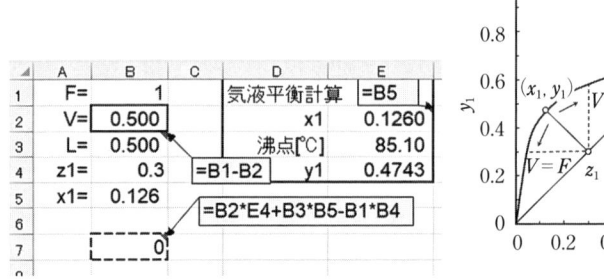

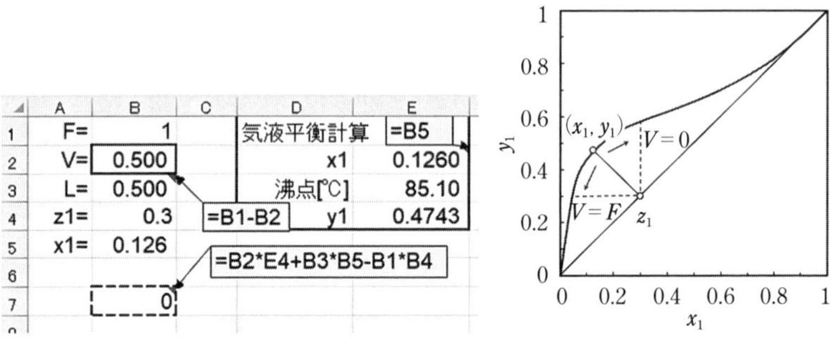

図 2.8　2 成分系フラッシュ蒸留〈eche2_5.xlsx〉

$$\begin{cases} Fz_1 = Vy_1 + Lx_1 \\ Fz_2 = Vy_2 + Lx_2 \end{cases} \tag{2.15}$$

ここでフラッシュ操作における蒸発割合 Ψ：

$$\Psi \equiv (V/F) \tag{2.16}$$

を定義すると，式(2.14)と式(2.15)から以下の関係となる．

$$x_1 = \frac{z_1}{1+\Psi(K_1-1)}, \quad y_1 = K_1 x_1, \quad x_2 = \frac{z_2}{1+\Psi(K_2-1)}, \quad y_2 = K_2 x_2$$

これより次式を解くことで Ψ が求められる．

$$(x_1+x_2)-(y_1+y_2) = \frac{z_1(1-K_1)}{1+\Psi(K_1-1)} + \frac{z_2(1-K_2)}{1+\Psi(K_2-1)} = 0 \tag{2.17}$$

図 2.9 の Excel シートの **E2：E6** で，van Laar 活量係数式による気液平衡計算（**H 列**，P=101 kPa）により缶出液組成 x_1（**E2**）から y_1，K_1，K_2 を求めておく．これら K-value から x_1，y_1，x_2，y_2（**B5：B8**）を計算して，**セル B9** に式(2.17)を記述する．ゴールシークで数式入力セル：**B9**，目標値：0，変化さ

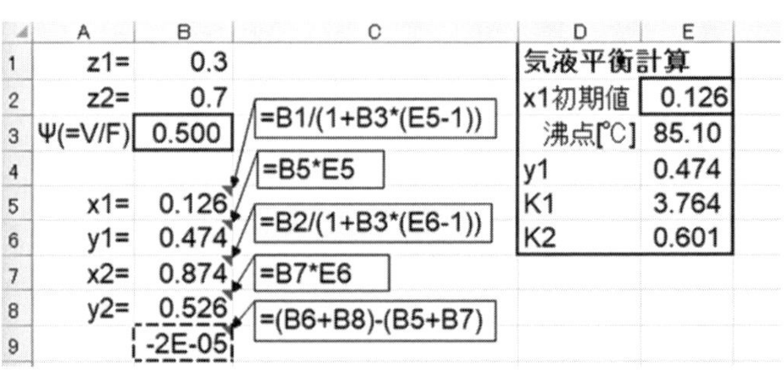

図 2.9　2 成分系フラッシュ蒸留—Rachford-Rice 法—〈eche2_5a.xlsx〉

せるセル：**B3** として実行する．これより $\Psi=0.50$ すなわち $V=0.50$, $L=0.50$ kmol/h である．

Rachford-Rice 法[16,p.159]：この K-value と Ψ による2成分フラッシュ計算法（式(2.17)）を多成分系に一般化したのが次式である．

$$\sum_i x_i - \sum_i y_i = \sum_i = \sum_{i=1}^c \frac{z_i(1-K_i)}{1+\Psi(K_i-1)} = 0 \tag{2.18}$$

この式によりフラッシュ計算ひいては平衡段計算が一般化できる．さらに K-value を抽出や吸収でも定義することで，蒸留・抽出・吸収の平衡段計算を共通アルゴリズムで行える．これを Rachford-Rice 法とよび，プロセスシミュレータ[2] で用いられている．

【例題 2.6】　多成分系フラッシュ蒸留[16,p.160]―Rachford-Rice 法―
　　　　　　〈eche2_6.xlsx〉

プロパン(1)，n-ブタン(2)，n-ペンタン(3)，n-ヘキサン(4)炭化水素4成分系のそれぞれ 10, 20, 30, 40 mol% 混合液 100 kmol/h を全圧 $P=689.5$ kPa，温度：366.5 K の条件でフラッシュ蒸留する．この条件での各成分の K-value は炭化水素成分用のノモグラフより読み取り，$K_1=4.2$, $K_2=1.75$, $K_3=0.74$, $K_4=0.34$ である[16,p.50]．留出蒸気量 V, 缶出液量 L と各組成を求めよ．

〈解答例〉

図 2.10 のシートの **H2**：**H9** に各成分の x_i, y_i の計算式，**セル I9** に式(2.18)を記述する．**H1** に蒸発割合 Ψ の初期値を入れる．ゴールシークで数式入力セル：**I9**，目標値：0，変化させるセル：**H1** として実行する．これより $\Psi=0.123$ が得られ，$V=12.3$, $L=87.7$ kmol/h となる．各成分組成が

	A	B	C	D	E	F	G	H	I	J	K	L
1							Ψ (=V/F)=	0.123	=C3/(1+H1*(E3-1))		F=	100 kmol/h
2							x1=	0.0718	=H2*E3		V=	12.3 kmol/h
3	propane	z1=	0.1	K1=	4.2		y1=	0.3014	=C4/(1+H1*(E4-1))		L=	87.7 kmol/h
4	n-butane	z2=	0.2	K2=	1.75		x2=	0.1831	=H4*E4			
5	n-pentane	z3=	0.3	K3=	0.74		y2=	0.3204	=C5/(1+H1*(E5-1))			
6	n-hexane	z4=	0.4	K4=	0.34		x3=	0.3099	=H6*E5			
7					=C6/(1+H1*(E6-1))		y3=	0.2293	=(H3+H5+H7+H9)-(H2+H4+H6+H8)			
8							x4=	0.4353				
9					=H8*E6		y4=	0.148	-0.000926			

図 2.10　4成分系フラッシュ蒸留―Rachford-Rice 法―〈eche2_6.xlsx〉

H2：H9 に得られる．

2.4 2成分系蒸留

蒸留塔は一般に液を加熱して蒸気にするリボイラ，塔本体，蒸気を液に戻す全縮器からなる．蒸留塔全体としては，**供給** F を塔頂からの**留出液** D と塔底からの**缶出液** W の二つの流れに分け，低沸点成分を留出液中に，高沸点成分を缶出液中に濃縮する分離操作を行う（図 2.11）．塔内は多数の段（トレイ）が重なっており[*1]，各段上で気液が向流接触する．

供給原料は塔の中間の段から供給され，段上で沸騰して蒸気となり，各トレイを通過して塔頂に至る．塔頂では全縮器で蒸気をすべて液に戻し，一部を留出液 D として抜き出し，それ以外を**還流液** L として塔頂に戻す．$R = L/D$ が**還流比**である．塔頂の還流液は段上で蒸気と接触しながら塔底に至り，リボイラ（再沸器）から缶出液 W を取り出す．残りのリボイラ液は蒸気となり，再

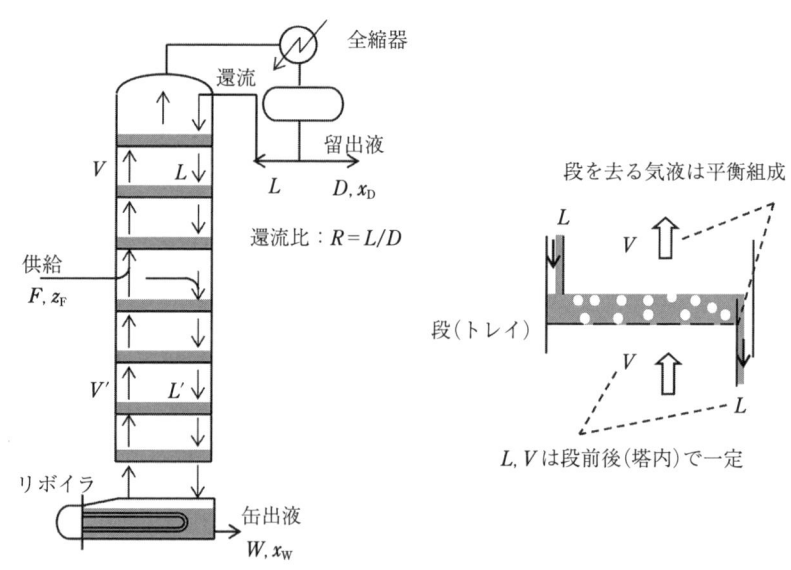

図 2.11　蒸留(精留)塔内の気液流れと理論段の仮定

[*1]：　最近はトレイの代わりに塔内が充填物である蒸留塔も多い．充填塔による蒸留の設計，性能計算も本稿の理論段による段塔の計算が基礎になる．理論段の数から充填物高さを計算するのが **HETP** である（p.54 を参照）．

度液流れと向流に接触して塔内を上昇する．このような還流をともなう蒸留操作を**精留**という．

ここでは2成分系の蒸留塔の性能計算を取り扱う．蒸留操作の分離性能すなわち留出液組成 x_D，缶出液組成 x_W を求めるには，塔内すべての段における気液流量と蒸気組成と液組成を求める必要があり，これは未知数が多数の連立方程式解法の問題となる．しかし未知数を減らすため以下の二つの大きな仮定を行う．

仮定1 気液のモル流量一定：蒸気流量 V，液流量 L は塔内で一定とする．気液の組成は塔内で変化するが，モル蒸発潜熱が成分で同じであれば，気液の流量は段ごとには変化しないと仮定できる．

仮定2 各段を去る気液の組成は気液平衡にある：これが**理論段，平衡段**の仮定である[*2]．蒸留塔内のある段を去り下段に行く液の組成 x と，段上の液から去り上昇する蒸気の組成 y が気液平衡の関係にあるとする．

2成分系の蒸留操作に関する **McCabe-Thiele の図式解法**[16,p.283] は，この仮定のもとで連立方程式をグラフ上で解く巧みな工夫である．分離の目標値に必要な理論段の数をグラフ上の平衡線と操作線間の階段作図により求める．このように分離性能を指定した蒸留塔の理論段の数を求める問題を**設計型問題**という．

しかし，プロセスシミュレータ[2]など計算機による蒸留計算ではこのような設計型の問題解法は適さず，あらかじめ段の数が決められた蒸留塔について分離性能を求めるすなわち**操作型問題**として取り扱う．ここでは Excel シート上でこの二つの問題解法を示す．なお，操作型の解法でも，段の数を変えて計算を比較すれば設計型の問題に対応できる．

理論段の数が指定された蒸留塔の分離性能を求める（操作型問題）：理論段の数が8の精留塔を考える．塔内の段数は7であるが，これにリボイラの1段を加えて理論段の数が8となる．これら理論段に塔頂を2から始まり塔底（リボイラ）を9と番号をつける．系は比揮発度 α の2成分系理想溶液である．供給，留出液，缶出液，還流の流量をそれぞれ F，D，W，L とし，組成を z_F，

[*2]: 実際には「理論段」の仮定は理想的なので，「段効率」で補正する必要性がある．

26   2 蒸　留

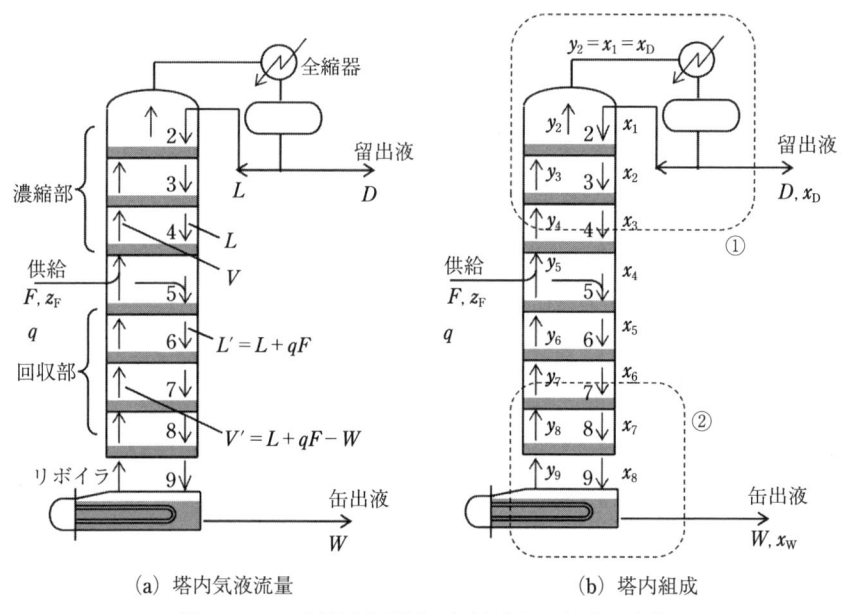

(a) 塔内気液流量

(b) 塔内組成

図 2.12　2成分系蒸留塔の気液流れ，組成の定義

x_D, x_W, x_L とする．供給は第5段上へ送入され，流量 qF の液と $(1-q)F$ の飽和蒸気との混合物で供給されるものとする（図2.12）．

蒸留塔では供給段より上を濃縮部，下を回収部とよぶ．塔内の気液流量は，

　　　濃縮部：蒸気流量 V および液流量 L

　　　回収部：蒸気流量 $V'=L+qF-W$ および液流量 $L'=L+qF$

である．これらは濃縮部，回収部の各段を通して一定と仮定されている．

塔内の i 段を去る蒸気の組成を y_i，液の組成を x_i とする．理論段の仮定より気液平衡関係：

$$y=f(x)=\frac{\alpha x}{1+(\alpha-1)x} \tag{2.19}$$

が $[x_2, y_2]$, $[x_3, y_3]$, $[x_4, y_4]$, $[x_5, y_5]$, $[x_6, y_6]$, $[x_7, y_7]$, $[x_8, y_8]$, $[x_W, y_9]$ に成立する．

これより塔内組成の未知数は液相の x_D, x_2, x_3, x_4, x_5, x_6, x_7, x_8, x_W だけの9個になったので，これらについて物質収支式を以下のようにたてる．
① 塔全体の低沸点物質収支：

$$Fz_F = Dx_D + Wx_W \tag{2.20}$$

② 塔頂での関係：塔頂蒸気 y_2 は全縮器ですべて凝縮されて x_D になるので，次式である．

$$x_D = y_2 = f(x_2) \tag{2.21}$$

③ 濃縮部の $[x_2, y_3]$，$[x_3, y_4]$，$[x_4, y_5]$ の関係：たとえば図2.12(b)の塔頂まわり①境界で全体および低沸点成分の物質収支は（入り）＝（出）として，次式である．

$$\text{全体}: V = L + D \tag{2.22}$$

$$\text{低沸点成分}: Vy_4 = Lx_3 + Dx_D \tag{2.23}$$

V を消去して次式となる．

$$y_4 = \frac{L}{L+D} x_3 + \frac{D}{L+D} x_D \tag{2.24}$$

同様に他の段についても次式が得られる

$$y_3 = \frac{L}{L+D} x_2 + \frac{D}{L+D} x_D \qquad y_5 = \frac{L}{L+D} x_4 + \frac{D}{L+D} x_D$$

$$(2.25), (2.26)$$

④ 回収部の $[x_5, y_6]$，$[x_6, y_7]$，$[x_7, y_8]$，$[x_8, y_9]$ の関係：たとえば図2.12(b)の塔底まわり②境界の物質収支は次式である．

$$\text{全体}: L + qF = V' + W \tag{2.27}$$

$$\text{低沸点成分}: (L + qF)x_6 = V'y_7 + Wx_W \tag{2.28}$$

V' を消去して次式となる．

$$y_7 = \frac{L+qF}{L+qF-W} x_6 - \frac{W}{L+qF-W} x_W \tag{2.29}$$

同様に回収部の他の段についても次式が成り立つ．

$$y_{i+1} = \frac{L+qF}{L+qF-W} x_i - \frac{W}{L+qF-W} x_W \quad (i = 5, 7, 8)$$

$$(2.30), (2.31), (2.32)$$

以上により，9個の未知数に関する9個の連立方程式(式(2.20)，(2.21)，(2.24)，(2.25)，(2.26)，(2.29)，(2.30)，(2.31)，(2.32))が得られた．

【例題 2.7】 精留(8段)〈eche2_7.xlsx〉

理論段の数8(段数7＋リボイラ)の蒸留塔で相対揮発度 $α=2.5$ の2成分系混

合液を分離する．$F=1\,\mathrm{mol/s}$，供給組成 $z_F=0.5$，供給の液割合 $q=0.5$，留出液量 $D=0.5$，還流比 $R(=L/D)=3$ の設定条件で塔内組成分布を計算し，塔の分離性能 x_D，x_W を求めよ．

〈解答例〉

図 2.13 の Excel シートで **B1：B7**，**D1** にパラメータ，**B9：B17** に未知数の適当な初期値を入れる．**C10：C17** に気液平衡関係(式(2.19))を，**D9：D17** に九つの連立方程式の残差((右辺)−(左辺))を書く．**D18** に残差2乗和を計算し，**ソルバー**で**目的セルの設定：D18**，**目標値：最小値**，**変数セルの変更：B9：B17** を設定して**解決**する．これで連立方程式が解かれ，解が **B9：B17** に得られる．図中のグラフで蒸留塔内の組成分布を示す．

蒸留塔の分離性能と使用エネルギー：この例題で還流比を $R=10$ と $R=1$ で比較したのが図 2.14(a)，(b)である．$R=1$ で $x_D=0.809$ であるが，$R=10$ にすると $x_D=0.964$ であり，還流比を上げると装置の分離性能が大きくなる．この R と x_D の関係を図 2.14(c)に示す．このように還流比で分離性能を変えられるのが蒸留塔の特徴である．R を上げると塔の分離性能が上がる．しかし，蒸留塔の還流比 R を上げることは塔底のリボイラで発生する蒸気量($L+qF-W$)を比例して増やすことである．発生蒸気を増やすにはその蒸発潜熱分のエネルギーの投入が必要である．つまり蒸留塔はリボイラおよび全縮器に投入するエネルギーに応じて分離性能を変えられる装置である．

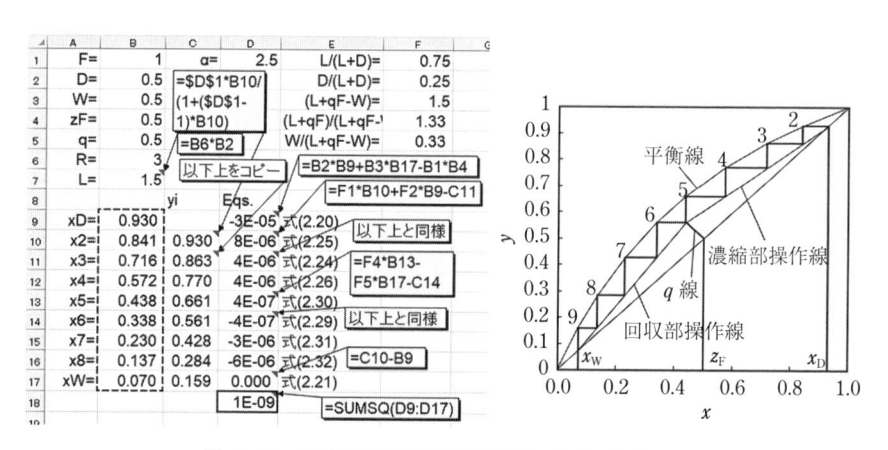

図 2.13 精留塔の塔内濃度分布〈eche2_7.xlsx〉

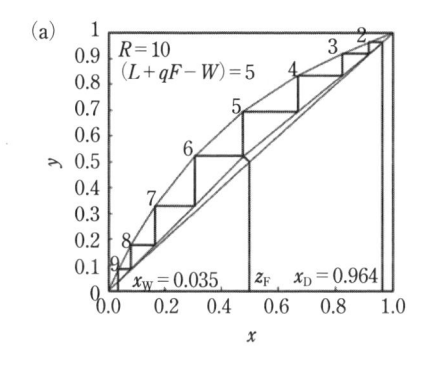

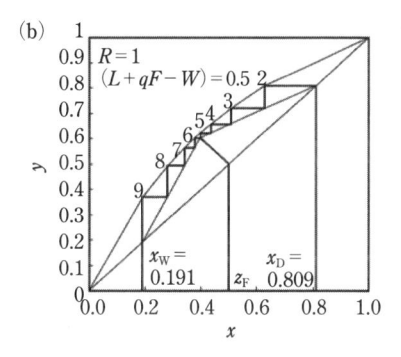

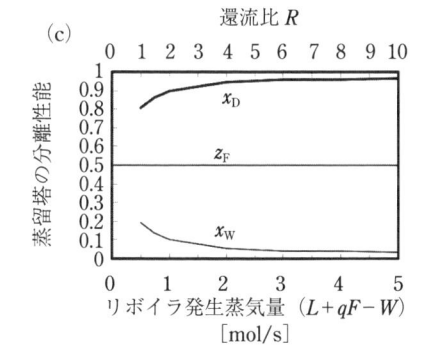

図 2.14 蒸留の分離性能(a)と還流比 R (b),リボイラ蒸発量 $(L+qF-W)$ (c)の比較

指定された分離性能に必要な理論段の数を求める(設計型問題):前の例題とは逆に,問題の設定が「塔の分離性能 (x_D, x_W) を設定して,それを満たす蒸留塔の理論段の数 N を求める」のが設計型問題である.この理論段の数をグラフ上で求める手法が「**McCabe-Thiele**(マッケーブ-シール)の図式解法」である.

【例題 2.8】 Excelシート上でのMcCabe-Thieleの図式解法
〈eche2_8.xlsx〉

$\alpha=2.5$ の2成分系理想溶液で供給液組成 $z_F=0.5$ である.F, D, q, R の条件は例題2.7の条件と同じとして,指定の分離性能:$x_W=0.93$, $x_D=0.07$ を満たす理論段の数を求めよ.

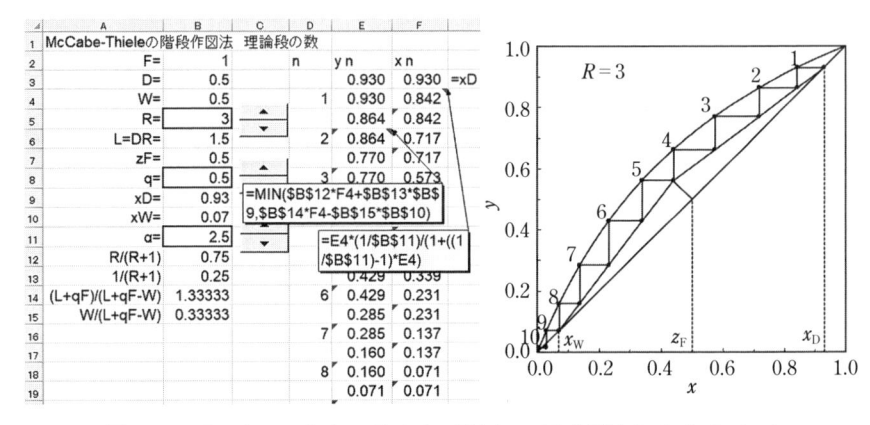

図 2.15　Excel シート上の McCabe-Thiele の図式解法〈eche2_8.xlsx〉

〈解答例〉

図 2.15 のシートの **B 列**に F, D, W などの設定された操作条件を列挙する．**E 列**に塔内蒸気組成 y_n，**F 列**に塔内液組成 x_n を逐次計算する．y_n は上の段の x_{n-1} から二つの操作線：

$$濃縮部操作線：y = \frac{L}{L+D} x + \frac{D}{L+D} x_\mathrm{D} \tag{2.33}$$

$$回収部操作線：y = \frac{L+qF}{L+qF-W} x - \frac{W}{L+qF-W} x_\mathrm{W} \tag{2.34}$$

で求める．これらは操作型解法における式(2.24)，(2.29)で，段の数が未定なので x，y の添字のない式である．解は式(2.33)，(2.34)による値のうち小さい方とする．また，x_n(**F 列**)は y_n(**E 列**)から式(2.19)を逆に解いた式：

$$x_n = \frac{y_n/\alpha}{1+(1/\alpha-1)y_n} \tag{2.35}$$

から求める．結果は例題 2.7 と同じく理論段の数：$N=8.0$ である．

最小理論段数：以上の理論段の数の解法で，還流比 R を大きくすると濃縮部操作線の傾きが大きくなり対角線($x=y$)に近づくので，分離に必要な理論段の数は減少する．還流比無限大の全還流 $R=\infty$ では操作線が対角線に重なり，理論段の数は最小になる．これが最小理論段数 N_min である(図 2.16(a))．例題 2.8 の条件では $N_\mathrm{min}=5.6$ である．このとき塔頂では (x_1, x_D) が平衡線上にあるので，

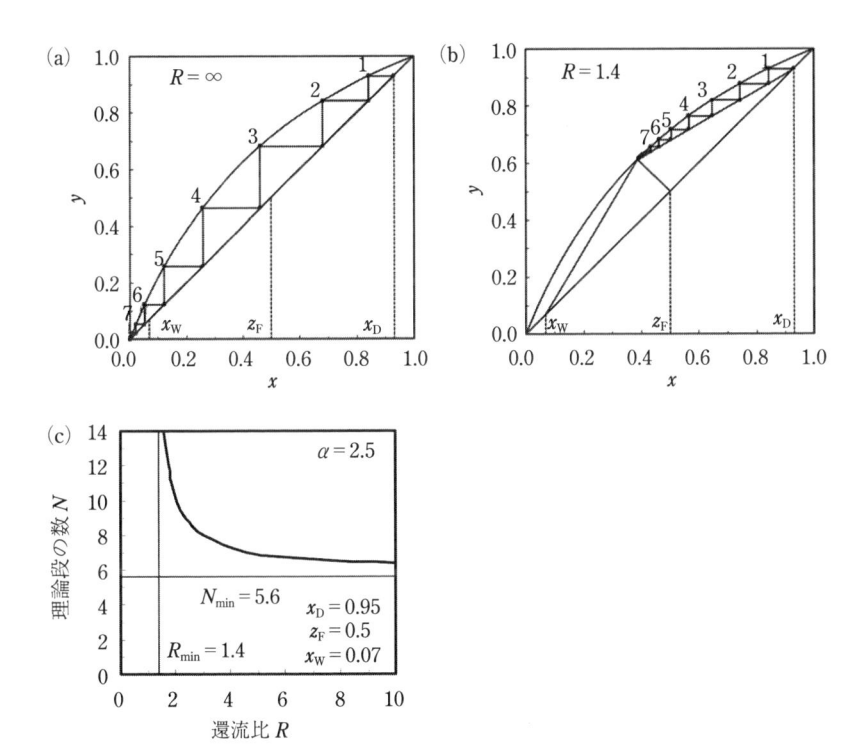

図 2.16 最小理論段数(a)と最小還流比(b)および還流比と理論段の数 N の関係(c)

$$x_\mathrm{D}/(1-x_\mathrm{D}) = \alpha x_1/(1-x_1) \tag{2.36}$$

となる．この関係が $(x_2, x_1)\cdots(x_n, x_{n-1})$ にそれぞれ成り立つので，これらの式を次々代入することで次式となる．

$$x_\mathrm{D}/(1-x_\mathrm{D}) = \alpha^n x_n/(1-x_n) \tag{2.37}$$

よって塔底の条件からリボイラを含む理論段の数 N_min は次式となる．

$$x_\mathrm{D}/(1-x_\mathrm{D}) = \alpha^{N_\mathrm{min}} x_\mathrm{W}/(1-x_\mathrm{W}) \tag{2.38}$$

これを整理した次式が Fenske の式[9,p.392]とよばれる．

$$N_\mathrm{min} = \frac{\ln\{x_\mathrm{D}(1-x_\mathrm{W})/x_\mathrm{W}(1-x_\mathrm{D})\}}{\ln \alpha} \tag{2.39}$$

最小還流比：上と逆に還流比 R を小さくしていくと，濃縮部操作線の傾きが小さくなり，q 線との交点が平衡線に接する．この状態では理論段の数は無限大となり，このときの還流比 R_min が最小還流比である．例題2.8の条件で

は $R_{min}=1.4$ である（図 2.16(b)）．指定の蒸留分離を行うためには R_{min} より大きい還流比で操作しなくてはならない．

図 2.16(c) に例題 2.8 の条件における還流比 R と理論段の数 N との関係を示す．還流比を増やせば蒸留塔の段数は少なくて済むが，その分リボイラ加熱用のエネルギーが必要となる．一般の蒸留操作では最小還流比 R_{min} の 1.2～2 倍程度の還流比で操作される．

2.5 多成分系蒸留

2 成分系蒸留の解析法はその基礎も結果も明快であったが，実際の分離目的混合物は多成分系である．多成分系の蒸留計算は一般には困難であり，シミュレータ[2)]に頼らざるを得ない．しかし理想溶液に近い炭化水素混合物については従前より Fenske-Underwood-Gilliland 法（**FUG 法**）[16,p.389)] が用いられる．その概略を例題に沿って解説する．

【例題 2.9】 FUG 法による多成分系蒸留計算[16,p.392)] 〈eche2_9.xlsx〉

C_4-C_9 炭化水素混合物の蒸留分離（debutanizer）を考える（図 2.17）．nC_4（ブタン）を LK（Light Key）成分，iC_5（イソペンタン）を HK（Heavy Key）成分とし，その分離仕様（留出量，缶出量）を指定した．全成分の留出，缶出流量および還流比 R，理論段の数 N を求めよ．塔頂温度 55℃，塔底温度 171℃ である．

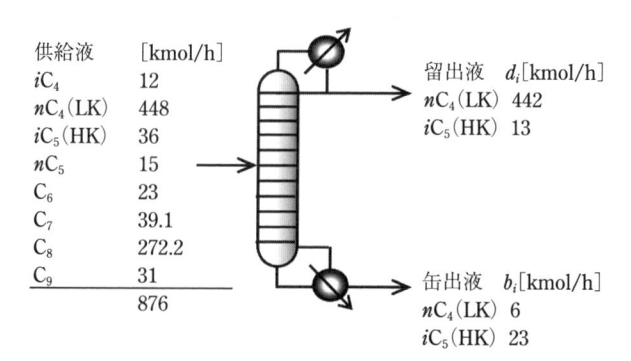

供給液	[kmol/h]
iC_4	12
nC_4(LK)	448
iC_5(HK)	36
nC_5	15
C_6	23
C_7	39.1
C_8	272.2
C_9	31
	876

留出液 d_i[kmol/h]
nC_4(LK) 442
iC_5(HK) 13

缶出液 b_i[kmol/h]
nC_4(LK) 6
iC_5(HK) 23

図 2.17 debutanizer の原料と分離仕様

〈解答例〉

図2.18のExcelシートの**3行**に塔平均温度110℃での各成分蒸気圧と，**4行**にHK基準の相対揮発度(蒸気圧比)$\alpha_{i,\mathrm{HK}}$を示す．

1. 最小理論段数 N_min：多成分系蒸留でも近似的にLK，HK2成分でFenske式(2.39)：

$$N_\mathrm{min}=\frac{\log\{(d_\mathrm{LK}/d_\mathrm{HK})(b_\mathrm{HK}/b_\mathrm{LK})\}}{\log\alpha_\mathrm{LK,HK}} \tag{2.40}$$

により最小理論段数が求められる(**B12**)(d_i, b_i は成分流量)．$N_\mathrm{min}=6.86$ であ

	A	B	C	D	E	F	G	H	I	J	K
1				LK	HK						
2	成分		iC4 イソブタ	nC4 ブタ	iC5 イソ	nC5 ペン	C6 ヘキセ	C7 ヘプ	C8 オクタ	C9 ノナ	合計
3	P* 蒸気圧(110℃)[kPa]		2242	1779	874.3	735.8	315	140.6	64.2	29.9	
4	αi,HK		2.56	2.03	1.00	0.84	0.36	0.16	0.07	0.03	
5											
6	供給流量 fi [kmol/h]		12	448	36	15	23	39.1	272.2	31	876.3
7	zi		0.014	0.511	0.041	0.017	0.026	0.045	0.311	0.035	
8	(設定)留出di [kmol/h]			442	13						
9	缶出bi [kmol/h]			6	23						
10	(設定)気液比q	0.5									
11	**1. 最小理論段数**										
12	Nmin	6.86		$N_\mathrm{min}=\dfrac{\log\{(d_{LK}/d_{HK})(b_{HK}/b_{LK})\}}{\log\alpha_{LK,HK}}$							
13	**2. 成分流量**										
14	(αi,HK)^Nmin		636.452		0.307	0.00091	4E-06	2E-08	9E-11		
15	留出液 di	11.97	442	13	2.22	0.0119	8.E-05	3.E-06	2.E-09	469	
16	缶出液 bi	0.0333	6	23	12.78	22.99	39.10	272.2	31	407	
17	留出液組成xD,i		0.026	0.942	0.028	0.005	0.000	0.000	0.000	0.000	1
18	留出液 di [kmol/h]	缶出液 bi									
19	iC4	11.97	0.033		$b_i = \dfrac{f_i}{1+(d_{HK}/b_{HK})(\alpha_{i,HK})^{N_\mathrm{min}}}$			$d_i=f_i-b_i$			
20	nC4(LK)	442	6								
21	iC5(HK)	13	23								
22	nC5	2.22	12.8								
23	C6	0.012	23.0								
24	C7	0.0	39.1								
25	C8	0.0	272.2								
26	C9	0.0	31.0								
27	合計	469.2	407.1		$\displaystyle\sum_{i=1}^{c}\dfrac{\alpha_{i,HK}z_i}{\alpha_{i,HK}-\lambda_k}=1-q$						
28	**3. 最小還流比と還流比**										
29	αi,HK zi/(αi,HK-λk)		0.02367	1.0903	-0.509	-0.06	-0.0131	-0.008	-0.0226	-0.001	-0
30	λk		1.0807	←ゴールシークでK29を0にするB30を求める(αHK,HK=1.0 < λk < αLK,HK=2.03)							
31	αi,HK xDi/(αi,HK-λk)		0.04408	2.0091	-0.343	-0.017	-1E-05	-3E-08	-4E-10	-1E-13	
32	Rmin	0.7098									
33	R/Rmin	1.2	←設定((R/Rmin)は段数の多い蒸留塔で1.1～段数の少ない蒸留塔で1.5)								
34	R	0.852									
35	**4. 理論段の数**			$Rmin+1=\displaystyle\sum_{i=1}^{HK}\dfrac{\alpha_{i,HK}x_{D,i}}{\alpha_{i,HK}-\lambda_k}$							
36	X=(R-Rmin)/(R+1)	0.0767									
37	(N-Nmin)/(N+1)	0.578		$\dfrac{N-N_\mathrm{min}}{N+1}=1-\exp\left[\left(\dfrac{1+54.4X}{11+117.2X}\right)\left(\dfrac{X-1}{X^{0.5}}\right)\right]$				$\left(X=\dfrac{R-R_\mathrm{min}}{R+1}\right)$			
38	N	17.6									

図 2.18　FUG法による多成分系蒸留計算〈eche2_9.xlsx〉

る.

2. 成分流量 d_i, b_i:Fenske 式を逆に使うことで,HK を基準に他の i 成分の流量を求める.すなわち,$f_i = d_i + b_i$ より,

$$b_i = \frac{f_i}{1 + (d_{HK}/b_{HK})(\alpha_{i,HK})^{N_{min}}} \tag{2.41}$$

である.求めた成分流量を **B19：C27** に示す.

3. 最小還流比 R_{min} と還流比 R:Underwood の方法により最小還流比 R_{min} を求める.原料組成 z_i および原料気液比 q により次式を満足する根 λ_k を求める.

$$\sum_{i=1}^{c} \frac{\alpha_{i,HK} z_i}{\alpha_{i,HK} - \lambda_k} = 1 - q \tag{2.42}$$

ゴールシークで数式入力セル：**K29**,目標値：0,変化させるセル：**B30** で実行する.$\lambda_k = 1.08$ である(**B30**).すると次式で最小還流比 R_{min} が求められる(**B32**).

$$R_{min} \sum_{i=1}^{HK} \frac{\alpha_{i,HK} x_{D,i}}{\alpha_{i,HK} - \lambda_k} - 1 = 0.71 \tag{2.43}$$

段数の多い蒸留塔として $R/R_{min} = 1.2$ とする.よって還流比 $R = 0.852$ である(**B34**).

4. 理論段の数 N:最後に Gilliland の相関式により理論段の数 N を求める(**B38**).

$$\frac{N - N_{min}}{N+1} = 1 - \exp\left\{\left(\frac{1 + 54.4X}{11 + 117.2X}\right)\left(\frac{X-1}{X^{0.5}}\right)\right\} \quad \left(X = \frac{R - R_{min}}{R+1}\right) \tag{2.44}$$

$N = 17.6$ 段となる(N はリボイラ 1 段を含む).

3 抽 出

3.1 液液平衡

　液液抽出操作は目的成分の溶液に，それと混じり合わない抽剤を混合して，抽剤中に目的成分を溶解させて分離する操作である．液液抽出では分離目的成分の2液相間の分配平衡が基礎となる．例として図3.1の**セル範囲 C4：H15**に，酢酸(分離目的成分)(C)/ベンゼン(A)/水(B)系の液液平衡[17,p.196]を示す．各行が図3.1下図の三角図中の2点を示し，この2点を結ぶ破線が**タイライン**である．ここで**セル B4：B15**のデータ番号をタイラインの位置 n とする．図3.1のシートではこのタイラインの位置 n を実数変数とみなし，**VLOOKUP 関数**[*1] を使って表引き・内挿を行い，任意の n について液液平衡組成を求めるようにした．**セル B17**にタイライン位置の値(実数) n を入れると対応する平衡濃度の内挿値が **A17：H17** に求められる．Excel シートで液液平衡データの表引き・内挿をすることで，これを抽出プロセスの計算に応用できる．

3.2 連続単抽出

　抽出プロセスの基本的形式はミキサー–セトラー型抽出装置であり，抽出計算の基礎である．その物質収支計算法を示す．

【例題 3.1】 連続単抽出〈eche3_1.xlsx〉

　酢酸 50 wt% を含むベンゼン溶液 100 kg/s から抽剤としての水 25 kg/s で酢酸を連続単抽出する(図3.2)．抽出液(E)，抽残液(R)の酢酸濃度と流量および抽出率を求めよ．

[*1]: VLOOKUP 関数とは Excel シートの表から指定された行のデータを取り出す関数である．たとえば "VLOOKUP(A17, A4：H15, 3)" は，A4：H15 の範囲の表において，A17で指定された値と同じ左端列の値(整数)のデータ行の3列目の値である．

36   3 抽　　出

	A	B	C	D	E	F	G	H	I	J	K	L	M	N	O
1	酢酸－ベンゼン－水系の液液平衡(298K)									操作条件		未知数		全収支	0.000
2			ベンゼン相[質量分率]			水相[質量分率]				F=	100	E=	68.91	酢酸収支	-2E-05
3	データ	n	酢酸(C)	ベンゼン(B)	水(B)	酢酸(C)	ベンゼン(B)	水(B)		xCF=	0.5	R=	56.09	水収支	-8E-07
4	1	1	0.0015	0.998	0.0000	0.046	0.000	0.954		S=	25	n=	5.13		1.8E-09
5	2	2	0.014	0.986	0.0004	0.177	0.002	0.821							
6	3	3	0.033	0.966	0.0011	0.290	0.004	0.706		抽出率	0.824	=M2+M3-K2-K4			
7	4	4	0.133	0.864	0.0040	0.569	0.033	0.398							
8	5	5	0.150	0.845	0.0050	0.592	0.040	0.368				=M3*C17+M2*F17-K2*K3			
9	6	6	0.199	0.794	0.0070	0.639	0.065	0.296							
10	7	7	0.228	0.764	0.0085	0.648	0.077	0.275				=M3*E17+M2*H17-K4			
11	8	8	0.310	0.671	0.0190	0.658	0.181	0.161							
12	9	9	0.353	0.622	0.0250	0.645	0.211	0.144				=SUMSQ(O1:O3)			
13	10	10	0.378	0.592	0.0300	0.634	0.234	0.132							
14	11	11	0.447	0.507	0.0460	0.593	0.300	0.107		=VLOOKUP(A17,A4:H15,3)+(B17-A17)*(VLOOKUP(A17+1,A4:H15,3)-VLOOKUP(A17,A4:H15,3))					
15	12	12	0.523	0.405	0.0720	0.523	0.405	0.072							
16	表の内挿		xCR		xBR	xCE		xBE							
17	5	5.13	0.156	0.838	0.005	0.598	0.043	0.358							

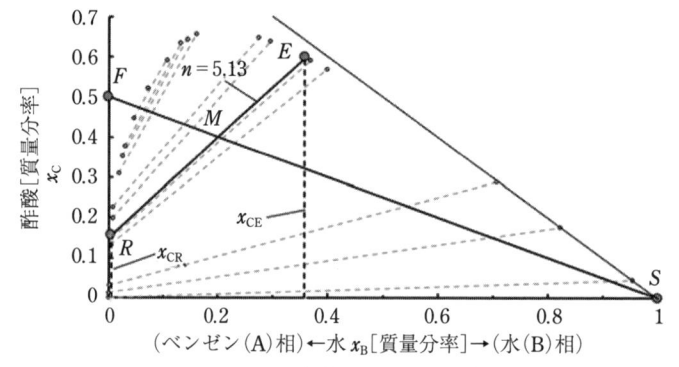

図 3.1　液液平衡と連続単抽出〈eche3_1.xlsx〉

[D. B. Hand, *J. Phys. Chem*., **34**, 1961(1930) のデータを使用した]

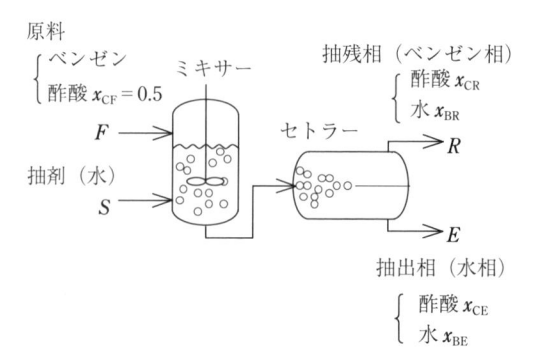

図 3.2　連続単抽出

〈解答例〉

原料液，抽剤，抽出相，抽残相の流量[kg/s]をそれぞれ F, S, E, R とする．濃度の添字中の記号も同じである．抽出相の酢酸濃度(質量分率)を x_{CE}，抽残相の酢酸濃度を x_{CR}，抽出相の水の濃度を x_{BE}，抽残相の水の濃度を x_{BR} とする．物質収支をとると，3成分なので以下の三つの収支式が成り立つ．

全成分物質収支	: $F+S=E+R$	(3.1)
酢酸(C)についての収支	: $Fx_{CF}=Rx_{CR}+Ex_{CE}$	(3.2)
水(B)についての収支	: $S=Rx_{BR}+Ex_{BE}$	(3.3)

ここで，$F=100$，$S=25$，$x_{CF}=0.5$ なので，未知数は $E, R, x_{CR}, x_{CE}, x_{BR}, x_{BE}$ の6個である．しかし図3.1のようにタイラインの位置 n を実数に拡張して取り扱うと，$x_{CR}, x_{CE}, x_{BR}, x_{BE}$ はタイラインの位置 n の関数である．よって連立方程式上の未知数は E, R, n の3個ということになり，三つの連立方程式で3個の未知数を求めるという問題になる．

図3.1の**M2：M4**に E, R, n の初期値を設定し，**セル B17** を "=M4" として未知数 n の値から表の内挿により $x_{CR}, x_{CE}, x_{BR}, x_{BE}$ が得られるようにする．**O1：O3** に式(3.1)～(3.3)の残差((右辺)−(左辺))を記入し，**セル O4** に残差2乗和をつくる．**ソルバーで目的セルの設定：O4，目標値：最小値，変数セルの変更：O1：O3** を指定し，**解決**することで解が得られる．$E=68.9$，$R=56.1$，抽出率は 0.824 である．図3.1の三角図中に得られた抽出相(E)，抽残相(R)濃度を図示した．

分配係数：このミキサー−セトラー装置で二つの出口流れは液液平衡関係にある．平衡にある抽出相と抽残相の濃度比を分配係数 $K(=x_{CE}/x_{CR})$ という．分配係数は熱力学的には分離目的成分の活量係数の比($K=x_{CE}/x_{CR}=\gamma_{CR}/\gamma_{CE}$)になっている[16,p.43]．分配係数は抽出操作における K-value であり，平衡段分離プロセスの計算で共通している(p.21)．

3.3 多段抽出

抽出プロセスの抽出率を上げるために，ミキサー−セトラー装置を多段にすることやスプレー塔や充填塔などの向流接触形式の装置とする．これらの装置は蒸留塔と類似の多段の平衡段からなる分離装置として解析される．

【例題 3.2】 並流多段抽出 〈eche3_2.xlsx〉

[この例題は，疋田晴夫，"化学工学通論 I"，朝倉書店(1982)，p.189, 例題7.2 をもとに作成した]

エタノール(C)/水(A)/エチルエーテル(B)間の液液平衡は図3.4中の表 **C4：H16** のようである(濃度は質量分率). 3段のミキサー–セトラーにより 30 wt%($x_{CF}=0.3$)のエタノール水溶液 $F=0.05$ kg/s を各段ごとに抽剤(エチルエーテル)$S=0.025$ kg/s によって並流多段抽出する(図3.3). エタノールの抽出率を求めよ.

〈解答例〉

各段の入口・出口流量の記号を図3.3のようにする. エタノール濃度(質量分率)を x_C, 抽剤濃度を x_B とし, 添字でプロセス上の位置を表すことにする. 第1段の物質収支は以下のとおりである.

全体の収支	：$F+S=R_1+E_1$	(3.4)
エタノール(C)の収支	：$Fx_{CF}=R_1 x_{CR1}+E_1 x_{CE1}$	(3.5)
エチルエーテル(B)の収支	：$S=R_1 x_{BR1}+E_1 x_{BE1}$	(3.6)

これと R_1 と E_1 で液液平衡関係, すなわち (x_{BR1}, x_{CR1})(水相)と(x_{BE1}, x_{CE1})(抽剤相)がタイラインの位置 n_1 で平衡にあることが条件となる. 同様に第2段, 第3段についても以下の式・関係が成り立つ.

第2段：全体の収支	：$R_1+S=R_2+E_2$	(3.7)
エタノール(C)の収支	：$R_1 x_{CR1}=R_2 x_{CR2}+E_2 x_{CE2}$	(3.8)
エチルエーテル(B)の収支	：$S=R_2 x_{BR2}+E_2 x_{BE2}$	(3.9)
平衡関係	：(x_{BR2}, x_{CR2})と(x_{BE2}, x_{CE2})がタイラインの位置 n_2 で平衡	
第3段：全体の収支	：$R_2+S=R_3+E_3$	(3.10)
エタノール(C)の収支	：$R_2 x_{CR2}=R_3 x_{CR3}+E_3 x_{CE3}$	(3.11)
エチルエーテル(B)の収支	：$S=R_3 x_{BR3}+E_3 x_{BE3}$	(3.12)
平衡関係	：(x_{BR3}, x_{CR3})と(x_{BE3}, x_{CE3})がタイラインの位置 n_3 で平衡	

以上で $R_1, E_1, n_1, R_2, E_2, n_2, R_3, E_3, n_3$ の9個の未知数に関して, 9個の式が得られたので, 連立方程式の問題として解くことができる.

3.3 多段抽出

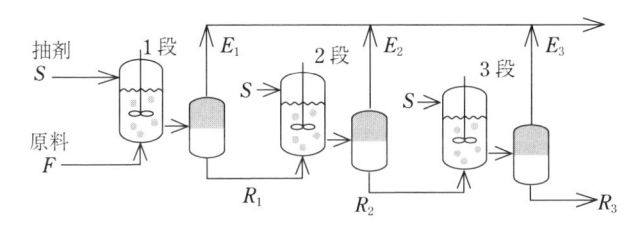

図 3.3 並流多段抽出(3段)

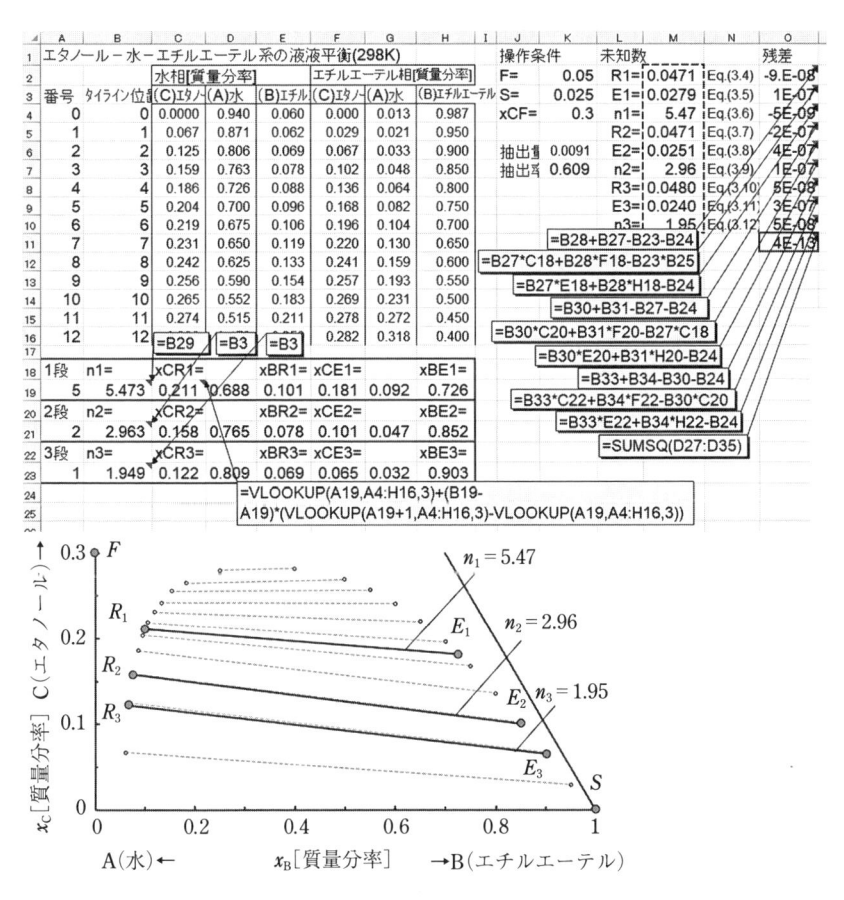

	A	B	C	D	E	F	G	H	I	J	K	L	M	N	O
1	エタノール－水－エチルエーテル系の液液平衡(298K)									操作条件		未知数			残差
2			水相[質量分率]			エチルエーテル相[質量分率]				F=	0.05	R1=	0.0471	Eq(3.4)	-9.E-08
3	番号	タイライン位置	(C)エタノ	(A)水	(B)エチノ	(C)エタノ	(A)水	(B)エチルエーテル		S=	0.025	E1=	0.0279	Eq(3.5)	1E-07
4	0	0	0.0000	0.940	0.060	0.000	0.013	0.987		xCF=	0.3	n1=	5.47	Eq(3.6)	-5E-09
5	1	1	0.067	0.871	0.062	0.029	0.021	0.950				R2=	0.0471	Eq(3.7)	-2E-07
6	2	2	0.125	0.806	0.069	0.067	0.033	0.900		抽出量	0.0091	E2=	0.0251	Eq(3.8)	4E-07
7	3	3	0.159	0.763	0.078	0.102	0.048	0.850		抽出率	0.609	n2=	2.96	Eq(3.9)	1E-07
8	4	4	0.186	0.726	0.088	0.136	0.064	0.800				R3=	0.0480	Eq(3.10)	-3E-07
9	5	5	0.204	0.700	0.096	0.168	0.082	0.750				E3=	0.0240	Eq(3.11)	3E-07
10	6	6	0.219	0.675	0.106	0.196	0.104	0.700				n3=	1.95	Eq(3.12)	-5E-08
11	7	7	0.231	0.650	0.119	0.220	0.130	0.650		=B28+B27-B23-B24					4E-13
12	8	8	0.242	0.625	0.133	0.241	0.159	0.600		=B27*C18+B28*F18-B23*B25					
13	9	9	0.256	0.590	0.154	0.257	0.193	0.550		=B27*E18+B28*H18-B24					
14	10	10	0.265	0.552	0.183	0.269	0.231	0.500		=B30+B31-B27-B24					
15	11	11	0.274	0.515	0.211	0.278	0.272	0.450		=B30*C20+B31*F20-B27*C18					
16	12	12	=B29	=B3	=B3	0.282	0.318	0.400		=B30*E20+B31*H20-B24					
17										=B33+B34-B30-B24					
18	1段	n1=	xCR1=		xBR1=	xCE1=		xBE1=		=B33*C22+B34*F22-B30*C20					
19		5	5.473	0.211	0.688	0.101	0.181	0.092	0.726	=B33*E22+B34*H22-B24					
20	2段	n2=	xCR2=		xBR2=	xCE2=		xBE2=		=SUMSQ(D27:D35)					
21		2	2.963	0.158	0.765	0.078	0.101	0.047	0.852						
22	3段	n3=	xCR3=		xBR3=	xCE3=		xBE3=							
23		1	1.949	0.122	0.809	0.069	0.065	0.032	0.903						
24			=VLOOKUP(A19,A4:H16,3)+(B19-A19)*(VLOOKUP(A19+1,A4:H16,3)-VLOOKUP(A19,A4:H16,3))												

図 3.4 並流多段抽出〈eche3_2.xlsx〉

図 3.4 の Excel シートにおいて，**4〜16 行**が液液平衡関係の表である．前の例題と同様に三つのタイラインの位置 n_1, n_2, n_3 から表の内挿を行う行を **19, 21, 23 行**に作成する．未知数の初期値を **M2：M10** に設定し，**O2：O10** に式(3.4)〜(3.12)の残差を書く．**セル O11** に残差の 2 乗和を設定し，**ソルバー**で**目的セルの設定：O11，目標値：最小値，変数セルの変更：M2：M10** として**解決**して解を得る．図 3.4 のグラフ中に得られた濃度を図示した．抽出率は 0.61 である．

【例題 3.3】 向流多段抽出 ⟨eche3_3.xlsx⟩

ベンゼン（芳香族）(C) 70 mol%／ペンタン(A)混合液 1 kmol/s からスルホラン(B)抽剤 2.3 kmol/s でベンゼンを回収する．実際の操作は多孔板抽出塔による向流操作（図 3.5）であるが，図 3.6 の向流流れの 3 段のミキサー−セトラー装置でモデル化して抽出率を求めよ．ベンゼン(C)／ペンタン(A)／スルラ

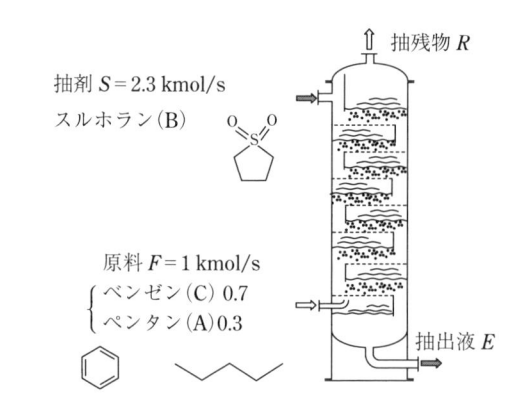

図 3.5 多孔板抽出塔による芳香族のスルホラン抽出

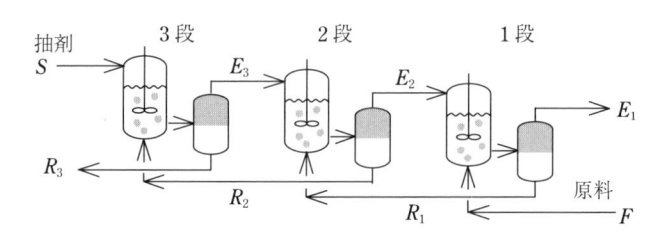

図 3.6 向流多段抽出（3 段）

3.3 多段抽出

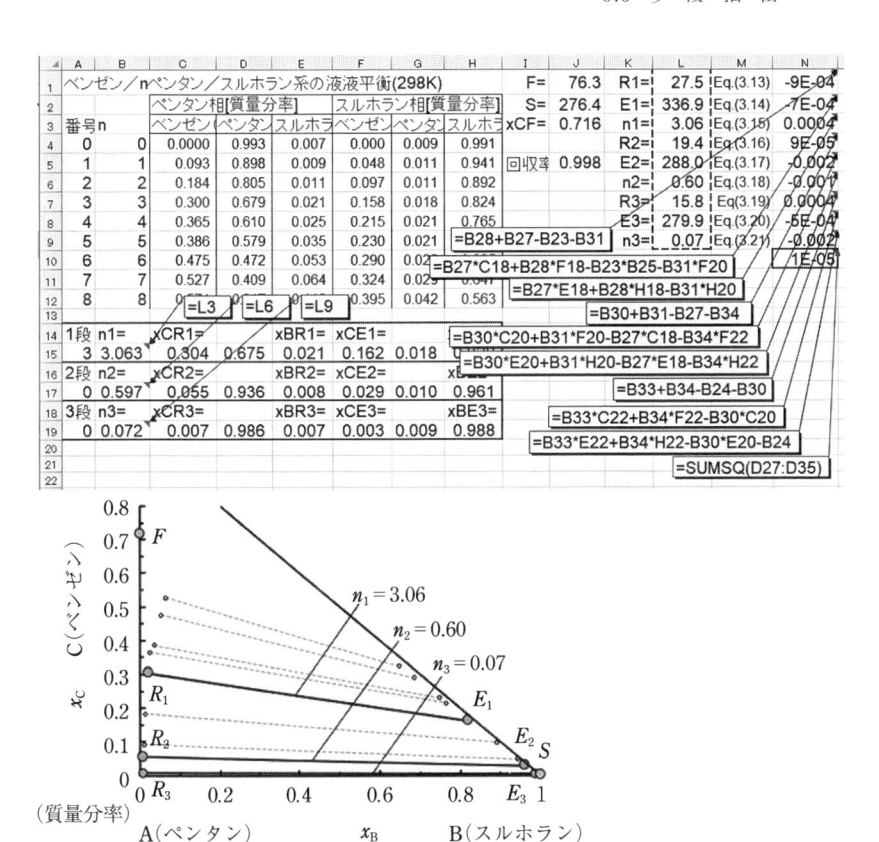

	A	B	C	D	E	F	G	H	I	J	K	L	M	N
1	ベンゼン／nペンタン／スルホラン系の液液平衡(298K)								F=	76.3	R1=	27.5	Eq.(3.13)	-9E-04
2			ペンタン相[質量分率]			スルホラン相[質量分率]			S=	276.4	E1=	336.9	Eq.(3.14)	-7E-04
3	番号n		ベンゼン	ペンタン	スルホラ	ベンゼン	ペンタン	スルホラ	xCF=	0.716	n1=	3.06	Eq.(3.15)	0.0004
4	0	0	0.0000	0.993	0.007	0.000	0.009	0.991			R2=	19.4	Eq.(3.16)	9E-05
5	1	1	0.093	0.898	0.009	0.048	0.011	0.941	回収率	0.998	E2=	288.0	Eq.(3.17)	-0.002
6	2	2	0.184	0.805	0.011	0.097	0.011	0.892			n2=	0.60	Eq.(3.18)	-0.001
7	3	3	0.300	0.679	0.021	0.158	0.018	0.824			R3=	15.8	Eq.(3.19)	0.0004
8	4	4	0.365	0.610	0.025	0.215	0.021	0.765	=B28+B27-B23-B31		E3=	279.9	Eq.(3.20)	-5E-04
9	5	5	0.386	0.579	0.035	0.230	0.021				n3=	0.07	Eq.(3.21)	-0.002
10	6	6	0.475	0.472	0.053	0.290	0.02	=B27*C18+B28*F18-B23*B25-B31*F20						1E-05
11	7	7	0.527	0.409	0.064	0.324		=B27*E18+B28*H18-B31*H20						
12	8	8				0.395	0.042	0.563						
13			=L3	=L6	=L9				=B30+B31-B27-B34					
14	1段	n1=	xCR1=	xBR1=	xCE1=				=B30*C20+B31*F20-B27*C18-B34*F22					
15		3 3.063	0.304	0.675	0.021	0.162	0.018		=B30*E20+B31*H20-B27*E18-B34*H22					
16	2段	n2=	xCR2=	xBR2=	xCE2=									
17		0 0.597	0.055	0.936	0.008	0.029	0.010	0.961	=B33+B34-B24-B30					
18	3段	n3=	xCR3=	xBR3=	xCE3=		xBE3=		=B33*C22+B34*F22-B30*C20					
19		0 0.072	0.007	0.986	0.007	0.009	0.988							
20									=B33*E22+B34*H22-B30*E20-B24					
21														
22									=SUMSQ(D27:D35)					

図 3.7　向流多段抽出〈eche3_3.xlsx〉

ン(B)間の液液平衡[18]は図3.7中の **C4：H12** のようである．

〈解答例〉

質量基準に換算して，$F=76.3$ kg/s，$x_{CF}=0.716$，$S=276.4$ kg/s である．各段の入口・出口流れの記号を図3.6のようにする．物質収支は以下の9個の連立方程式となる．

全体の収支　　　　　　：$F+E_2=R_1+E_1$ 　　　　　　　　　　(3.13)

ベンゼン(C)の収支　：$Fx_{CF}+E_2x_{CE2}=R_1x_{CR1}+E_1x_{CE1}$ 　　(3.14)

スルホラン(B)の収支：$E_2x_{BE2}=R_1x_{BR1}+E_1x_{BE1}$ 　　　　　(3.15)

これと R_1 と E_1 で液液平衡関係，すなわち (x_{BR1}, x_{CR1})（ベンゼン相）と $(x_{BE1},$

x_{CE1})(スルホラン相)がタイラインの位置 n_1 で平衡にあることが条件となる．同様に第2段，第3段についても以下の式・関係が成り立つ

第2段：全体の収支：$R_1+E_3=R_2+E_2$ (3.16)

ベンゼン（C） ：$R_1x_{CR1}+E_3x_{CE3}=R_2x_{CR2}+E_2x_{CE2}$ (3.17)

スルホラン（B） ：$R_1x_{BR1}+E_3x_{BE3}=R_2x_{BR2}+E_2x_{BE2}$ (3.18)

平衡関係 ：(x_{BR2}, x_{CR2}) と (x_{BE2}, x_{CE2}) がタイラインの位置 n_2 で平衡

第3段：全体の収支：$R_2+S=R_3+E_3$ (3.19)

ベンゼン（C） ：$R_2x_{CR2}=R_3x_{CR3}+E_3x_{CE3}$ (3.20)

スルホラン（B） ：$R_2x_{BR2}+S=R_3x_{BR3}+E_3x_{BE3}$ (3.21)

平衡関係 ：(x_{BR3}, x_{CR3}) と (x_{BE3}, x_{CE3}) がタイラインの位置 n_3 で平衡

以上で $R_1, E_1, n_1, R_2, E_2, n_2, R_3, E_3, n_3$ の9個の未知数に関して，九つの式が得られたので，連立方程式の問題として解くことができる．

図3.7のExcelシートにおいて三つのタイラインの位置 n_1, n_2, n_3 から表の内挿を行う行を **15，17，19行**に作成する．未知数の初期値を **L1：L9** に設定し，**N1：N9** に式(3.13)～(3.21)の残差を書く．**セル N10** に残差の2乗和を設定し，**ソルバーで目的セルの設定：N10，目標値：最小値，変数セルの変更：N1：N9** として**解決**して解を得る．図3.7のグラフ中に得られた各段の濃度を図示した．ベンゼン抽出率は $(E_1x_{CE1}/Fx_{CF})=0.998$ である．

4 吸　　収

4.1 ガスの溶解度

ガス吸収操作の基礎が被吸収ガスの吸収液への溶解度 x [モル分率] であり，**ヘンリーの法則**で表せる．

$$p = Hx \tag{4.1}$$

(p [Pa or atm]：気相中のガスの分圧，H [Pa or atm]：ヘンリー定数)

H は一般的なヘンリー定数であるが，ガス吸収操作では気相モル分率 y を使った次式：

$$y = mx \tag{4.2}$$

で取り扱う．m [-] はこの定義でのヘンリー定数である．易溶性ガス(SO_2)は m が小さく ($m=30$)，難溶性ガス(CO_2, O_2)は m が大きい ($m=1640$, $43\,200$)．溶解度の小さい成分，範囲でヘンリー定数は一定である．

被吸収成分が凝縮性蒸気の場合，溶解度は2成分系気液平衡で $x \to 0$ の極限とみなせる．このときの無限希釈活量係数 γ^∞ により，分圧 $p = \gamma^\infty P^* x$ なので，式(4.1)式との比較から，

$$H = \gamma^\infty P^* \tag{4.3}$$

となり，ヘンリー定数が純成分の蒸気圧 P^* と無限希釈活量係数 γ^∞ から求められる．

以上を整理すると，ガス吸収操作では被吸収成分の K-value が以下の関係である[16,p.235]．

$$K \equiv \frac{y}{x} = m = \frac{H}{P} = \frac{\gamma^\infty P^*}{P} \tag{4.4}$$

よって蒸留(p.21)，抽出(p.37)，吸収の分離操作に共通して，K-value が活量係数 γ に関係付けられた．

4.2 物質移動の2重境膜モデル

ガス吸収は被吸収ガスが気相から液相に移動する物質移動現象であり,その吸収速度が物質移動流束 $N_A[\mathrm{mol/(m^2\,s)}]$ である(図 4.1).気相側を考えると,気相側界面に厚さ δ の境膜を考え,気相界面の濃度 y_i,境膜の外側部分はガス本体濃度 y で均一であるとすると,ガス吸収速度(物質移動流束)は,

$$N_A = k_y(y - y_i) \tag{4.5}$$

と表され,濃度推進力 $(y-y_i)$ と**気相基準の物質移動係数** $k_y[\mathrm{mol/(m^2\,s)}]$ の積で求められる.これが**物質移動の境膜モデル**である.

伝熱係数と同様に物質移動係数 k_y も拡散係数 D_{AB} と境膜厚さ δ の比の意味を持つ.また物質移動境膜 δ は実態があり,気相境膜は数 mm,液相境膜は数 10 μm 程度の厚さである.

ガス吸収操作では気液両相に物質移動抵抗がある.そこで境膜モデルを液相界面にも適用し,界面を介した気液2層の境膜で物質移動を考えるのが次式の**2重境膜モデル(2重境膜説)**である(図 4.1).

$$N_A = k_y(y - y_i) = k_x(x_i - x) \tag{4.6}$$

ここで,x, y は気液本体濃度,k_y が**気相基準の物質移動係数**,k_x が**液相基準の物質移動係数**,y_i が気相界面濃度,x_i が液相界面濃度である.ここで,y_i と x_i は平衡関係 $(y_i = mx_i)$ にある.この式より,

$$(y - y_i) = -\frac{k_x}{k_y}(x - x_i) \tag{4.7}$$

であり,x-y 図上で $(x, y) - (x_i, y_i)$ が傾き $(-(k_x/k_y))$ の線分である(図 4.2).

この2重境膜モデルでは気液本体の濃度 y, x は測定可能であるが,界面の

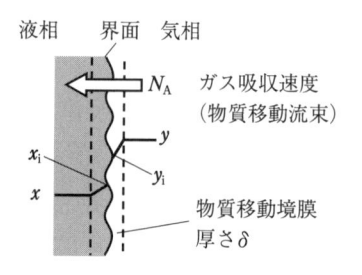

図 4.1　2重境膜モデル

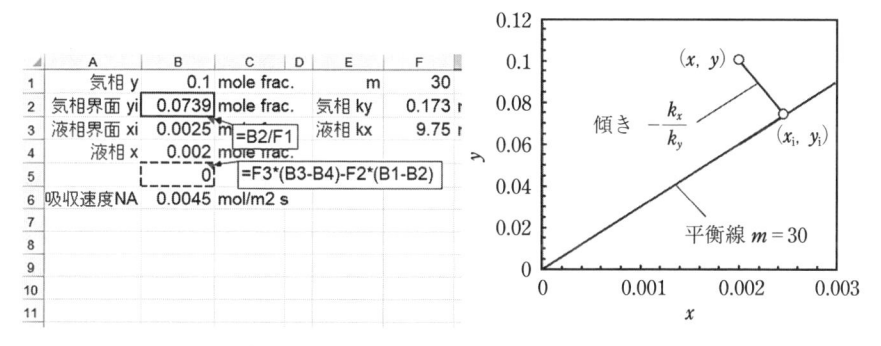

図 4.2 2重境膜モデルによる界面濃度と吸収速度〈eche4_1.xlsx〉

濃度 (x_i, y_i) はこれらが平衡関係にあること以外は不明である．このため気相濃度 y に平衡な仮想の液相濃度 $x^*(y=mx^*)$，液相濃度 x に平衡な気相濃度 $y^*(y^*=mx)$ を使った**気相基準の総括物質移動係数** K_y，**液相基準の総括物質移動係数** K_x による表現を使う(次式)．

$$N_A = K_y(y-y^*) = K_x(x^*-x) \tag{4.8}$$

これらの境膜物質移動係数と総括物質移動係数には次式の関係[*1]がある．

$$\frac{1}{K_y} = \frac{1}{k_y} + \frac{m}{k_x} \qquad \frac{1}{K_x} = \frac{1}{mk_y} + \frac{1}{k_x} \tag{4.9}, (4.10)$$

【例題 4.1】　気液界面濃度〈eche4_1.xlsx〉

SO_2 の水への吸収ではヘンリー定数は $m=30$ である．気相 $y=0.10$，液相 $x=0.0020$ のとき界面濃度 y_i, x_i と吸収速度(物質移動流束) N_A を求めよ．物質移動係数は $k_y=0.173$, $k_x=9.75\,\mathrm{mol/(m^2\,s)}$ である．

〈解答例〉

図 4.2 のシートで**セル B5** に式(4.6)の残差 $(k_x(x_i-x)-k_y(y-y_i))$ を書く．**ゴールシーク**で**数式入力セル：B5，目標値：0，変化させるセル：B2** として実行する．解は $y_i=0.0739$, $x_i=0.0025$, $N_A=0.0045\,\mathrm{mol/(m^2\,s)}$ である．図

[*1]:　式(4.8)から $N_A = \dfrac{y-mx}{1/K_y}$．式(4.6)と加比の理から $N_A = \dfrac{y-y_i}{1/k_y} = \dfrac{y_i-mx}{m/k_x} = \dfrac{y-mx}{(1/k_y)+(m/k_x)}$．両式の分母から式(4.9)となる．

4.2 右の x-y 関係グラフ中に平衡線と本体濃度,界面濃度の関係を示す.

4.3 ガス吸収塔の物質収支—操作線—

気液が向流に接触するガス吸収塔(図 4.3(a))をモデル的に示したのが図 4.3(b) である.気液の塔単位断面積あたりの流量を $L, G[\mathrm{mol}/(\mathrm{m}^2\mathrm{s})]$ とする.被吸収ガスの濃度が薄いとして,塔内の気液流量は L, G で一定と仮定する.y, x がガス中および液中の被吸収成分のモル分率で,添字 1 が塔底,2 が塔頂である.塔頂から供給される吸収液はガス成分を含まないので $x_2 = 0$ である.

塔単位断面積あたり被吸収ガスの物質収支は次式である.
$$L(x_1 - x_2) = G(y_1 - y_2) \tag{4.11}$$
また,塔の中間部では同じ高さ z での気液本体濃度を x, y として次式である.
$$L(x - x_2) = G(y - y_2) \tag{4.12}$$
式 (4.12) は吸収塔の任意高さ z における気液本体濃度 x, y の関係を表す.この関係を x-y 図(気液平衡図)中に示したのが**操作線**である(図 4.4(a)).式 (4.12) より操作線の傾きは (L/G) になる.

最小液流量:吸収操作の仕様であるガスの全吸収量 $(G(y_1 - y_2))$ に対して,吸収液量 L を減らしてゆくと,塔底の x_1 が処理ガス濃度 y_1 に平衡な濃度 x_1^* になる.この下限の液量が最小液流量 $L_{\min}$ であり,このとき物質収支式 (4.11) は次式である.

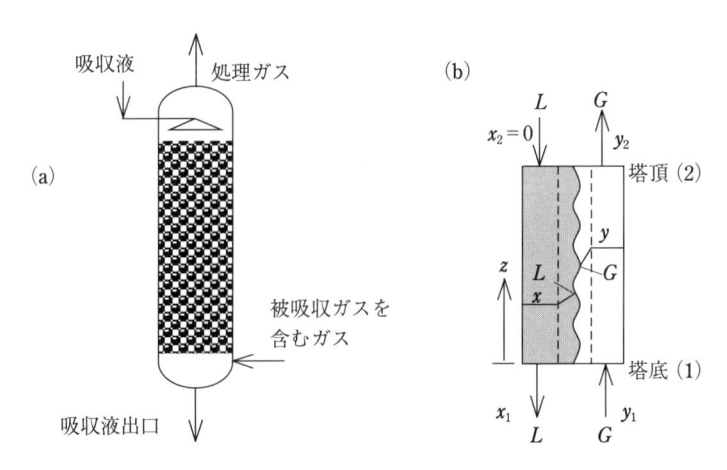

図 4.3 ガス吸収操作の物質収支,(a)吸収塔回りの流れ,(b)物質収支

図 4.4 操作線(a)，最小液流量(b)

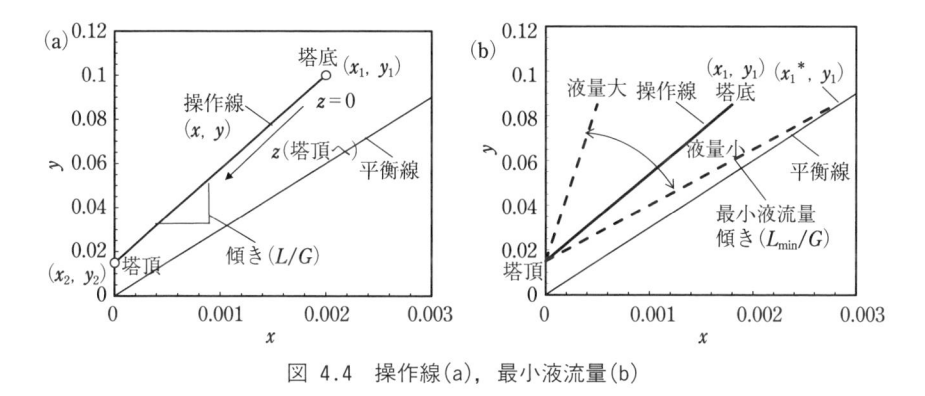

$$L_{\min}x_1^* = G(y_1 - y_2) \qquad (y_1 = mx_1^*) \tag{4.13}$$

これを x-y 図上で見ると，液流量 L を減らすことは操作線の傾き (L/G) が小さくなることである（図 4.4(b)）．塔頂の点を固定して，操作線の傾きを小さくしてゆき，平衡線に接した液量が最小液流量 $L_{\min}$ である．$L_{\min}$ においては必要なガス吸収を行うために気液接触面積が無限大でなくてはならない．すなわち最小液量では設計上の吸収塔高さ Z は無限大となる．この最小液流量 $L_{\min}$ が吸収塔設計の最初の条件となる．

実際の操作はこの最小液流量を基準に，それより大きい液流量を用いる．実用的には操作線の傾き (L/G) と平衡線の傾き m との比：$(L/G)/m = 1.0 \sim 2.0$ が採用される．

【例題 4.2】 最小液流量

空気中の SO_2 の純水による洗浄を考える．ガス流量は $G = 3.47\ \mathrm{mol/(m^2\,s)}$ で一定とする．SO_2 濃度を $y_1 = 0.10$ から $y_2 = 0.01$ に低下させるのに必要な最小液流量 $L_{\min}$ を求めよ．$m = 30$ である．

〈解答例〉

ガス吸収量は $G(y_1 - y_2) = 0.312\ \mathrm{mol/(m^2\,s)}$．$x_1^* = \left(\dfrac{1}{m}\right)y_1 = 3.33 \times 10^{-3}$ より式 (4.13) から次のようになる．$L_{\min} = \dfrac{G(y_1 - y_2)}{x_1^*} = 93.7\ \mathrm{mol/(m^2\,s)}$．

4.4 充塡塔高さの求め方—微分方程式による解法—

充塡塔による気液向流接触のガス吸収操作(図4.5)で微小充塡塔高さdzを考える。気液モル流量G, Lは一定を仮定する．ここでは単位塔断面積あたりで取り扱うので，dzが充塡層容積である．充塡層単位容積あたりの気液接触面積$a[\mathrm{m}^2/\mathrm{m}^3]$を用いると，$a \times (\mathrm{d}z)$がdzあたりの気液接触面積$[\mathrm{m}^2]$である．dz部分での(ガス本体流れの吸収成分変化量)＝(気液界面を通しての吸収速度)なので，

$$G\mathrm{d}y = -N_A a(\mathrm{d}z) \tag{4.14}$$

である．ここで，物質移動流束$N_A[\mathrm{mol}/(\mathrm{m}^2 \mathrm{s})]$に物質移動係数$k$を用いた2重境膜モデル(式(4.6))を用いると，次式となる．

$$G\frac{\mathrm{d}y}{\mathrm{d}z} = -k_y a(y - y_\mathrm{i}) \tag{4.15}$$

液側も同様に考えて次式である．

$$L\frac{\mathrm{d}x}{\mathrm{d}z} = -k_x a(x_\mathrm{i} - x) \tag{4.16}$$

また，式(4.6)の関係から，

$$k_y a(y - y_\mathrm{i}) = k_x a(x_\mathrm{i} - x) \tag{4.17}$$

である．ここで$k_y a, k_x a[\mathrm{mol}/(\mathrm{m}^3 \mathrm{s})]$は物質移動係数$k[\mathrm{mol}/(\mathrm{m}^2 \mathrm{s})]$と容積あたり気液接触面積$a[1/\mathrm{m}]$の積であるが，充塡層では両方とも測定・定式化が困難なので，この積のままで係数として取り扱うのが普通である．これらの

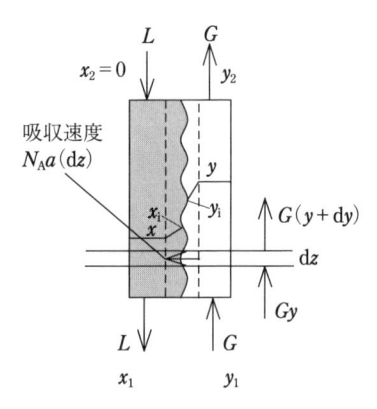

図 4.5 充塡塔によるガス吸収操作の微分モデル

係数を**物質移動容量係数**とよぶ．

界面平衡関係が $y_i = mx_i$ とするとこれらの式は，

$$\begin{cases} \dfrac{dy}{dz} = -\dfrac{k_y a}{G}\left\{y - \dfrac{m(Dx-y)}{(D-m)}\right\} \\ \dfrac{dx}{dz} = -\dfrac{k_x a}{L}\left\{\dfrac{(Dx-y)}{(D-m)} - x\right\} \end{cases} \tag{4.18}$$

$$D = -\left(\dfrac{k_x a}{k_y a}\right) \tag{4.19}$$

となり，充填塔高さ z に関する y, x の連立常微分方程式となる．

【例題 4.3】 充填塔の高さ ⟨eche4_3.xlsm⟩

SO_2 を 10 mol% 含む排ガスを水で洗浄して，SO_2 を 90% 除去したい．塔単位断面積あたりガス流量 $G = 3.47$ mol/(m²s) とし，水流量 L[mol/(m²s)] は最小液流量 L_{min} の 1.5 倍 ($= C_L$) としたとき，必要な充填塔高さ Z[m] を求めよ．$m = 30$，$k_y a = 6.94$，$k_x a = 390$ mol/(m³s) とする．

⟨解答例⟩

解法の Excel シートを図 4.6 に示す．分離の仕様は $y_1 = 0.1$，$y_2 = 0.01$ である．まず $y_1 = 0.1$，$x_1^* = y_1/m = 0.00333$，$x_2 = 0$ と式 (4.13) から最小液流量 $L_{min} = 93.7$ mol/(m²s) となる (**G11**)．供給水流量 $L = C_L L_{min} = 141$ mol/(m²s) である (**G13**)．これらより塔底の x_1 が式 (4.11) より得られる (**G14**)．

連立常微分方程式 (4.18) を塔底 $z = 0$ から積分する．**B1** に微分方程式の数：2 を入れ，**B5**：**C5** に式 (4.18) を記述する．このとき y, x は **B3**，**C3** を指定する．積分区間と積分の刻み幅 Δz を **B7**：**B9** に，初期値 y_1, x_1 を **B12**：**C12** に設定する．シート上の**ボタン**をクリックすることで，Runge-Kutta 法積分が実行される．

積分結果が塔底からの高さ z[m] における y, x の値として得られる (**12 行からの A 列，B 列，C 列**)．y が $y_2 = 0.01$ に等しいところの z が仕様を満たす充填塔高さ Z となる．$Z = 3.6$ m が得られた．図のシートでは参考のため界面濃度 $y_i, x_i \left(y_i = \dfrac{m(Dx-y)}{(D-m)}, \quad x_i = \dfrac{(Dx-y)}{(D-m)}\right)$ も計算して (**D 列，E 列**) 塔内の濃度分布および操作線・平衡線のグラフも示した．

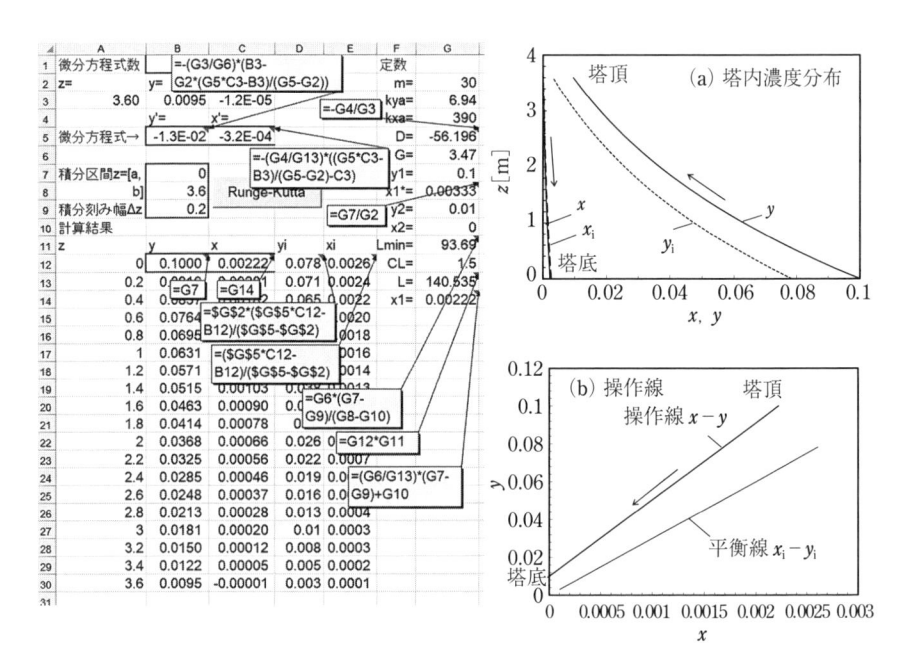

図 4.6 充填塔高さの求め方—微分方程式による解法—〈eche4_3.xlsm〉

充填塔高さの求め方—NTU と HTU による方法—：ガス吸収の充填塔高さの計算は上で示した微分方程式による解法は一般的ではなく，積分形式で濃度推進力と物質移動係数とを分けて取り扱う方法で行われる．

例として気相基準の総括物質移動係数 K_y で考える場合，式(4.15)を K_y(式(4.8))で書くと次式である．

$$G\frac{\mathrm{d}y}{\mathrm{d}z} = -K_y a(y - y^*) \tag{4.20}$$

$K_y a$ は**気相基準の総括物質移動容量係数**，y^* は液相濃度 x に平衡な気相濃度である．この式を変数分離して，塔頂 (Z, y_2) から塔底 $(0, y_1)$ まで積分すると次式が得られる．

$$Z = \frac{G}{K_y a}\int_{y_2}^{y_1}\frac{\mathrm{d}y}{y - y^*} \tag{4.21}$$

この式の右辺により**気相基準総括移動単位数**(NTU：number of transfer unit) $N_{\mathrm{OG}}[-]$ と**気相基準総括** HTU(HTU：height of transfer unit) $H_{\mathrm{OG}}[\mathrm{m}]$ が定義される．

$$N_{OG} = \int_{y_2}^{y_1} \frac{dy}{y - y^*} \tag{4.22}$$

$$H_{OG} = G/K_y a \tag{4.23}$$

すると充填塔高さは簡便に，

$$Z = H_{OG} \times N_{OG} \tag{4.24}$$

で表せる．

以上と同様に，K_x と $(x^* - x)$ から導く**液相基準総括 NTU N_{OL}，液相基準総括 HTU H_{OL}** がある．また，k_y と $(y - y_i)$ から導く**気相基準 NTU N_G，気相基準 HTU H_G**，および k_x と $(x_i - x)$ から導く**液相基準**の NTU N_L，**液相基準 HTU H_L** が定義される．

ここで移動単位数 NTU は気液平衡に支配される濃度推進力に関わるもので，これが大きいほど吸収が遅く，高い塔高さが必要となる．また，HTU は移動単位数が 1 の場合の充填塔高さに相当する．

HTU の求め方：総括 HTU H_{OG} は，気相，液相のそれぞれの HTU (H_G，H_L) より次式から求められる（この関係は式 (4.9) から得られる）．

$$H_{OG} = H_G + \frac{mG}{L} H_L \tag{4.25}$$

充填層の液相基準，気相基準 HTU については多くの物質移動に関する研究結果をもとに信頼性のある推算式が得られている[13,p.451]．

NTU の求め方： NTU N_{OG} の積分式 (4.22) の計算は伝統的には図積分で行われる．以下の例題では Excel シートでの数値積分による方法を示す．

【例題 4.4】 N_{OG} と充填塔高さ Z の計算 〈eche4_4.xlsm〉

例題 4.3 と同じ SO_2 の吸収操作について，気相総括 HTU $H_{OG} = 0.75$ m として，$Z = H_{OG} N_{OG}$ により充填塔高さを求めよ．($m = 30$, $y_1 = 0.1$, $y_2 = 0.01$, $G = 3.47$, $L = 140.5$ mol/(m² s))

〈解答例〉

$y_2 = 0.01$ から $y_1 = 0.1$ まで式 (4.22) を数値積分する．図 4.7 のシートが Simpson 法による積分シート (p.9) である．**セル B2** に式 (4.22) の被積分関数 $(1/(y - y^*))$ を書く．ここで y^* は操作線の式 (4.12) $((G/L)(y - y_2) = (x - x_2))$

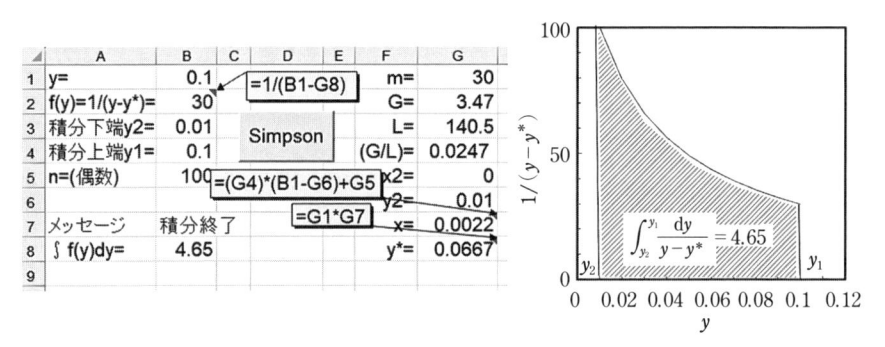

図 4.7 移動単位数 N_{OG} の計算〈eche4_4.xlsm〉

から y と同じ位置 z における x を求め（**G7**），平衡関係 $y^*=mx$ から y^*（**G8**）を計算する．積分下端 y_2，積分上端 y_1 を **B3**：**B4** に入れて，**ボタンクリック**で積分が実行される．**B8** が積分値であり，$N_{OG}=4.65$ が得られる．図 4.7 右に積分の様子を示す．これより充塡塔高さ $Z=4.65\times0.75=3.5\,\mathrm{m}$ である．

4.5 吸収塔の理論段モデル[16,p.232)19,p.445)]

棚段接触形式のガス吸収装置では，蒸留塔と類似の理論段の数で装置設計ができる．また，プロセスシミュレータ[2)]も基本的に理論段（平衡段）のモデルでガス吸収塔の性能計算がおこなわれている．

図 4.8 のように N 個の理論段からなるガス吸収塔を考える．理論段（平衡段）とは「段を去る気液が平衡にある」（p.25）ので n 段を去る気液濃度 x_n, y_n が平衡関係にある．塔頂の第 1 段から第 n 段までの被吸収ガス物質収支は次式である．

$$x_0 L + y_{n+1} G = x_n L + y_1 G \tag{4.26}$$

すなわち，一段下の y が，

$$y_{n+1} = \frac{L}{G}(x_n - x_0) + y_1 \tag{4.27}$$

で求まる．また，平衡関係より $(x_n=y_n/m)$ である．これらの関係を順次用いて塔頂の条件 (x_0, y_1) から階段状に塔内濃度が得られる．塔底の条件を越えたステップ数を理論段の数 N とする．充塡塔の場合は理論段相当高さ HETP（次項）を乗じて塔高さとする．

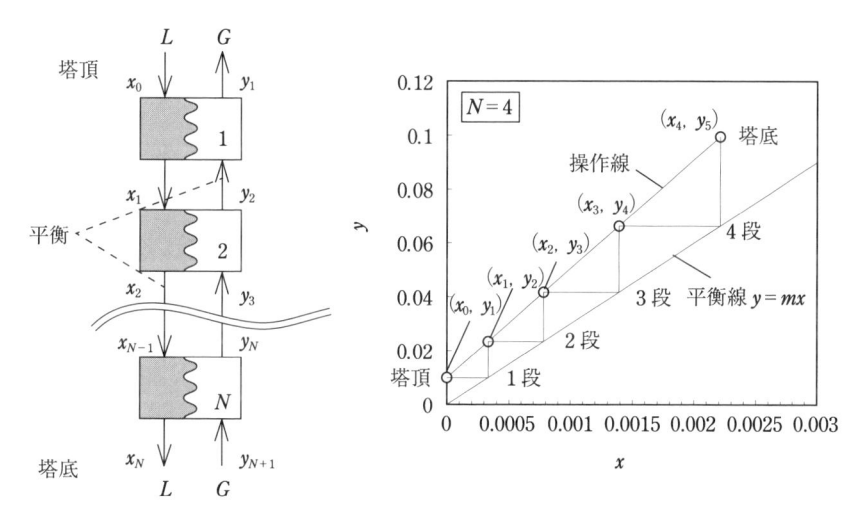

図 4.8 吸収塔の理論段モデルと階段作図（例題 4.5）

【例題 4.5】 吸収塔の理論段モデル〈eche4_5.xlsx〉

SO_2 濃度 $y_{N+1}=0.10$（塔底）を $y_1=0.01$（塔頂）にしたい．理論段の数 N と充填塔高さを求めよ．ガス流量 $G=3.47$，吸収液流量 $L=140.5\,\mathrm{mol/(m^2\,s)}$，$m=30$，HETP は $0.9\,\mathrm{m}$ である．

〈解答例〉

図 4.9 の Excel シートで，塔頂条件 (x_0, y_1) が**セル B4，D4** である．x_1 を平衡関係 $(x_1=y_1/m)$ で求める（**B5**）．下の段の y_2 を式 (4.27) で計算する（**D5**）．これら**セル B5，D5** を下にコピーすることで順次下の段の x, y が得られる．y が y_{N+1} になるところが条件を満たす理論段の数 N である．$N=4$ となった．充填塔高さは $4\times0.9=3.6\,\mathrm{m}$ である．図 4.8 右に x-y 図上に塔内各段の濃度を

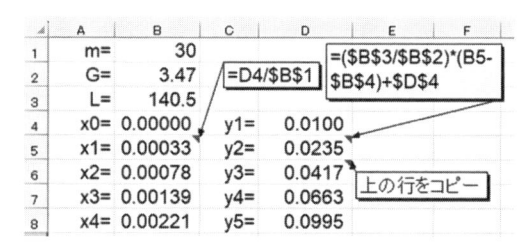

図 4.9 吸収操作の平衡段計算〈eche4_5.xlsx〉

プロットして示す．この様式の図が従来の図式解法での階段図である．

理論段相当高さ HETP[16,p.252]：図 4.10 に充塡塔の高さ方向の濃度分布（例題 4.3）を再掲する．この図で $z=1$ m における (x_i, y_i) が平衡関係であるが，$z=0.7$ m で $x=x_i$，$z=1.6$ m で $y=y_i$ と読み取れる．すなわちこの $z=0.7\sim1.6$ m の充塡塔区間を「去る気液が平衡」にあり，段塔における理論段（平衡段）に相当する．この充塡塔区間長さ 0.9 m が理論段相当高さ（HETP：a packed-height equivalent to a theoretical plate）である．階段作図法による理論段の数（例題 4.5）や，プロセスシミュレータの平衡段モデル解析から得られた段数に HETP を乗れば必要充塡塔高さが得られる．HETP の値は充塡物や実際の系により経験的に決められる．例えば 2 in. Nutter リングの充塡層で，HETP は 0.6 m が得られている[16,p.265]．

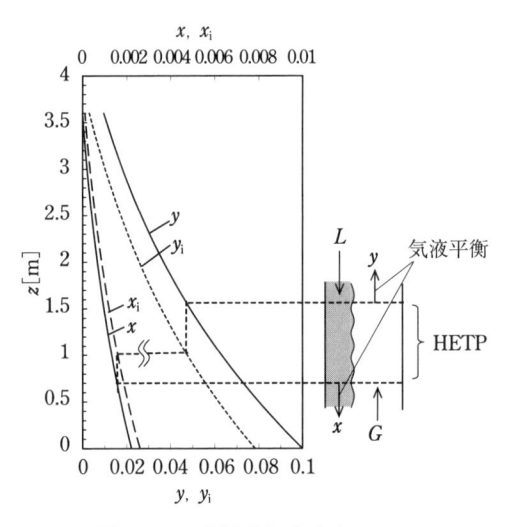

図 4.10　理論段相当高さ HETP

5 ガス系の膜分離操作

5.1 透過係数

混合ガスの膜分離では、孔のない高分子膜を用いる。混合ガスを膜を介した圧力差により透過させ、その際の成分ごとの透過速度の差で分離・濃縮を行う。各成分の透過速度はその成分の分圧差のみが推進力で他成分には影響されない。

ある成分の膜透過速度(流束)$N_A[\mathrm{cm^3(STP)/(s\,cm^2)}]$[*1] は分圧差 Δp [cmHg]に比例し、膜の厚さ δ[cm]に反比例する。分離膜は膜の厚さ δ が測定できるので、透過速度をこれらで規格化して、透過係数 $Q[\mathrm{cm^3(STP)\,cm/(cm^2\,s\,cmHg)}]$[*2] を定義する。

$$Q = N_A \delta / \Delta p \tag{5.1}$$

この透過係数 Q が膜材料の物性値であり、ガス分離プロセス解析の基礎となる。

5.2 ガス分離膜モジュールのモデル

分離膜はこれをハウジング内に納めた膜モジュールとして用いられる。膜モジュールでは供給ガス(処理ガス)を流量 F_f で供給し、膜を介して供給側圧力を高圧の p_h に、透過側圧力を低圧の p_l に設定する。この圧力差を推進力としてガスの膜透過が生じ、透過側出口流量が P、供給側出口流量が F_o となる。また、処理ガスが2成分系の場合、第1成分の供給側入口、供給側出口、透過側出口の組成(モル分率)をそれぞれ x_f, x_o, y_p とする。

---

*1: [$\mathrm{cm^3(STP)}$]は標準状態(0°C、1気圧)でのガスの容積を表す。
*2: 従来の慣用単位なので本章もこれを用いる。なお、これを簡便にした[Barrer]もよく使われる(1 Barrer=$1\times10^{-10}\,\mathrm{cm^3(STP)\,cm/(s\,cm^2\,cmHg)}$)。なお、SIでは[$\mathrm{kmol\,m/(s\,m^2\,kPa)}$]が推奨されている[16,p.548]。

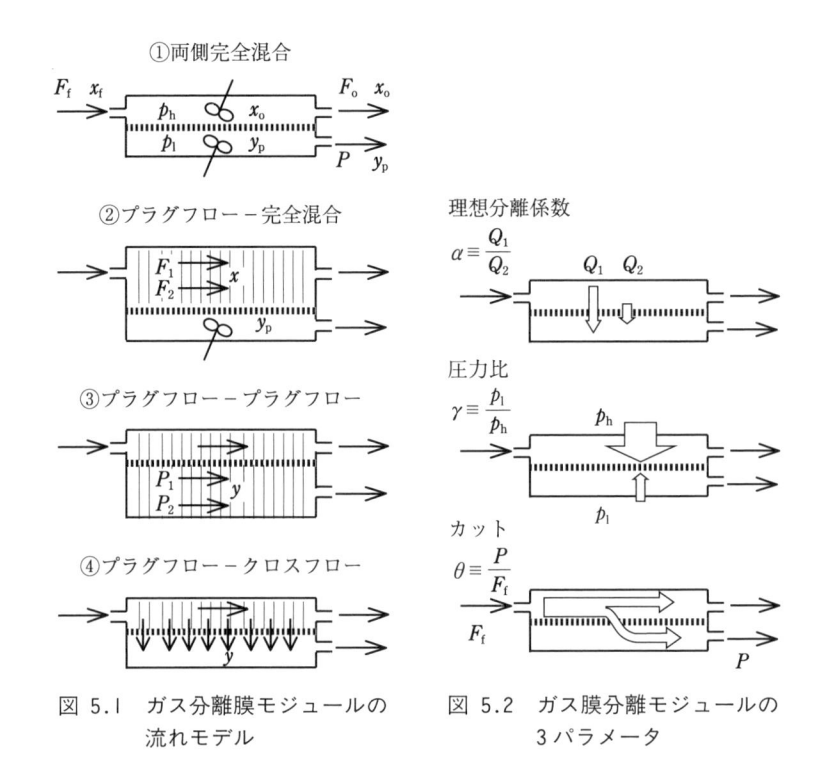

図 5.1　ガス分離膜モジュールの流れモデル

図 5.2　ガス膜分離モジュールの3パラメータ

化学工学では装置内流れの混合状態は完全混合とプラグフローの二つでモデル化されるが，それぞれを供給側と透過側に適用することで，① **両側完全混合**，② **供給側プラグフロー−透過側完全混合**，③ **供給側プラグフロー−透過側プラグフロー**，の各モデルとなる．また，膜分離における特殊なモデルとして，④ **供給側プラグフロー−透過側クロスフロー**がある（図5.1）．

また，膜モジュールの操作条件として，三つのパラメータ，**理想分離係数**：$\alpha \equiv \dfrac{Q_1}{Q_2}$，**圧力比**：$\gamma \equiv \dfrac{p_l}{p_h}$，**カット**：$\theta \equiv \dfrac{P}{F_f}$ が定義される（図5.2）．

5.3　ガス分離膜モジュールの分離性能

2成分系混合ガスを対象として，膜面積 A，膜厚み δ の均質膜による膜モジュールの分離性能を，以上の各モデルにより解析して比較する．ここでは小型シリコーンゴム中空糸膜モジュールによる空気中の酸素濃縮操作を想定し

て，第1成分が酸素，第2成分が窒素として以下の条件で行う．

膜モジュール：膜面積 $A=3800\,\mathrm{cm^2}$，膜厚さ $\delta=20\,\mathrm{\mu m}=2\times10^{-3}\,\mathrm{cm}$

透過係数：酸素 $Q_1=5.2\times10^{-8}\,\mathrm{cm^3(STP)cm/(cm^2\,s\,cmHg)}$，

窒素 $Q_2=2.5\times10^{-8}$

（理想分離係数：$\alpha=2.08$）

供給条件：$F_\mathrm{f}=20\,\mathrm{cm^3/s}(=1.2\,\mathrm{L/min})(0^\circ\mathrm{C}，大気圧)$，$x_\mathrm{f}=0.21$

圧力条件：$p_\mathrm{h}=76\,\mathrm{cmHg}$，$p_\mathrm{l}=6\,\mathrm{cmHg}(8\,\mathrm{kPa})$

① **両側完全混合モデル**：膜モジュール全体の物質収支および第1成分収支式は次式である．

$$P=F_\mathrm{f}-F_\mathrm{o} \tag{5.2}$$

$$Py_\mathrm{p}=F_\mathrm{f}x_\mathrm{f}-F_\mathrm{o}x_\mathrm{o} \tag{5.3}$$

各成分のガス透過係数から第1成分および第2成分の透過速度は，

$$Py_\mathrm{p}=(Q_1A_0/\delta)(p_\mathrm{h}x_\mathrm{o}-p_\mathrm{l}y_\mathrm{p}) \tag{5.4}$$

$$P(1-y_\mathrm{p})=(Q_2A_0/\delta)\{p_\mathrm{h}(1-x_\mathrm{o})-p_\mathrm{l}(1-y_\mathrm{p})\} \tag{5.5}$$

である．以上は F_o，P，x_o，y_p の四つの未知数に関する連立方程式である．

式(5.4)，(5.5)の比，および式(5.2)，(5.3)により x_o を x_f に置き換えると次式となる．

$$\frac{y_\mathrm{p}}{1-y_\mathrm{p}}=\frac{\alpha(x_\mathrm{f}-\phi y_\mathrm{p})}{(1-x_\mathrm{f})-\phi(1-y_\mathrm{p})} \tag{5.6}$$

ここで，$\phi=\theta+\gamma-\gamma\theta$ である．得られた式(5.6)は y_p の2次方程式であり，解は次式である[13,p.651]．

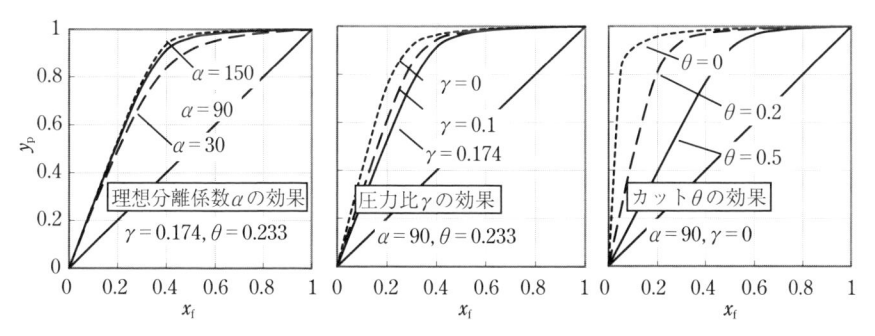

図 5.3　両側完全混合モデルの分離性能におよぼす操作係数の効果〈eche5_1.xlsx〉

$$y_p = \frac{(\alpha-1)(\phi+x_f)+1-\sqrt{\{(\alpha-1)(\phi+x_f)+1\}^2-4\phi(\alpha-1)\alpha x_f}}{2\phi(\alpha-1)} \tag{5.7}$$

図 5.3 にこの式で計算した 2 成分系ガス分離膜モジュールの分離性能(供給 x_f に対する透過 y_p)におよぼす 3 パラメータの効果を示す．

【例題 5.1】 両側完全混合モデル〈eche5_1.xlsx〉
p.57 の条件で連立方程式(5.2)～(5.5)を解け．

〈解答例〉

図 5.4 のシートにおいて，条件を **G1：G8** に書く．未知数の初期値を **B2：B5** に設定し，方程式の残差を **D2：D5** に記述する．残差 2 乗和を **D6** に書き，**ソルバー**で**目的セルの設定：D6，目標値：最小値，変数セルの変更：B2：B5** として**解決**する．これより透過ガス量 $P = 4.0 \text{ cm}^3/\text{s} = 0.24 \text{ L/min}$，酸素濃度 $y_p = 0.307$ である．

② 供給側プラグフロー–透過側完全混合モデル：膜モジュール内供給側の各成分流量 F_1(酸素)，F_2(窒素)について，微少膜面積区間 dA での変化とガスの膜透過速度との関係が次式の連立常微分方程式となる[*3]．

$$\frac{dF_1}{dA} = -\left(\frac{Q_1}{\delta}\right)(p_h x - p_l y_p) \tag{5.8}$$

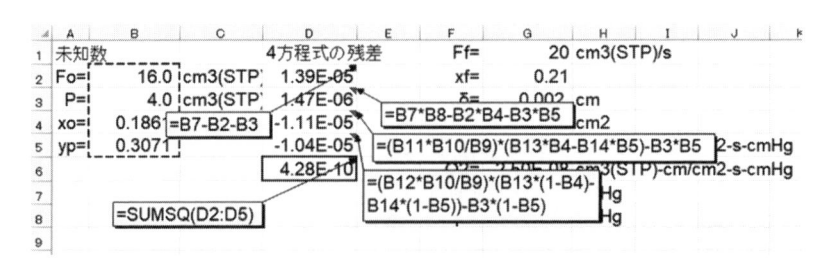

図 5.4 両側完全混合モデル〈eche5_1.xlsx〉

[*3]: この章の例題では各成分の流量(F_i)に関して微分方程式を作成している．この種の問題の場合，濃度 x を変数にしがちであるが，膜モジュールの基礎式を解くには各成分の流量で取り扱う方法が簡明である．

$$\frac{dF_2}{dA} = -\left(\frac{Q_2}{\delta}\right)\{p_\mathrm{h}(1-x) - p_\mathrm{l}(1-y_\mathrm{p})\} \tag{5.9}$$

$$x = \frac{F_1}{F_1 + F_2} \tag{5.10}$$

透過側は完全混合を仮定するので，透過ガス濃度 y_p は定数である．しかし計算初期にはこれが不明なので，y_p を仮定して積分計算を行い，計算結果と一致するよう試行する．

【例題 5.2】 供給側プラグフロー–透過側完全混合モデル〈eche5_2.xlsm〉
p.57 の条件で式 (5.8)，(5.9) を解き，透過ガス量と濃度を求めよ．

〈解答例〉

図 5.5 は「微分方程式解法シート」である．**G1**：**G6** に定数を書き，**B5**：**C5** に式 (5.8)，(5.9) を記述する．その際変数 F_1, F_2 は**セル B3, C3** を指定する．F_1, F_2 の初期値を **B12**：**C12** に設定して，**ボタンクリック**で実行し，0 から A まで積分する．計算後，**セル G8** に y_p が再計算されるので，これが **G7** と一致するよう，**G7** の値を試行する．得られた解は $P = 4.0\ \mathrm{cm}^3/\mathrm{s}$，$y_\mathrm{p} = 0.321$ である．右図に膜モジュール内の酸素濃度 x，y_p 分布を示した．

③ 供給側プラグフロー–透過側プラグフローモデル：このモデルでは透過側組成 y は一定でなく，次式のように y の局所組成が上流で透過したガス流量か

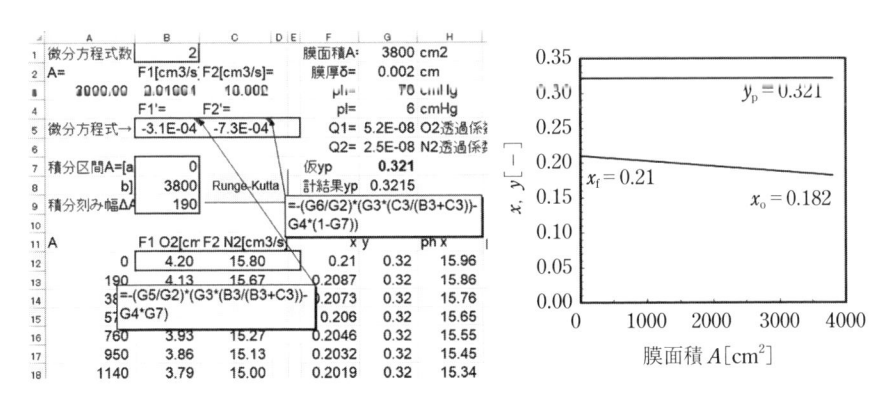

図 5.5 供給側プラグフロー–透過側完全混合モデル〈eche5_2.xlsm〉

ら計算される．

$$y = \frac{P_1}{P_1+P_2} = \frac{F_\mathrm{f} x_\mathrm{f} - F_1}{F_\mathrm{f} - F_1 - F_2} \tag{5.11}$$

これを用いて基礎式は次式となる．

$$\frac{\mathrm{d}F_1}{\mathrm{d}A} = -\left(\frac{Q_1}{\delta}\right)(p_\mathrm{h} x - p_\mathrm{l} y) \tag{5.12}$$

$$\frac{\mathrm{d}F_2}{\mathrm{d}A} = -\left(\frac{Q_2}{\delta}\right)\{p_\mathrm{h}(1-x) - p_\mathrm{l}(1-y)\} \tag{5.13}$$

【例題 5.3】 両側プラグフローモデル〈eche5_3.xlsm〉

p.57 の条件で式(5.12), (5.13)を解き, 透過ガス量と濃度を求めよ．

〈解答例〉

図 5.6 のシートで, **G1：G6** が定数, **セル G7** に y(式(5.11)) を記述する．**B5：C5** に微分方程式(5.12), (5.13)を記述する．初期値を設定して**ボタンク リック**で実行する．計算結果は, $P = 4.0 \text{ cm}^3/\text{s}$, $y_\mathrm{p} = 0.301$ である．

④ 供給側プラグフロー－透過側クロスフローモデル：このモデルでは透過側局所の y を透過流束の比とする．プラグフローモデルの y の式(式(5.11))に代わり, 局所の y が次式のように計算される．

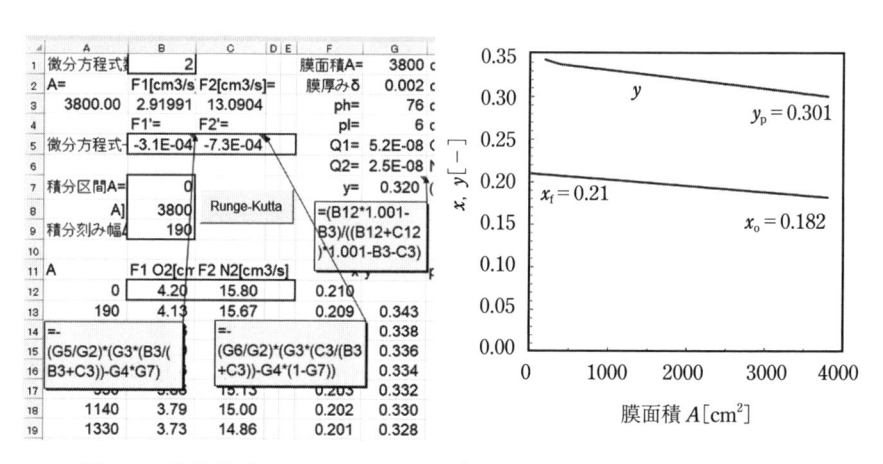

図 5.6 供給側プラグフロー－透過側プラグフローモデル〈eche5_3.xlsm〉

$$y = \frac{(\mathrm{d}F_1/\mathrm{d}A)}{(\mathrm{d}F_1/\mathrm{d}A) + (\mathrm{d}F_2/\mathrm{d}A)} \tag{5.14}$$

基礎式は式(5.12), (5.13)と同じである．このモデルでは透過の推進力に関わる透過側膜面の濃度 y と透過側流れの濃度が異なる．

【例題 5.4】 供給側プラグフロー–透過側クロスフローモデル〈eche5_4.xlsm〉

p.57の条件で式(5.12), (5.13), (5.14)を解き，透過ガス量と濃度を求めよ．

〈解答例〉

図5.7のシートで **G1：G8** が定数，**セル G9** にクロスフローによる y の値 (式(5.14))を計算する．**B5：C5** に微分方程式(5.12), (5.13)を記述する．初期値を設定して**ボタン**クリックで実行する．計算結果は，$P = 4.0 \text{ cm}^3/\text{s}$, $y_\mathrm{p} = 0.322$ で，透過側完全混合モデルとほぼ同じであった．

多成分系：処理ガスが N 成分の混合ガスでも取扱いは以上と同様である．**供給側プラグフロー–透過側プラグフローモデル**の場合，基礎式は各成分の流量(F_i)について次式となる．

$$\frac{\mathrm{d}F_i}{\mathrm{d}A} = -\left(\frac{Q_i}{\delta}\right)(p_\mathrm{h} x_i - p_\mathrm{l} y_i) \quad (i = 1, \cdots, N) \tag{5.15}$$

$$x_i = F_i / \sum F_i \qquad y_i = P_i / \sum P_i \tag{5.16}, (5.17)$$

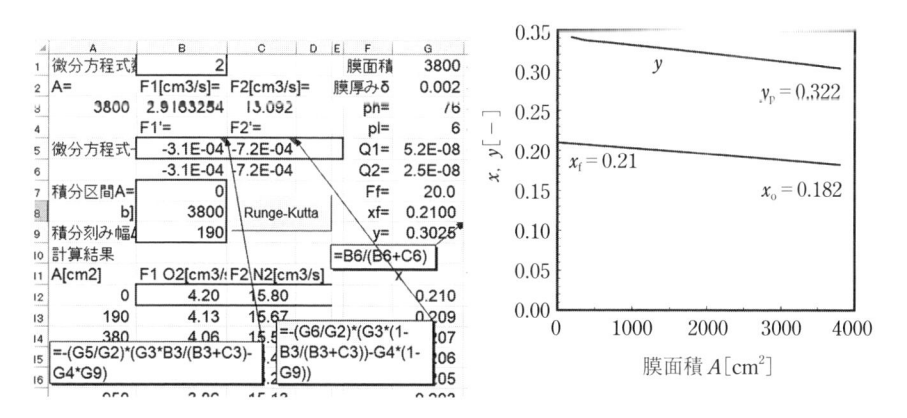

図 5.7 供給側プラグフロー–透過側クロスフローモデル〈eche5_4.xlsm〉

【例題 5.5】 4成分系のガス分離〈eche5_5.xlsm〉

p.57と同じ膜モジュール，操作条件で$O_2(1)$，$N_2(2)$，$CO_2(3)$，$H_2O(4)$の4成分系混合ガスの膜透過を計算せよ．供給ガスの組成はO_2 5%，N_2 70%，CO_2 10%，H_2O 15%とする．CO_2，H_2Oの膜透過係数はそれぞれ$Q_3=2.8\times10^{-7}$，$Q_4=2.2\times10^{-6}$ cm^3(STP)cm/(cm^2 s cmHg)である．

〈解答例〉

図5.8のシートで**セル B12：E12**に各成分の供給側入口流量を設定し，**B5：E5**に式(5.15)を記述する．**ボタン**クリックで積分を実行することで，**13行**以下に供給側の各成分流量変化が求められる．図5.8右に供給側流れの各成分濃度変化を示す．透過係数の大きい順に各ガスの濃度が低下する．

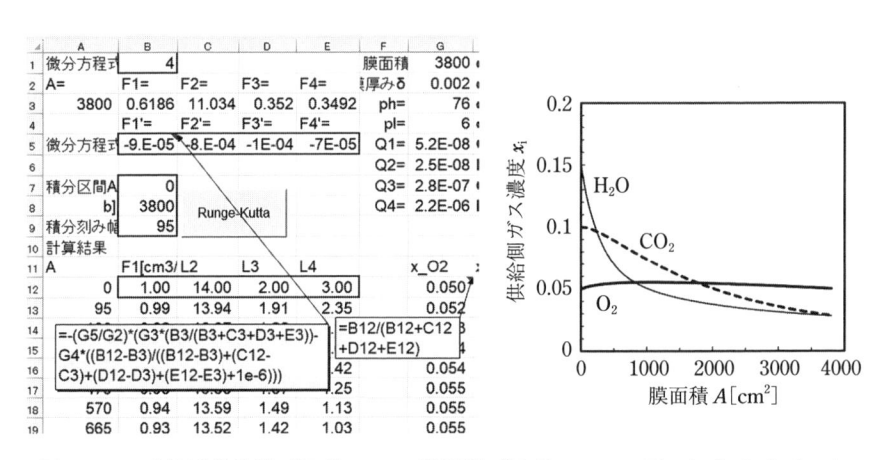

図 5.8　4成分系供給側プラグフロー–透過側プラグフローモデル〈eche5_5.xlsm〉

5.4 パーベーパレーション操作における膜モジュールの分離性能

パーベーパレーション(PV)とは孔のない均質膜を介した供給液の蒸発操作である(図5.9)．この物質移動のモデルとして**蒸気相推進力モデル**を用いると，膜透過の推進力は膜を介した溶液の平衡蒸気分圧と透過側分圧との差である．その際，各成分の膜透過係数はガス・蒸気の透過係数が使えるので，前節のモデルとほとんど同様に，次式でモデル化できる．

5.4 パーベーパレーション操作における膜モジュールの分離性能

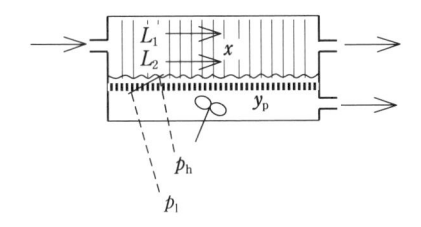

図 5.9 PV 分離膜モジュールのモデル（プラグフロー‐完全混合）

$$\frac{dL_1}{dA} = -\left(\frac{Q_1}{\delta}\right)(\gamma_1 p_1^* x - p_1 y_p) \tag{5.18}$$

$$\frac{dL_2}{dA} = -\left(\frac{Q_2}{\delta}\right)\{\gamma_2 p_2^*(1-x) - p_1(1-y_p)\} \tag{5.19}$$

$$x = \frac{L_1}{L_1 + L_2} \tag{5.20}$$

ここで，L [mol/s] は供給液中の各成分流量，γ は活量係数，p^* [kPa] は操作温度の各純成分の平衡蒸気圧，x は供給液中の低沸点成分モル分率である．上式は供給側プラグフロー‐透過側完全混合のモデルであり，透過側濃度 y_p は定数である．PV 操作は通常透過側を高真空にして行われるので，透過側完全混合の仮定が適用できる．

なお，一般に均質膜による PV 操作では液側の物質移動抵抗が 5～10% 程度関与しており，厳密なモデル計算ではこれを考慮する必要がある．

【例題 5.6】 パーベーパレーション操作のモデル ⟨eche5_6.xlsm⟩

前節と同じシリコーンゴム中空糸膜モジュールにより，$x_f = 0.15$ のエタノール水溶液の PV 操作を行う．透過蒸気量と濃度を求めよ．供給液流量 50 g/min（すなわち $L_1 = 0.00563$ mol/s，$L_2 = 0.0319$ mol/s），透過側圧力は $p_1 = 0.4$ kPa とする．膜透過係数，各成分蒸気圧および活量係数はシート中に示す．

⟨解答例⟩

図 5.10 の **B5：C5** に微分方程式 (5.18)，(5.19) を記述する．**ボタン**を押して積分を実行する．得られた y_p の値（**G10**）が y_p の初期値（**G9**）に一致するよう **G9** の値を試行する．計算結果は透過蒸気量 $P = 0.00109$ mol/s $= 0.128$ g/h，透過蒸気濃度 $y_p = 0.4535$ となる．

64   5 ガス系の膜分離操作

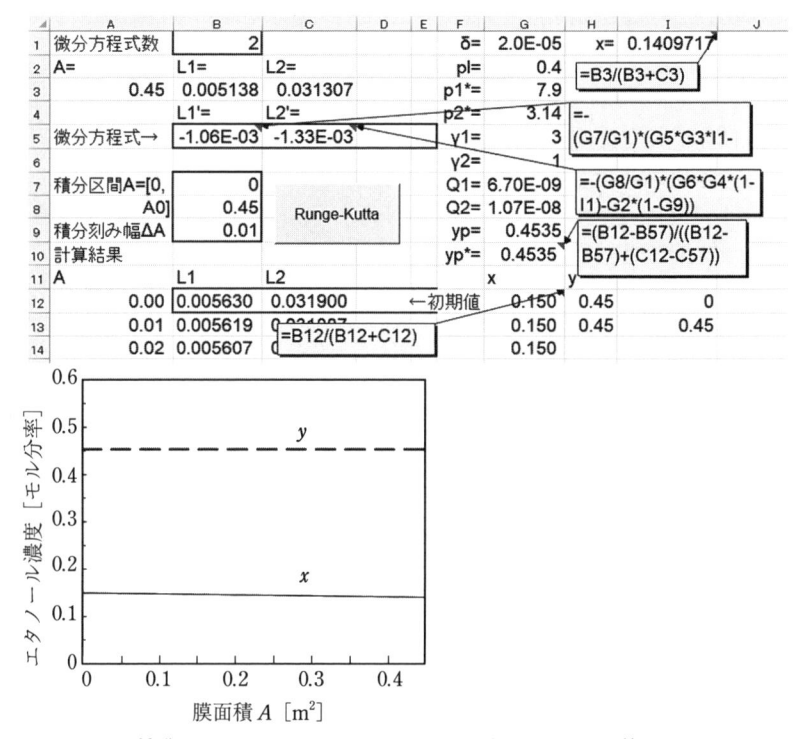

	A	B	C	D	E	F	G	H	I	J
1	微分方程式数	2				δ=	2.0E-05	x=	0.140971	
2	A=	L1=	L2=			pI=	0.4	=B3/(B3+C3)		
3		0.45	0.005138	0.031307		p1*=	7.9			
4		L1'=	L2'=			p2*=	3.14	=-		
5	微分方程式→	-1.06E-03	-1.33E-03			y1=	3	(G7/G1)*(G5*G3*I1-		
6						y2=				
7	積分区間A=[0,	0				Q1=	6.70E-09	=-(G8/G1)*(G6*G4*(1-		
8	A0]	0.45		Runge-Kutta		Q2=	1.07E-08	I1)-G2*(1-G9))		
9	積分刻み幅ΔA	0.01				yp=	0.4535	=(B12-B57)/((B12-		
10	計算結果					yp*=	0.4535	B57)+(C12-C57))		
11	A	L1	L2			x		y		
12	0.00	0.005630	0.031900	←初期値		0.150	0.45	0		
13	0.01	0.005619	=B12/(B12+C12)			0.150	0.45	0.45		
14	0.02	0.005607				0.150				

図 5.10 均質膜によるパーベーパレーション操作のモデル計算〈eche5_6.xlsm〉

6 液系の膜分離

6.1 膜濾過のモデル

液系の膜分離は分離膜による水処理および血液透析に広く用いられている．分離膜はその細孔径 D を基準に，**精密濾過膜**（MF 膜）（$D>0.1$ mm），**限外濾過膜**（UF 膜）（0.1 mm$>D>2$ nm），**ナノ濾過膜**（NF 膜）（2 nm$>D$），**逆浸透膜**（RO 膜）（無孔）に分類される[19,p.13]．分離膜による膜濾過は原液と透過液間の差圧により操作され，差圧は MF：200 kPa 以下，UF：200〜500 kPa，NF：500 kPa〜1.5 MPa，RO：4 MPa 以上，である．なお，**血液透析**は薄膜の中空糸型 UF 膜を用い，等圧で操作される．

膜濾過プロセスの設計では透過流束と阻止率を予測する適切なモデルを選択する必要がある．図 6.1 に膜濾過の透過流束に関与する要因を操作別に示す．

RO，NF では，原液と透過液（水）間の**浸透圧**差と膜細孔の透過抵抗が膜濾過抵抗の主因である．加えて**濃度分極**層が膜面濃度を通じて影響する（例題

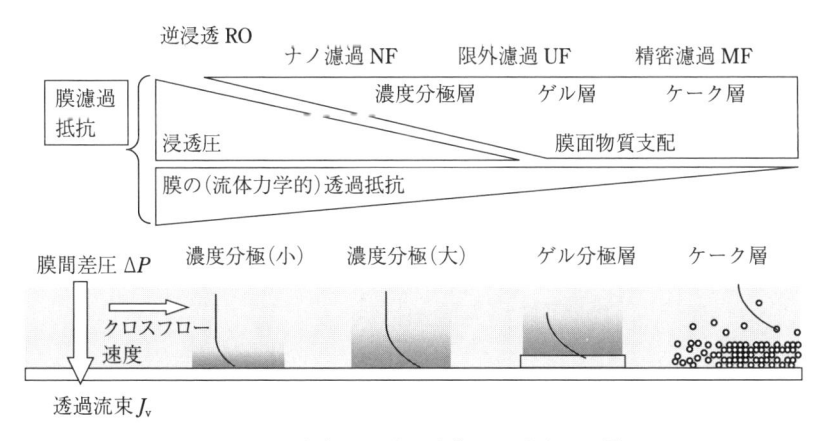

図 6.1 膜濾過の透過流束を支配する要因

6.3). UF では濃度分極層から**ゲル**層へ変化してゆくので,浸透圧とゲル層の透過抵抗が複合的に関わる.MF では原液中の溶質粒子が**ケーク層**とよばれる粒子の層を形成し,これが膜濾過抵抗の主因となる(例題 6.1).

膜面上の濃度分極層,ケーク層などの厚さは供給液の流速(**クロスフロー流速,膜面速度**,u)が支配する.この膜面速度と透過流束の関係を予測するモデルも重要である(例題 6.2,例題 6.4).

6.2 精密濾過 MF の透過流束モデル

精密濾過プロセスは多孔質膜により水中の懸濁粒子を除去する操作である.一般に濾過操作にはデッドエンド濾過操作とクロスフロー濾過操作があり,前者は処理する原液の流れ方向が膜面に垂直であり,後者では直交する.

濾過方程式:デッドエンド形式の精密濾過操作では透過液量に比例して膜面上にケーク層が形成される.その透過流束の経時変化は,一般のケーク濾過同様,以下の Ruth の式でモデル化される(図 6.2).

原液(粒子懸濁液)中の粒子濃度を,単位濾液量に対して得られる湿潤ケーク(粒子層)の体積で表し,C_b[m³-ケーク/m³-濾液]とする.濾過の膜面積を A[m²]とすると,得られた濾液量 V[m³]に対してケーク厚さ L_c[m]は,

$$L_c = VC_b/A \tag{6.1}$$

である.Darcy 則によると,次式のように粒子層を通る水の流束 J_v[m³/(m²s)]は圧力差 ΔP に比例し,水の粘性係数 μ および粒子層の厚さ L に反比例する.

$$J_v = \frac{k\Delta P}{\mu}\frac{1}{L_c + L_m} \tag{6.2}$$

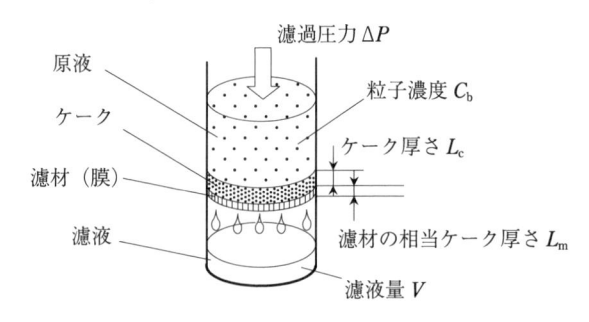

図 6.2 デッドエンド濾過

(J_v [m³-水/(m²s)]：水の透過流束，ΔP [Pa]：圧力差，k：ケークの抵抗，μ：水の粘度，L_c：ケーク厚さ)

ここで，L_m が濾材(膜)の透過抵抗を，相当するケーク厚さに換算したものであり，Ruth の式の着眼点である．濾液量 V と水の透過流束は，

$$\frac{dV}{dt} = J_v A \tag{6.3}$$

の関係なので，式(6.2)は，

$$\frac{dV}{dt} = \frac{Ak\Delta P}{\mu} \frac{1}{L_c + L_m} \tag{6.4}$$

である．濾材の抵抗相当のケーク厚さ L_m ができるための濾液量を V_0 とすると，$L_m = V_0 C_b / A$ なので，

$$\frac{dV}{dt} = \frac{A^2 k \Delta P}{C_b \mu} \frac{1}{V + V_0} = \frac{K}{2(V + V_0)} \tag{6.5}$$

である．この式は V に関する微分方程式である．これを初期条件で解くと，

$$(V + V_0)^2 = K(t + t_0) \qquad (t_0 = V_0^2 / K) \tag{6.6}$$

または，

$$V = \sqrt{Kt + V_0^2} - V_0 \tag{6.7}$$

となる．

式(6.6)を **Ruth の濾過方程式**といい，K，V_0 を**濾過定数**という．ケークの濾過抵抗である K と濾材(膜)の濾過抵抗に関係する V_0 がわかれば，濾過の過程をモデル的に表せる．ただし K の中に圧力差 ΔP が含まれているので，この式は圧力が一定の濾過すなわち「定圧濾過」に適用される．

【例題 6.1】 Ruth の濾過方程式 ⟨eche6_1.xlsm⟩

濾過定数が $K = 0.00041$ m⁶/h，$V_0 = 0.000392$ m³ として，基礎式(6.5)を積分して V の経時変化を求めよ．

⟨解答例⟩

図 6.3 が「微分方程式解法シート」である．濾過定数を**セル F2：F3** に記入し，**セル B5** に微分方程式(6.5)を記述する．積分区間，刻み幅を設定し，**ボタン**クリックで積分が実行され，V が得られる．図中のグラフでデッドエンド濾過における V の経時変化と，透過流束変化(式(6.3))を示す．

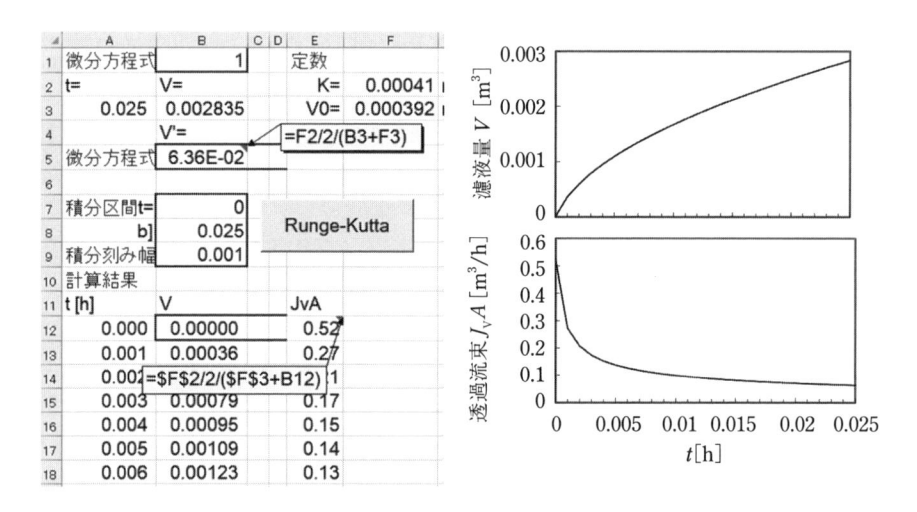

図 6.3 デッドエンド濾過のモデル計算〈eche6_1.xlsm〉

クロスフロー濾過：次にクロスフロー形式の精密濾過における透過流束を，Ruth の濾過方程式を基礎にして考える（図 6.4）．原液の粒子濃度を $C_b[\mathrm{m^3}$-固体$/\mathrm{m^3}$-水$]$ とする．ケーク層の厚さを L_c，圧力差を ΔP とすると，透過流束 J_v はデッドエンド濾過と同様に式(6.2)である．このケーク層の厚さ L_c の時間変化は，透過流束によるケークの堆積速度 $J_v C_b$ とクロスフローによるケークのはく離速度（リフト速度）$J^* C_b[\mathrm{m^3}$-固体$/(\mathrm{m^2\,s})]$ により，次式のように表せる[19,p.420]．

$$\frac{dL_c}{dt}=J_v C_b - J^* C_b \tag{6.8}$$

式(6.2)により J_v を消去すると，ケーク厚さ L_c の時間変化に関する次式の微

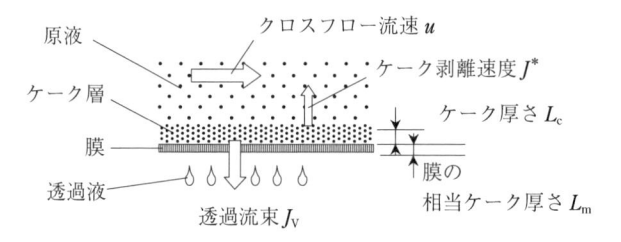

図 6.4 クロスフロー形式の精密濾過

分方程式が得られる．

$$\frac{dL_c}{dt} = \left(\frac{k\Delta P C_b}{\mu}\right)\left(\frac{1}{L_c + L_m}\right) - J^* C_b \tag{6.9}$$

ここで，透過流束の定常値 $J_{v\infty}$ には $J_{v\infty} C_b = J^* C_b$ の関係がある．この微分方程式によりクロスフロー濾過におけるケーク厚さと透過流束の経時変化が計算できる．

【例題 6.2】 クロスフロー濾過〈eche6_2.xlsm〉

細孔径 0.2 μm の精密濾過膜により，膜面積 60 cm² の平膜セルで野菜ジュースのクロスフロー濾過を行ったところ，透過流束の経時変化が図 6.5 のグラフ中に示すデータのようであった．$\Delta P = 0.10$ MPa，純水の透過流束 $J_{v0} = 540$ kg/(m² h) $= 1.5 \times 10^{-4}$ m³/(m² s)，定常透過流束 $J_{v\infty} = 11.5$ kg/(m² h) $= 3.19 \times 10^{-6}$ m³/(m² s)，$C_b = 0.02$ m³/m³ としてモデル式(6.8)と比較せよ．

〈解答例〉

パラメータのうち L_m を仮定して計算し，データと比較する．図 6.5 のシートは「微分方程式解法シート」である．**G2：G8** に定数を，**B5** に微分方程式を書き，**ボタン**クリックで積分を実行する(このシートでは流束の単位は[m³/(m² s)]としている)．試行の結果，$L_m = 5 \times 10^{-7}$ m でほぼデータと一致した．

結果を図中のグラフで示す．このモデルでは透過流束の定常値はリフト速度 $J^* C_b$ に支配され，操作圧力にはよらない．また，$J_{v\infty} = 0$ として計算すると

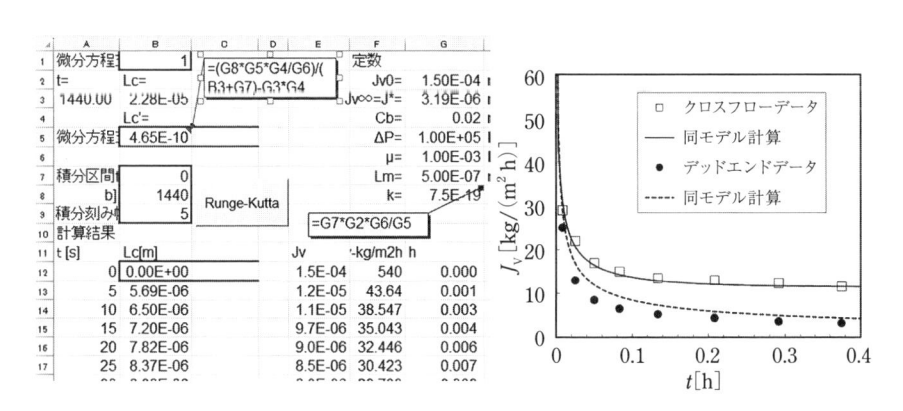

図 6.5 クロスフロー濾過のモデル計算〈eche6_2.xlsm〉

デッドエンド濾過の計算となるので,これも併せて示した.

6.3 限外濾過の透過流束モデル(濃度分極モデル,浸透圧モデル)

限外濾過や逆浸透膜プロセスでは透過流束 J_v は溶液(原液)-透過液間の浸透圧差 $\Delta\pi$ と純水透過係数 L_p に支配される.

$$J_v \approx J_w = L_p(\Delta P - \Delta\pi) \tag{6.10}$$

(J_w:水の透過流束,ΔP:膜間差圧)

また,溶質の阻止により透過液濃度 C_p は原液濃度 C_b より小さくなるが,これにともない膜面には溶質が蓄積し,膜面の溶質濃度 C_m が上昇する(図6.6).これを**濃度分極**とよぶ.濃度分極モデル[20]によると,これらの関係は次式である.

$$\frac{C_m - C_p}{C_b - C_p} = \exp\left(\frac{J_v}{k}\right) \tag{6.11}$$

ここで k が**物質移動係数**である.

タンパク質水溶液などでは浸透圧 $\Delta\pi$ が溶質濃度 C に対して指数関数で表せる($\Delta\pi = aC^n$).限外濾過において $C_p = 0$ とすると浸透圧は膜面濃度 C_m で決まるので,式(6.10)は次式となる.

$$J_v = L_p(\Delta P - aC_m^n) \tag{6.12}$$

また $C_p = 0$ より,濃度分極式(6.11)は $(C_m/C_b) = \exp(J_v/k)$ なので,これらより,

$$J_v = L_p(\Delta P - aC_b^n \exp(nJ_v/k)) \tag{6.13}$$

となる.この式を限外濾過プロセスに適用したのが**浸透圧モデル**である.操作

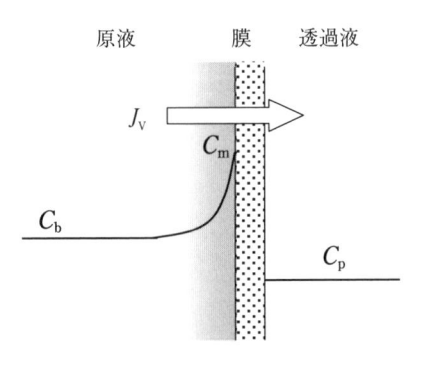

図 6.6 逆浸透,限外濾過の濃度分極モデル

圧力 ΔP から透過流束 J_v を求めることは，数学的には J_v に関する非線形方程式を解く問題となる．

【例題 6.3】 限外濾過の浸透圧モデル〈eche6_3.xlsx〉

タンパク質水溶液の浸透圧が，$\Delta\pi = aC^n$ ($a=4.0$, $n=2$) ($\Delta\pi$[Pa]，C[g/L]) で表せる場合，阻止率を1として ($C_p=0$) 限外濾過における操作圧力 ΔP と透過流束との関係を求めよ．ただし，$C_b=0.25$ g/L，$k=3.9$ kg/(m² h)，$L_p=3.64\times10^{-5}$ kg/(m² h Pa) とする．

〈解答例〉

図 6.7 のシートで，**B 列**に諸定数を書き，**セル B5** に J_v の初期値を入れる．**セル B8** に式(6.13)の残差を記述する．**ゴールシーク**で**数式入力セル：B8，目標値：0，変化させるセル：B5** として実行することで，ΔP に対する解 J_v が得られる．右のグラフは透過流束および膜面濃度 C_m と操作圧力 ΔP の関係で示したものである．透過流束が圧力に依存しなくなる**限界透過流束**が表されている．

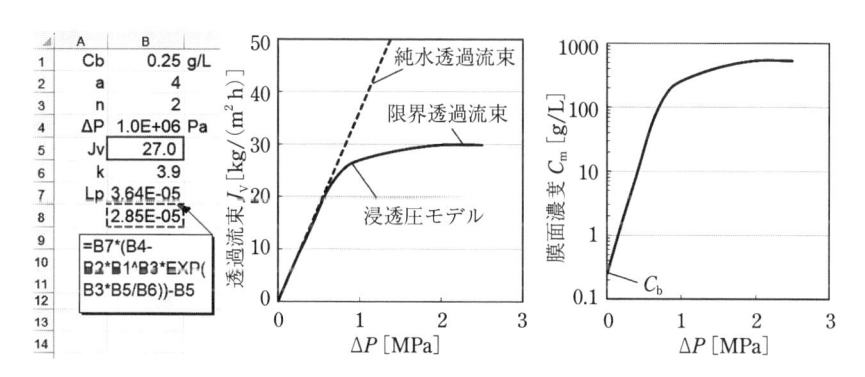

図 6.7 限外濾過の浸透圧モデル〈eche6_3.xlsx〉

6.4 逆浸透・ナノ濾過操作の物質移動係数(流速変化法)

濃度分極層(式(6.11))の物質移動係数 k は供給液のクロスフロー流速(膜面流速) u が支配するので，

$$k = bu^a \tag{6.14}$$

と書ける．この式と，**見かけの阻止率** $R_{\mathrm{app}}=1-\dfrac{C_{\mathrm{p}}}{C_{\mathrm{b}}}$，**真の阻止率** $R_{\mathrm{int}}=1-\dfrac{C_{\mathrm{p}}}{C_{\mathrm{m}}}$ により式(6.11)を書き換えると次式となる．

$$\ln\frac{1-R_{\mathrm{app}}}{R_{\mathrm{app}}}=\ln\frac{1-R_{\mathrm{int}}}{R_{\mathrm{int}}}+\frac{J_{\mathrm{v}}}{k}=\ln\frac{1-R_{\mathrm{int}}}{R_{\mathrm{int}}}+\frac{J_{\mathrm{v}}}{bu^a}=c+\frac{J_{\mathrm{v}}}{bu^a} \quad (6.15)$$

逆浸透・ナノ濾過操作において他の条件(流束など)を一定にして，流速 u のみを変化させて阻止率 R_{app} を測定する．そのデータを縦軸 $\ln\{(1-R_{\mathrm{app}})/R_{\mathrm{app}}\}$ に対して，横軸 J_{v}/u^a でプロットして直線が得られれば，その傾きが $(1/b)$ である．これより物質移動係数 k が定式化できる．この方法による物質移動係数の求め方を**流速変化法**という．指数 a の値はこのプロットが直線になるように決められるが，普通は層流で $a=0.3\sim0.5$，乱流で $a=0.8\sim0.9$ である．また，この直線を横軸 0 に外挿した点が濃度分極のない，膜の真の阻止率による値 $(1-R_{\mathrm{int}})/R_{\mathrm{int}}$ を表す．

【例題 6.4】 流速変化法〈eche6_4.xlsx〉

ナノ濾過膜装置で NaCl 水溶液を濾過する．透過流束が一定値：$J_{\mathrm{v}}=174.6$ kg/(m²h)の条件で，膜面速度 u を変化させて NaCl の阻止率を測定したとこ

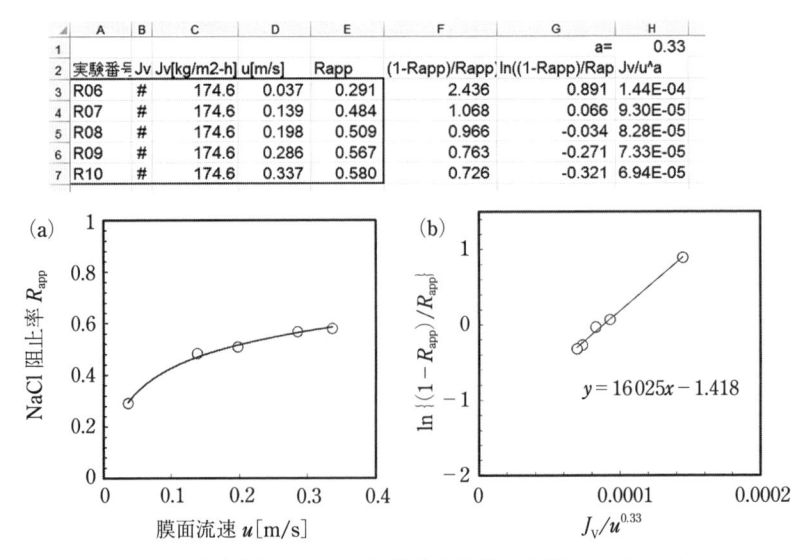

	A	B	C	D	E	F	G	H
1							a=	0.33
2	実験番号	Jv	Jv[kg/m2-h]	u[m/s]	Rapp	(1-Rapp)/Rapp	ln((1-Rapp)/Rap	Jv/u^a
3	R06	#	174.6	0.037	0.291	2.436	0.891	1.44E-04
4	R07	#	174.6	0.139	0.484	1.068	0.066	9.30E-05
5	R08	#	174.6	0.198	0.509	0.966	-0.034	8.28E-05
6	R09	#	174.6	0.286	0.567	0.763	-0.271	7.33E-05
7	R10	#	174.6	0.337	0.580	0.726	-0.321	6.94E-05

図 6.8 流速変化法による物質移動係数の推算〈eche6_4.xlsx〉

[H. Yunoki, K. Nagata, K. Kokubo, A. Ito, A. Watanabe, *J. Chem. Eng. Jpn.*, **35**, 76-82 のデータを使用]

ろ, 図 6.8 の **D, E 列**(グラフ(a))のようであった[21]. この装置の物質移動係数(式(6.14))を求めよ. ここでは層流範囲として, $a=0.33$ とする.

〈解答例〉
図 6.8 のシートの **G 列**に $\ln\{(1-R_{\text{app}})/R_{\text{app}}\}$ を計算する. これと $(J_v/u^{0.33})$ (**H 列**)とのグラフ(b)を作成する. グラフ内のデータ上で右クリック→**近似曲線の追加**→線形近似(☑グラフに数式を表示する)により最小 2 乗法による近似式(1 次式)がグラフ上に表示される.

近似式の傾きが $(1/b)$ なので, 式(6.14)より, $k=0.000\,062\,4u^{0.33}$ である. また, 0 切片値(-1.418)から膜の真の阻止率 $R_{\text{int}}=0.805$ となる.

6.5 膜濾過プロセスのモデル

回分式濃縮操作:膜濾過プロセスとは膜モジュールによる精密濾過, 限外濾過, 逆浸透操作を総称したものである. 膜濾過プロセスの多くは原液タンク中の原液をポンプにより膜モジュールへ加圧・供給して透過液を得て保持液は原液タンクに戻す形式で操作される. 原液はタンク内で濃縮されるので, この形式を**回分式濃縮操作**という.

原液タンク中に液量 $V[\text{kg}]$, 溶質濃度 $C_b[\text{kg-溶質/kg-溶液}]$ の原液がある. これを膜面積 $A[\text{m}^2]$ の膜モジュールで, 操作圧力 $\Delta P[\text{MPa}]$ で膜濾過操作を行う(図 6.9). 透過液流量を $v[\text{kg/h}]$, 透過液の溶質濃度を C_p とする. 液量 V についての収支より,

$$\frac{dV}{dt} = -v = -AJ_v \tag{6.16}$$

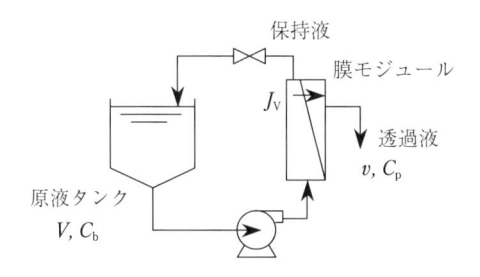

図 6.9 回分式濃縮操作

である(t は時間 [h])．また，阻止率を $R(=1-C_p/C_b)$ として，溶質についての物質収支は次式となる．

$$\frac{d(VC_b)}{dt} = -vC_p = -v(1-R)C_b \tag{6.17}$$

【例題 6.5】 回分式濃縮操作 〈eche6_5.xlsm〉

膜面積 $A=7.4\,\mathrm{m}^2$ の逆浸透膜モジュールにより，初期原液量 $V_0=400\,\mathrm{kg}$，初期濃度 $C_{b0}=0.020\,\mathrm{kg}$-溶質/kg-溶液 のショ糖水溶液に対して濃縮操作を行う．操作圧力 $\Delta P=1.5\,\mathrm{MPa}$，膜の阻止率は $R=1$ である．タンク内原液濃度 C_b の経時変化を計算せよ．なお，あらかじめこの圧力で原液濃度 C_b を変化させて透過流束を測定したところ，$C_b=0$ では $J_V=35\,\mathrm{kg/(m^2\,h)}$，$C_b=0.15\,\mathrm{kg/kg}$ では $J_V=0$ であった．このデータで式(6.10)を考えると，$C_b=0$ すなわち $\Delta\pi=0$ のとき $L_p=(\Delta P/J_V)$ より，$L_p=23.3\,\mathrm{kg/(m^2\,h\,MPa)}$．また，$J_V=0$ のとき $\Delta P=\Delta\pi=C_1 C_b$ より，$C_1=10.0$．よってこの膜プロセスの透過流束 $J_V\,[\mathrm{kg/(m^2\,h)}]$ は次式で表せるとする．

$$J_V = L_p(\Delta P - C_1 C_b) \qquad (L_p=23.3,\ C_1=10.0) \tag{6.18}$$

〈解答例〉

$R=1$ なので，式(6.17)は $d(VC_b)/dt=0$ であり，これは $C_b=C_{b0}V_0/V$ のことである．この関係と式(6.18)とから，式(6.16)は，

$$\frac{dV}{dt} = -A\left\{L_p\left(\Delta P - C_1\frac{C_{b0}V_0}{V}\right)\right\} \tag{6.19}$$

のような V に関する微分方程式となる．すなわち，

$$\frac{dV}{dt} = \frac{a}{V} - b \qquad (a=13794,\ b=258.6\ \text{とする}) \tag{6.20}$$

なる微分方程式を，初期条件 $V(0)=400$ で解くことになる．

図 6.10 は「微分方程式解法シート」である．**セル B5** に式(6.19)を記述し，V の初期値を **B12** に入れて，**ボタン**クリックで積分を実行する．得られた V と C_b の経時変化を図中のグラフで示す．

連続濃縮操作(逆浸透)：溶液の膜濃縮操作では膜モジュール出口の保持液をそのまま濃縮製品液として回収する操作も行われる．原液はシングルパスであ

6.5 膜濾過プロセスのモデル   75

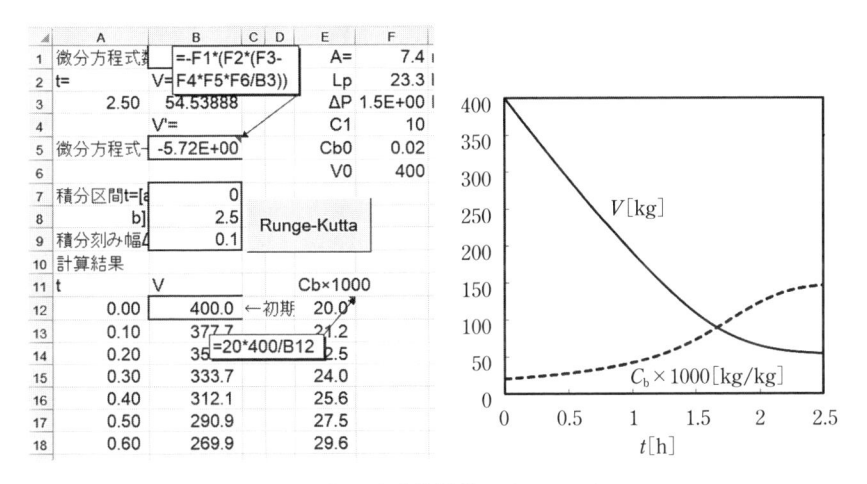

図 6.10 回分式濃縮操作〈eche6_5.xlsm〉

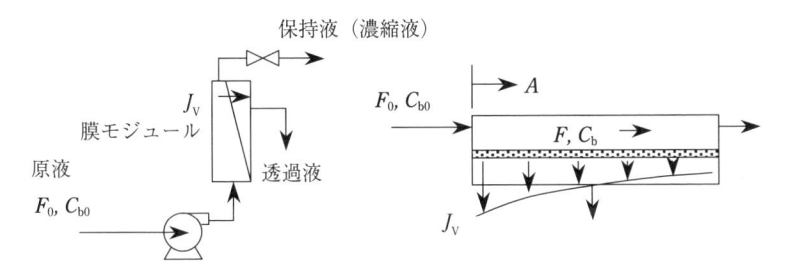

図 6.11 連続濃縮操作

り，これを連続濃縮操作とよぶ（図 6.11）．連続濃縮操作において，所定の濃縮を行うための膜面積を求める問題を考える．

単段の連続濃縮操作では供給液流量 $F\mathrm{[kg/h]}$ と溶質濃度 C_b がモジュール内の膜面積 $A\mathrm{[m^2]}$ により変化している．膜モジュール内微小膜面積における供給液収支が次式，

$$\frac{\mathrm{d}F}{\mathrm{d}A}=-J_\mathrm{v} \tag{6.21}$$

であり，溶質収支が次式となる．

$$\frac{\mathrm{d}(FC_\mathrm{b})}{\mathrm{d}A}=-J_\mathrm{v}C_\mathrm{p}=-J_\mathrm{v}C_\mathrm{b}(1-R) \tag{6.22}$$

【例題 6.6】 逆浸透の連続濃縮操作〈eche6_6.xlsm〉

例題6.5と同じ溶液・膜で単一膜モジュールでの連続濃縮操作を行う．膜モジュール内の膜面積 A に対する原液流量変化 F と濃縮の様子を示せ．$F_0=800$ kg/h，$C_{b0}=0.020$ kg/kg，$R=1$ とする．

〈解答例〉

$R=1$ なので式(6.22)は，$d(FC_b)/dA=0$ であり，これは $C_b=C_{b0}F_0/F$ のことである．この関係と式(6.18)から式(6.21)は次式となる．

$$\frac{dF}{dA}=-\left\{L_p\left(\Delta P-C_1\frac{C_{b0}F_0}{F}\right)\right\} \quad (6.23)$$

すなわち，

$$\frac{dF}{dA}=\frac{a}{F}-b \quad (a=3728,\ b=35.0 \text{ とする}) \quad (6.24)$$

である．したがってこの微分方程式を初期条件 $F(0)=800$ で解く．この式は形式的に回分濃縮操作(例題6.5)と同じである．

図6.12の「微分方程式解法シート」で**セル B5** に式(6.24)を記述し，積分区間などを指定して**ボタン**クリックで積分を実行する．結果は F の経時変化が **B13** 以下に出力される．F と C_b の膜面積 A による変化を図中のグラフで示す．

連続濃縮操作(限外濾過)：限外濾過操作では濾過圧力を上げても透過流束が

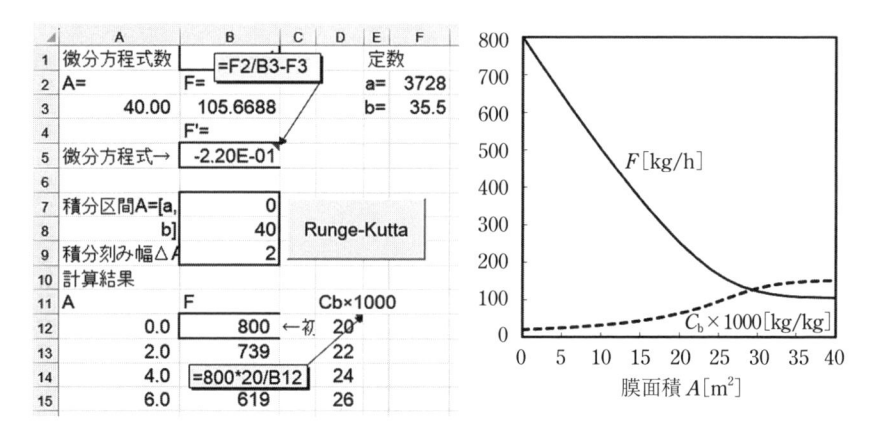

図 6.12 逆浸透の連続濃縮操作〈eche6_6.xlsm〉

変化しない限界透過流束の状態になることが多い．このような操作については一般に**ゲル分極モデル**が適用される．ゲル分極モデルでは圧力を上げると膜面濃度 C_m が溶質のゲル濃度 C_g に達して一定値になると仮定する．すると濃度分極モデル式(6.11)で C_m を C_g(一定値)に，また $C_p=0$ として次式となる．

$$J_V = k \ln \frac{C_g}{C_b} \tag{6.25}$$

物質移動係数 k は膜面流速 u のべき乗 n に依存するが，u は F に比例することから，

$$\frac{k}{k_0} = \left(\frac{F}{F_0}\right)^n \tag{6.26}$$

として，式(6.21)の J_V に代入すると F に関する次式の微分方程式となる．

$$\frac{dF}{dA} = -J_V = -k \ln\left(\frac{C_g}{C_b}\right) = -k_0 \left(\frac{F}{F_0}\right)^n \ln\left(\frac{C_g}{C_b}\right)$$

$$= -k_0 \left(\frac{F}{F_0}\right)^n \ln\left(\frac{C_g F}{F_0 C_{b0}}\right) \tag{6.27}$$

【例題 6.7】 限外濾過の連続濃縮操作〈eche6_7.xlsm〉

タンパク質水溶液の限外濾過操作において，$n=0.5$，$C_g=0.30$ kg/kg，$k_0=32.5$ であった．$F_0=1000$ kg/h，$C_{b0}=0.0136$ kg/kg として式(6.27)を解いて，原液を10倍に濃縮するのに必要な膜面積を求めよ．

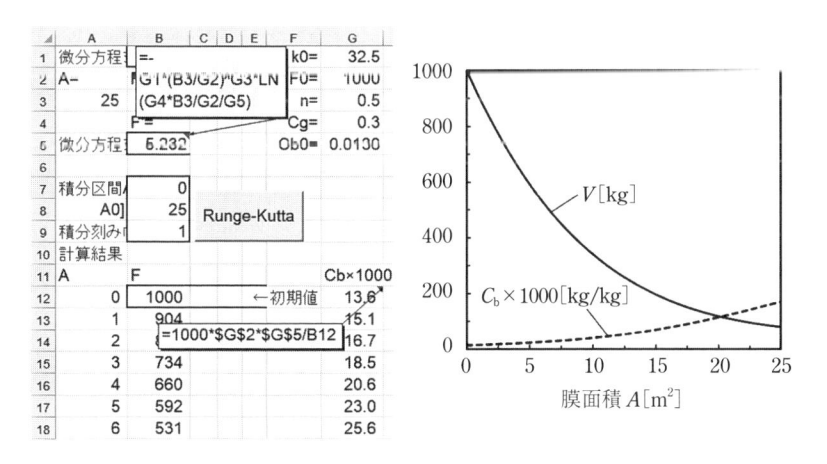

図 6.13 限外濾過の連続濃縮操作〈eche6_7.xlsm〉

〈解答例〉

図 6.13 は「微分方程式解法シート」で，諸数値を **G1：G5** に，式(6.27)を **B5** に記述する．**ボタン**クリックで積分を実行する．結果を図中のグラフに示す．これより膜モジュール出口で溶質濃度を C_{b0} の 10 倍 ($C_b=0.136$) まで濃縮するために必要な膜面積は $A=22\,\mathrm{m}^2$ と推算される．

6.6　透析膜モジュールの分離性能

透析法は圧力差ではなく濃度差自身により原液中の溶質を透析液中へ溶解・除去する膜分離法である．透析法は血液透析として広く用いられている．血液透析ではダイアライザー(図 6.14(a))とよばれる中空糸膜モジュールを用い，中空糸内に血液を，外側に透析液を向流に流して血液中の不要な溶質(塩や低分子成分)の除去を行う．

向流の透析膜モジュールにおける溶質(1 成分)物質移動を図 6.14(b)のようにモデル化する．膜モジュールの原液入口側を膜面積 $A=0$，出口を A とする．流量 F，溶質濃度 c，添字 B が原液側，D が透析液側，i が入口，o が出口である．透析液入口の溶質濃度 $c_{Di}=0$ である．原液側および透析液側の溶質濃度について微分形収支式をとると次式となる．

透析膜モジュールモデル(プラグフロー，向流)：

$$\begin{cases} N = F_B \dfrac{dc_B}{dA} = -K(c_B - c_D) \\[4pt] N = F_D \dfrac{dc_D}{dA} = -K(c_B - c_D) \end{cases} \tag{6.28}$$

N は透過溶質の物質移動流束，K は**総括物質移動係数**である．

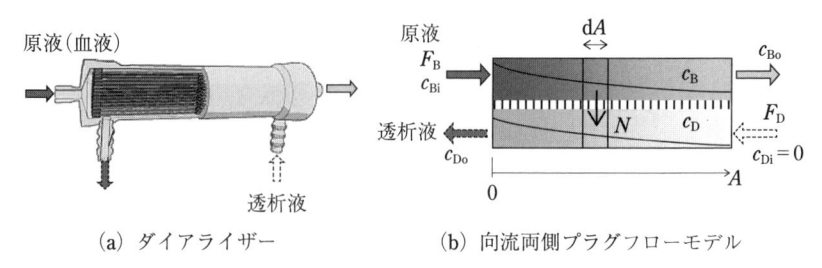

(a) ダイアライザー　　(b) 向流両側プラグフローモデル

図 6.14　透析法と透析器モデル

このモデルで無次元数：移動単位数：$N_T = \dfrac{KA}{F_B}$，流量比：$Z = \dfrac{F_B}{F_D}$ を用いると，向流透析膜モジュールにおける抽出率 E は次式となる[3,p.178]．

$$E \equiv \frac{c_{Bi} - c_{Bo}}{c_{Bi} - c_{Di}} = \frac{\exp\{N_T(1-Z)\} - 1}{\exp\{N_T(1-Z)\} - Z} \tag{6.29}$$

【例題 6.8】 向流透析膜モジュールの必要膜面積〈eche6_8.xlsm〉

向流透析器を用いて濃度 $c_{Bi} = 10$ kg/m³，流量 $F_B = 0.2$ m³/h の食塩水から，流量 $F_D = 0.3$ m³/h の透析液(純水)により，食塩を 95% 回収したい(抽出率 $E = 0.95$)．総括物質移動係数 $K = 0.008$ m/h として，必要な膜面積を求めよ．

〈解答例〉

図 6.15 の常微分方程式解法シートで **B5：C5** に連立常微分方程式(6.28)を記述する．$A = 0$ から積分してある膜面積 A で $c_{Bo} = 0.5$，$c_{Di} = 0$ kg/m³ となるよう初期値 c_{D0} を試行して，そのときの A が解である．

その結果，膜面積 $A = 148$ m²，$c_{D0} = 6.325$ kg/m³ が得られた．このときの透析器内濃度分布を図 6.15 右のグラフに示す(膜面積 A は E の式((6.29)，非線形方程式)からも解析的に求められる)．

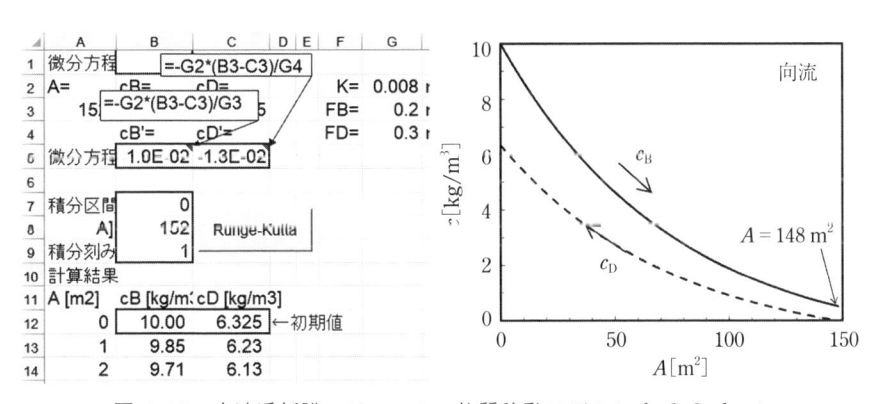

図 6.15 向流透析膜モジュールの物質移動モデル〈eche6_8.xlsm〉

7 吸着・クロマトグラフィー

7.1 回分吸着

回分吸着の物質収支：回分吸着はたとえば水を浄化するため吸着材を投入し，吸着平衡に達した時点で取り出すという基本的な操作である．溶液の容積 V，その初期溶質濃度を c_{A0}，吸着材の容積 W，平衡状態での溶質濃度 c_A，吸着材中の平均溶質濃度 $\bar{q}$ ＝表面濃度 q_s とすると，溶質物質収支式が次式である．

$$(c_{A0} - c_A)V = q_s W \tag{7.1}$$

【例題 7.1】 回分吸着〈eche7_1.xlsx〉

容積 $V = 0.1\ \text{m}^3$ の水中のフェノール濃度が $c_{A0} = 1.0\ \text{mol/m}^3$ であった．活性炭 $W = 18\ \text{cm}^3 = 1.8 \times 10^{-5}\ \text{m}^3$ を投入すると，水溶液中のフェノール濃度 c_A はどうなるか(図 7.1)．吸着平衡は**分配係数** $K = 17000$ の次式で表せる．

$$q_s = K c_A \tag{7.2}$$

($q_s\ [\text{mol/m}^3]$：平衡吸着量，K：分配係数，$c_A\ [\text{mol/m}^3]$：溶液濃度)

〈解答例〉

物質収支式(操作線の式)(7.1)と平衡線の式(7.2)との連立方程式により，平

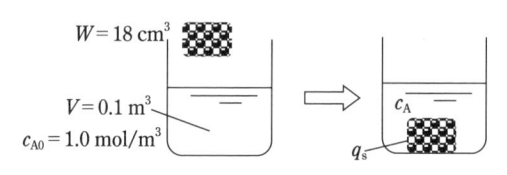

図 7.1 回分吸着(例題 7.1)

7.1 回分吸着

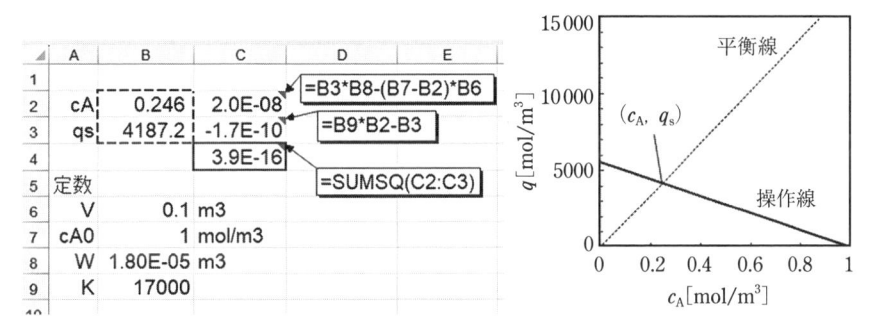

図 7.2 回分吸着⟨eche7_1.xlsx⟩

衡濃度 c_A, q_s を解く問題となる．図 7.2 の Excel シートで**セル B2, B3** に c_A, q_s の仮の値を入れ，**C2, C3** に式 (7.1)，(7.2) の残差を書く．**C4** に残差の 2 乗和を書き，**ソルバー**で**目的セルの設定：C4, 目標値：最小値, 変数セルの変更：B2：B3** として**解決**する．解は $c_A = 0.246$，$q_s = 4187\,\mathrm{mol/m^3}$ である．この解は c_A-q グラフ上で操作線 (7.1) と平衡線 (7.2) の交点として与えられる．

球状吸着材中の拡散：吸着操作の速さは吸着材粒子内の溶質の拡散速度に支配される．吸着材を半径 R の球形粒子として，溶質の吸着材表面から内部への拡散は局所濃度 $q(r, t)$ に関する球座標の拡散方程式で表せる（図 7.3(a)）．

$$\frac{\partial q}{\partial t} = \frac{D_{AB}}{r^2}\frac{\partial}{\partial r}\left(r^2\frac{\partial q}{\partial r}\right) \tag{7.3}$$

($t\,[\mathrm{s}]$：時間，r：球中心からの距離，D_{AB}：溶質拡散係数)

初期に吸着材内部の濃度は $q_0 = 0$ であり，時間 $t = 0$ で吸着材表面濃度が溶液に**平衡濃度** q_0 になり，以降溶質が表面から内部に拡散し，吸着材内**平均濃度** $\bar{q}\left(= \left(\frac{3}{R^3}\right)\int_0^R r^2 q\,\mathrm{d}r\right)$ が上昇する（図 7.3(a)）．拡散方程式 (7.3) の解析解は

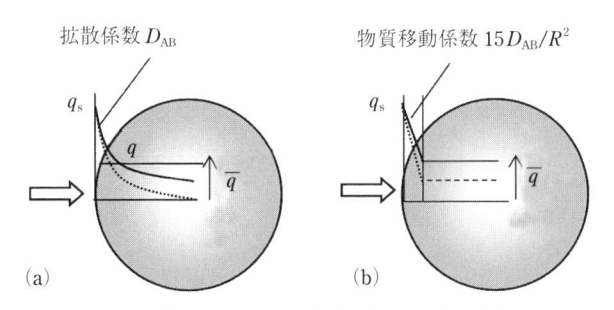

図 7.3 球状吸着材中の拡散，(a) 拡散方程式，(b) LDF モデル

次式である[6,p.548].

$$\frac{\bar{q}-q_{\rm s}}{q_0-q_{\rm s}}=\frac{6}{\pi^2}\sum_{n=1}^{\infty}\frac{1}{n^2}\exp\left\{-(n\pi)^2\frac{D_{\rm AB}t}{R^2}\right\} \tag{7.4}$$

吸着材内部拡散のLDFモデル：この非定常粒子内拡散を物質移動係数 k [m/s]と粒子内平均濃度 $\bar{q}$ による濃度推進力 $(q_{\rm s}-\bar{q})$ を用いて,

$$W\frac{{\rm d}\bar{q}}{{\rm d}t}=A_{\rm R}k(q_{\rm s}-\bar{q}) \tag{7.5}$$

のように表すと有用である（W[m³]：吸着材容積, $A_{\rm R}$[m²]：吸着材表面積）. この式を **LDFモデル(線形推進力近似モデル)** という[13,p.550]（図7.3(b)）. 吸着材が半径 R の球状粒子の場合は容積あたり表面積 $a_{\rm v}$[m²/m³]が $a_{\rm v}=(A_{\rm R}/W)=(3/R)$ なので，式(7.5)の係数 $(A_{\rm R}k/W)$[1/s]が次式(7.6)で近似できることが示されている[22]*1.

---

*1: 球状粒子内成分量($W\bar{q}$)の時間変化は粒子表面の拡散流束と表面積 $A_{\rm R}$ の積に等しいことから次式となる.

$$\frac{{\rm d}\bar{q}}{{\rm d}t}=\frac{A_{\rm R}}{W}D_{\rm AB}\frac{\partial q}{\partial r}\bigg|_{r=R}=\frac{3}{R}D_{\rm AB}\frac{\partial q}{\partial r}\bigg|_{r=R} \tag{1}$$

ここで粒子内濃度分布に2次式を仮定する.

$$q=a_0+a_2r^2\ldots \tag{2}$$

係数 a_0, a_2 は t で変化するが，r に依らないとする. q を積分すると粒子内平均濃度は次式である.

$$\bar{q}=\left(\frac{3}{R^3}\right)\int_0^R r^2 q{\rm d}r=a_0+(3/5)a_2R^2 \tag{3}$$

粒子表面では：

$$q_{\rm s}=a_0+a_2R^2 \tag{4}$$

および

$$\frac{\partial q}{\partial r}\bigg|_{r=R}=2a_2R \tag{5}$$

なので，式(3)と式(4)より a_2 が次式となる.

$$a_2=(5/2R^2)(q_{\rm s}-\bar{q}) \tag{6}$$

よって式(5), (6)から $({\rm d}\bar{q}/{\rm d}t)$（式(1)）が

$$\frac{{\rm d}\bar{q}}{{\rm d}t}=\frac{3}{R}D_{\rm AB}\frac{\partial q}{\partial r}\bigg|_{r=R}=\frac{15}{R^2}D_{\rm AB}(q_{\rm s}-\bar{q}) \tag{7}$$

となる. 以上により式(7.5)の係数 $(A_{\rm R}k/W)=ka_{\rm v}$[1/s]が次式となった.

$$球\left(a_{\rm v}=\frac{3}{R}\right):ka_{\rm v}=\frac{15}{R^2}D_{\rm AB} \tag{8}$$

同様の考察により円柱状材料，板状材料について以下が示されている.

$$円柱\left(a_{\rm v}=\frac{2}{R}\right):ka_{\rm v}=\frac{8}{R^2}D_{\rm AB} \tag{9}$$

$$板状\left(a_{\rm v}=\frac{1}{L}\right):ka_{\rm v}=\frac{3}{L^2}D_{\rm AB} \tag{10}$$

$$\frac{A_R}{W}k = k a_v = \frac{3}{R}k = 15\frac{D_{AB}}{R^2} \tag{7.6}$$

【例題 7.2】 粒子吸着材の LDF モデル〈eche7_2.xlsm〉

粒子半径 $R=1.5$ mm の活性炭球状粒子に水溶液中のフェノールを吸着する．粒子表面濃度 $q_s=17\,000$ mol/m³ で一定として，粒子内平均濃度 $\bar{q}$ の経時変化を求めよ．活性炭粒子内の拡散係数は $D_{AB}=3.0\times 10^{-10}$ m²/s とする．

〈解答例〉

式(7.6)の物質移動係数が，$A_R k/W = 15(D_{AB}/R^2) = 15\times 3.0\times 10^{-10}/(1.5\times 10^{-3})^2 = 0.0020$ である．図7.4 の「常微分方程式解法シート」で，**セル B5** に LDF モデルの式(7.5)を書き，初期値 0 から積分する．結果をシート中のグラフで示す．グラフ中の拡散方程式の解(式(7.4))と比較すると，LDF モデルが簡便でよい近似を与えることがわかる．

LDF モデルによる非定常回分吸着：LDF モデルを応用して，回分吸着における溶質の溶液中，吸着材中濃度の経時変化が計算できる．

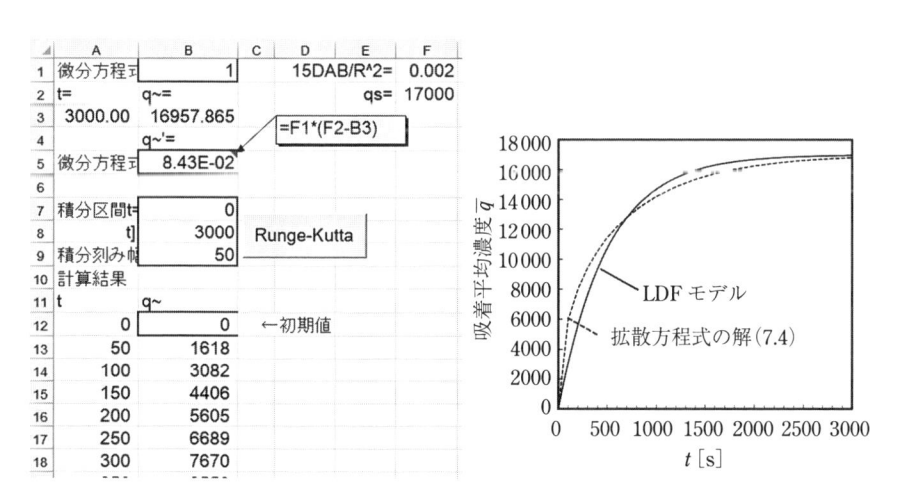

図 7.4 粒子吸着の LDF モデル〈eche7_2.xlsm〉

【例題 7.3】 LDF モデルによる非定常回分吸着〈eche7_3.xlsm〉

容量 V の水中の溶質(フェノール)を容量 W の吸着材(活性炭)で回分吸着する．簡単にするため吸着材を半径 $R=1.5$ mm の球形粒子 1 個とし，溶液量 $V=78.5$ cm^3，溶質初期濃度 $c_{A0}=1.0$ mol/m^3 とする(例題 7.1 の 1/1274 スケール)．LDF モデルにより溶液濃度および吸着材内平均濃度 $c_A, \bar{q}$ の時間変化を求めよ．吸着平衡は例題 7.1 と同じ，拡散係数は例題 7.2 と同じである．

〈解答例〉

LDF モデルの式(7.7)と，吸着材-溶液間の物質収支式(7.8)の連立常微分方程式解法の問題となる．

$$\frac{d\bar{q}}{dt} = 15 \frac{D_{AB}}{R^2}(q_s - \bar{q}) \tag{7.7}$$

$$\frac{dc_A}{dt} = -\left(\frac{W}{V}\right)\frac{d\bar{q}}{dt} \tag{7.8}$$

ただし，$q_s = Kc_A (K=17\,000)$ である．

図 7.5 の「常微分方程式解法シート」で **B5, C5** に式(7.7)，(7.8)を記述する．この際 $(d\bar{q}/dt)$ は**セル B5** を用いる．初期値を入れて**ボタン**クリックで積分を実行する．右グラフのように $c_A, \bar{q}$ の経時変化が求められる．定常値(平衡値)は $c_A=0.247$，$\bar{q}=4186$ mol/m^3 であり例題 7.1 と同様である．

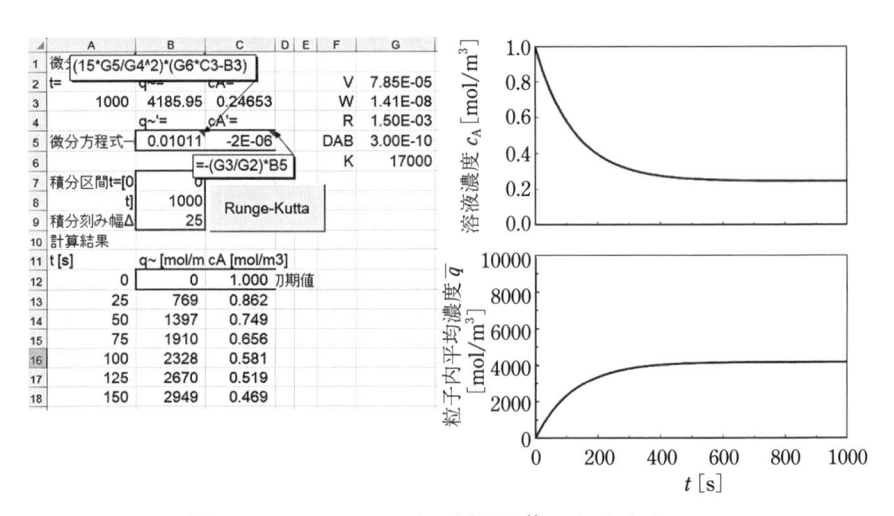

図 7.5 LDF モデルによる回分吸着〈eche7_3.xlsm〉

7.2 固定層吸着の破過曲線

固定層吸着操作の基礎式：**固定層吸着**では吸着材**充塡層**で混合ガスや溶液中の溶質を吸着・分離する(図7.6)．この操作で時間 $t=0$ で入口溶質濃度を c_{A0} にステップ変化させた場合の出口濃度 $c_{A,\mathrm{out}}$ の変化(ステップ応答)が**破過曲線**である．固定層吸着では出口で破過曲線が現れるまでが吸着操作の限界なので，この破過曲線を予測することが装置設計の基礎となる．

長さ $Z\,[\mathrm{m}]$，空隙率 $\varepsilon_\mathrm{b}\,[-]$ の吸着カラムを，供給する流体相と固定の吸着材相で考え，両相の溶質濃度を $c_A(t,z)\,[\mathrm{mol/m^3}]$，$\bar{q}(t,z)\,[\mathrm{mol/m^3}]$ とする(図7.7)．$\bar{q}$ は吸着材粒子中の溶質平均濃度である．流体相，吸着材相を z 方向1次元でモデル化して，流体相に移流拡散方程式，吸着材相に LDF モデル式(7.5)を適用すると次式が固定層吸着解析の基礎式となる[16,p.639]．
(流体側)消失をともなう混合拡散モデル：

$$\frac{\partial c_A}{\partial t} + u\frac{\partial c_A}{\partial z} = D_z\frac{\partial^2 c_A}{\partial z^2} - \frac{1-\varepsilon_\mathrm{b}}{\varepsilon_\mathrm{b}}\frac{\partial \bar{q}}{\partial t} \tag{7.9}$$

非定常項　対流項　拡散項　吸着による消失項

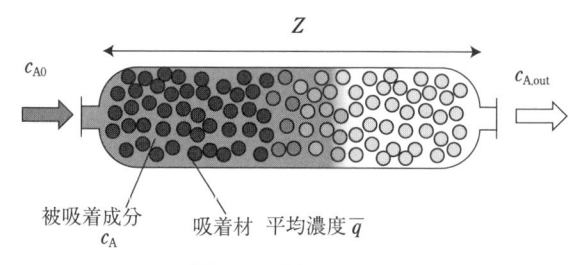

図 7.6　固定層吸着

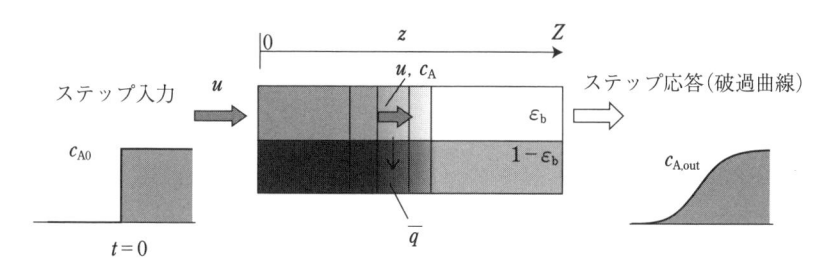

図 7.7　破過曲線の混合拡散/LDF モデル

(吸着材側) LDF モデル：

$$\frac{\partial \bar{q}}{\partial t} = ka_v(q_s - \bar{q}) = ka_v(Kc_A - \bar{q}) \tag{7.10}$$

(u [m/s]：供給溶媒・ガス流速(線速度)，D_z [m²/s]：**混合拡散係数**，ka_v [s⁻¹]：**物質移動容量係数**[*2])

吸着材表面濃度 q_s と流体濃度 c_A は線形の吸着平衡関係 ($q_s = Kc_A$)(式(7.2))を仮定する．

固定層吸着の進行と破過曲線：この**混合拡散/LDF モデル**の差分法による数値解の例[3,p.189] を図7.8に示す．計算条件は以下の例題7.4と同じで，長さ $Z = 0.15$ m のシリカゲル充填層に水蒸気濃度 $c_{A0} = 1.0$ mol/m³ の空気を $u = 0.06$ m/s で供給する．吸着の分配係数 $K = 500$ である．

図7.8(a)は充填層内の水蒸気濃度(空気側 c_A，吸着材側 $\bar{q}$)の経時変化である．出口の水蒸気濃度 c_A は $t = 500$ s まで0であり，水蒸気が吸着材中に500倍($=K$)まで濃縮される．吸着材が入口から飽和濃度 $\bar{q} = 500$ になり，この飽和部分が出口に進行する．$t = 500$ s 以降，出口で空気中水蒸気濃度が増加し始め，$t = 2000$ s で全吸着材が飽和して出口の $c_{A,out} = c_{A0}$ となる．図7.8(b)が層出口の水蒸気濃度の経時変化すなわち破過曲線である．水蒸気濃度が入口の $1/2$ ($c_{A,out} = (1/2)c_{A0}$) となる時間 $t_{1/2} = 1241$ s は，空気の平均滞留時間 $t_R (= Z/u = 2.5$ s$)$ の $(K+1)$ 倍の1253 s にほぼ等しい．平均滞留時間と破過曲線で囲まれた面積(図中の斜線部)がこの吸着操作の全吸着量である．

Klinkenberg の近似解：混合拡散/LDF モデルの解は吸着平衡など種々の条件についての解析解が示されている[13,p.548]．それらの解は厳密なものであるが，ここでは最も簡便な **Klinkenberg の近似解** を述べる．

Klinkenberg は流体中の混合拡散の影響が無視できる条件 ($D_z = 0$) で，破過曲線 $c_{A,out}$ について次式[16,p.655] を示した (erf( )：誤差関数)．

$$\frac{c_{A,out}}{c_{A0}} \approx \frac{1}{2}\left\{1 + \mathrm{erf}\left(\sqrt{\tau} - \sqrt{\xi} + \frac{1}{8\sqrt{\tau}} + \frac{1}{8\sqrt{\xi}}\right)\right\} \tag{7.11}$$

$$\left(\xi = \frac{(ka_v)KZ}{u}\left(\frac{1-\varepsilon_b}{\varepsilon_b}\right), \quad \tau = (ka_v)\left(t - \frac{Z}{u}\right)\right)$$

[*2] 式(7.6)で示した $(A_R/W) = a_v$ (体積あたり表面積) と k の積を物質移動容量係数という．

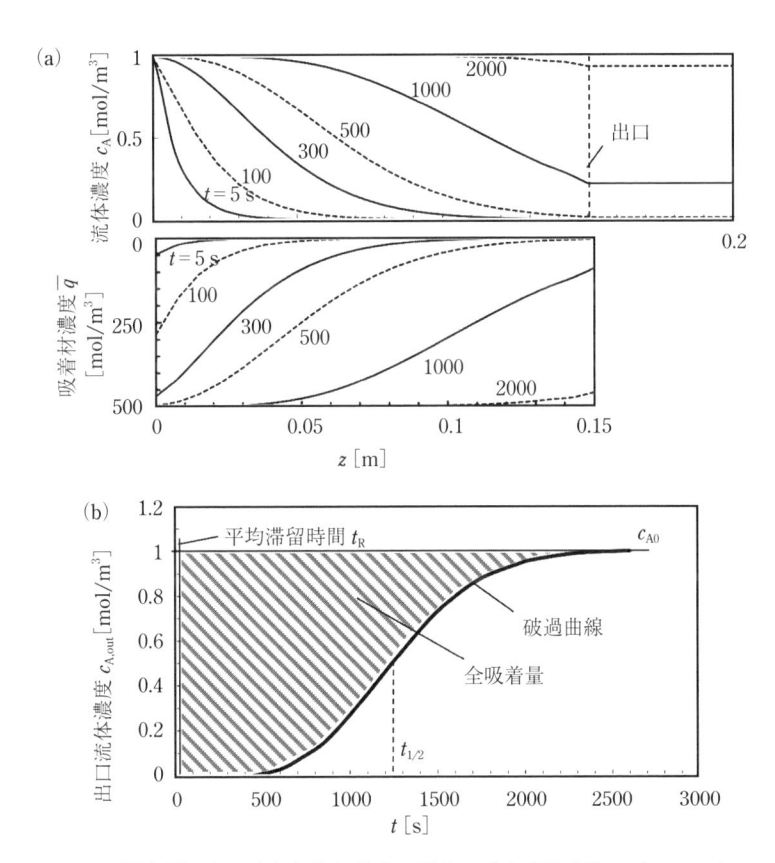

図 7.8 固定層吸着，(a)水蒸気濃度の進行，(b)破過曲線〈eche7_4.xlsx〉

この破過曲線式は基礎式の厳密な解（級数解）をさらに近似したものである．

【例題 7.4】 破過曲線の Klinkenberg 近似解—シリカゲルによる空気の除湿—〈eche7_4.xlsx〉

長さ $Z=0.15$ m の管内に乾燥したシリカゲル粒子を $\varepsilon_b=0.5$ で充填する．水蒸気濃度 $c_{A0}=1.0$ mol/m³(25℃，湿度 78% RH)の空気を $u=0.06$ m/s で流した場合の破過曲線を Klinkenberg の近似解で計算せよ．$K=500$，$(ka_v)=0.02$ s⁻¹ とする．

〈解答例〉

図7.9のExcelシートで **B2**：**B6** が計算モデルの条件である．式中の ξ を **B7**，τ を **B9** に入れて，**E9** が時間 t(**A9**) の出口濃度 $c_{A,out}$ とする．**9行を下にコピー**することで破過曲線が計算される．図7.9右にグラフを示す．$c_{A,out} = (1/2)c_{A0}$ となる時間は $t_{1/2} = 1228$ s である．$t_R \times (K+1) = 1253$ s に近い．

図7.10は同じモデルに対するKlinkenberg近似解で K, ka_v の効果を検討した．破過曲線中央の時間 $t_{1/2}$ は $K = 2000$ で5000 sであり，流体の平均滞留時間 $t_R = Z/u$ のおよそ $(K+1)$ 倍である．分配係数 K に比例して破過曲線の

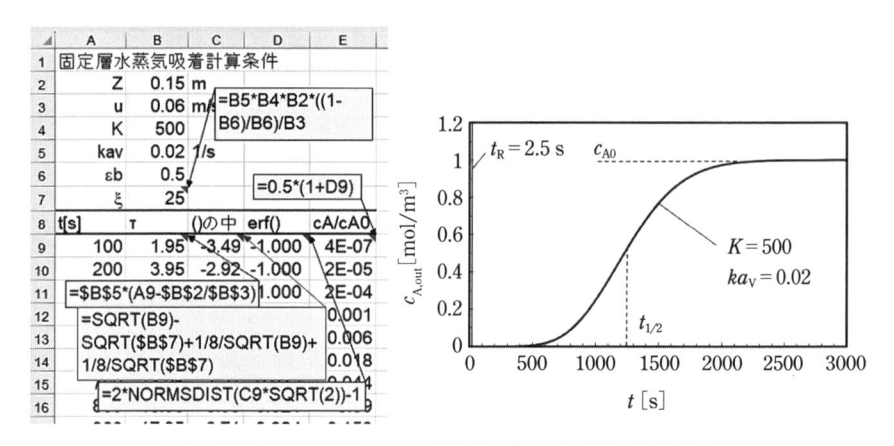

図 7.9　Klinkenberg 近似解による破過曲線〈eche7_4.xlsx〉

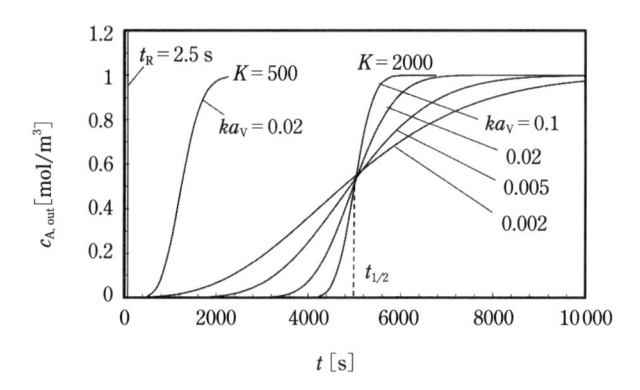

図 7.10　破過曲線におよぼす分配係数と物質移動係数の効果

始まりが遅くなる．また，物質移動容量係数 ka_v が大きいほど破過曲線の立ち上がりが鋭くなり，破過の始まりが遅くなるので吸着層全体を有効に使用できる．

7.3 クロマトグラフィー

クロマトグラフィーでは溶媒の流通する吸着材充塡層(カラム)の入口で混合原料を一定量注入し，出口で各濃度ピークとして成分を分離する(図7.1)．クロマトグラフィーでは吸着材の分配係数が $K<10$ 程度と小さく，この点が固定層吸着($K=500\sim 10\,000$)と異なる特徴である．

equilibrium wave pulse theory：吸着カラムにおいて断面積 A_0，層空隙率 ε_b とする．溶媒はカラム空隙のみを通るのでその通過断面積は $A_0\varepsilon_b$ である(図7.12)．一方，濃度 c_A の溶質はカラム空隙を通ると同時に吸着材内部も通過する．その際平衡濃度の $\bar{q}=K_ic_i$ で通過するので，濃度 c_i での全通過断面積は $(A_0\varepsilon_b+A_0(1-\varepsilon_b)K_i)$ 相当となる．これより，溶媒通過速度 u と溶質のカラム通過速度 u_i の比はこの面積比の逆数となる．

$$\frac{u}{u_i}=\frac{A_0\varepsilon_b+A_0(1-\varepsilon_b)K_i}{A_0\varepsilon_b}=1+\left(\frac{1-\varepsilon_b}{\varepsilon_b}\right)K_i \tag{7.12}$$

長さ L のカラムの溶媒の滞留時間を t_R ($t_R=L/u$) とすると，i 成分のピーク溶出時間(保持時間) t_{Pi} は次式となる．

$$t_{Pi}=\frac{L}{u_i}=\left\{1+\left(\frac{1-\varepsilon_b}{\varepsilon_b}\right)K_i\right\}t_R \tag{7.13}$$

よって溶質成分ごとの分配係数 K_i の違いで各成分の保持時間が異なることが示された．たとえば($\varepsilon_b=0.5$ として)$K_i=0.5$ の溶質の溶出時間は $(1+0.5)t_R$ である(例題7.5を参照)．以上は線形吸着平衡を仮定し，軸方向分散や物質移動

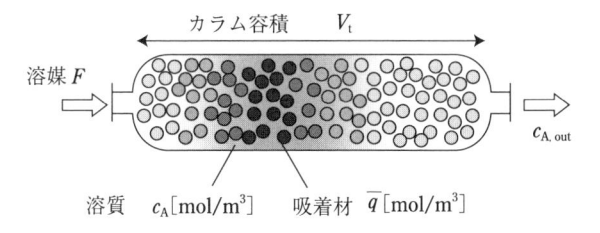

図 7.11 吸着カラムによるクロマトグラフィー

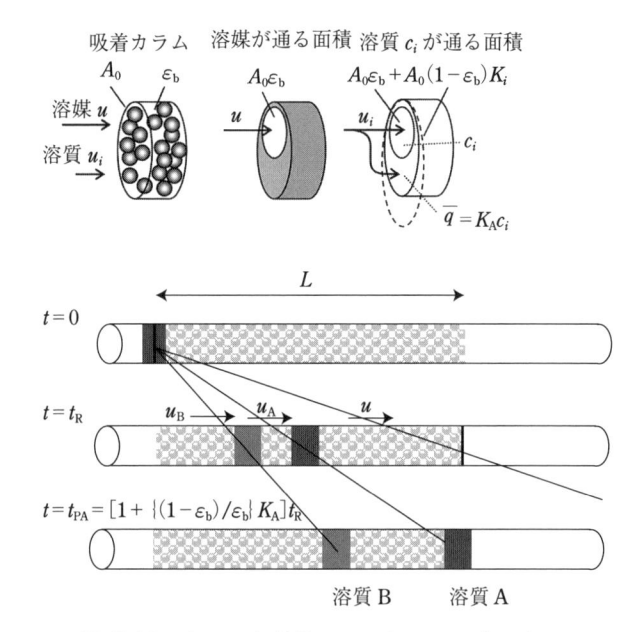

図 7.12 クロマトグラフィーの wave pulse theory

係数を無視した簡単なモデルであるが，クロマトグラフィー分離の基本原理を示している．このモデルは equilibrium wave pulse theory とよばれる[13,p.660]．

クロマトグラフィーの理論段モデル：管型装置の混合に関する**槽列モデル**(12.2 節(p.128))をクロマトグラフィーの解析に応用したのが**理論段モデル**[23]である．全容積 $V_t[\mathrm{m}^3]$ のカラムに固体吸着材が層空隙率(溶媒相体積割合) ε_b [-]で充填され，溶媒が流量 $F[\mathrm{m}^3/\mathrm{s}]$ で供給されている(図 7.13)．溶媒中の溶質濃度 $c_A[\mathrm{mol}/\mathrm{m}^3]$ と吸着材中の溶質平均濃度 $\bar{q}[\mathrm{mol}/\mathrm{m}^3]$ の間に線形吸着平衡 $\bar{q}=Kc_A$ を仮定する．$t=0$ でカラム入口に $M[\mathrm{mol}]$ の溶質を瞬間的に(インパルス入力)供給する．このとき溶質のカラム内平均濃度を次式で定義する．

$$\bar{c}_A = \frac{M}{(1+HK)\varepsilon_b V_t} \qquad \left(H = \frac{(1-\varepsilon_b)}{\varepsilon_b}\right) \qquad (7.14)$$

$\bar{c}_A$ は $M[\mathrm{mol}]$ の溶質が吸着材を含むカラム内全体に均一に溶解すると仮定した場合の基準濃度である．

カラムを N 段に分割し，各段を添字 i で表す．N を**理論段数**という．完全混合槽を仮定すると各段の物質収支式が次式となる．

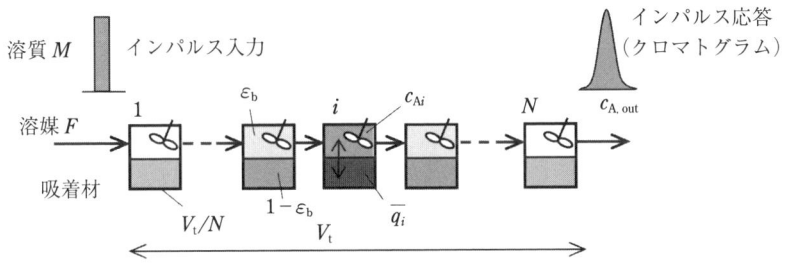

図 7.13 クロマトグラフィーの理論段モデル

$$\frac{dc_{Ai}}{dt} = \frac{FN}{V_t\varepsilon_b}(c_{Ai-1} - c_{Ai}) - \frac{1-\varepsilon_b}{\varepsilon_b}\frac{d\bar{q}_i}{dt} \quad (i=1,2,\cdots,N) \quad (7.15)$$

　　　　　　蓄積　　　　入　　　出　　　吸着材吸着・放出

ただし $C_{A0}=0$ である．$\bar{q}=Kc_A$ で $\bar{q}$ を消去すると次式となる．

$$\frac{dc_{Ai}}{dt} = \frac{1}{(1+KH)}\frac{FN}{V_t\varepsilon_b}(c_{Ai-1}-c_{Ai}) \quad (7.16)$$

これは連立常微分方程式であり，初期条件：

$$t=0; \quad c_{A0}=0, \quad c_{A1}=N\bar{c}_A, \quad c_{An}=0 \,(n=2,\cdots,N) \quad (7.17)$$

となる．さらに，時間を $\theta=\dfrac{F}{V_t\varepsilon_b}t$，濃度を $E=\dfrac{c_A}{\bar{c}_A}=\dfrac{(1+HK)\varepsilon_b V_t}{M}c_A$ として無次元化すると次式となる．

$$\frac{dE_i}{d\theta} = \frac{N}{(1+HK)}(E_{i-1}-E_i) \quad (7.18)$$

この連立常微分方程式のインパルス入力条件における最終 N 段出口濃度の解は次式である．

$$E_N(\theta) = \frac{N}{(N-1)!}\left(\frac{N\theta}{1+HK}\right)^{N-1}\exp\left(-\frac{N\theta}{1+HK}\right) \quad (7.19)$$

この解の濃度を c_A に，時間を t に戻して次式[24]となる．

$$c_{A,\text{out}} = \frac{M}{(1+HK)\varepsilon_b V_t}\frac{N}{(N-1)!}\left\{\frac{NFt}{V_t\varepsilon_b(1+HK)}\right\}^{N-1}$$
$$\times \exp\left\{-\frac{NFt}{V_t\varepsilon_b(1+HK)}\right\} \quad (7.20)$$

式(7.20)がカラム出口でのインパルス応答すなわち溶出曲線(クロマトグラム)を表す．

【例題 7.5】 理論段モデルのパラメータ推定〈eche7_5.xlsx〉

図 7.14 グラフ中のクロマトグラフィーのデータ[25]（○印）を理論段モデルと比較して，理論段数 N と溶質の分配係数 K を求めよ．データの実験条件は，$F=5.0\times10^{-6}$ m^3/s，$V_t=0.00785$ m^3，$M=1.0$ mol，$\varepsilon_b=0.38$，溶媒保持時間 $t_R=597$ s である．

〈解答例〉

シートの **B1：E4** に各条件を記述する．θ：**A10**，式(7.19)：**B10**（階乗 $n!$ は Excel 関数 **FACT(n)**），c_A：**C10**，t：**D10** を記述して，**10 行**を下にコピーして経時変化を計算する．**B5：B6** に K, N の仮の値を入れてグラフ上にクロマトグラムをプロットする．データに合うように K, N の値を試行することで，分配係数 $K=0.5$，理論段数 $N=27$ が得られた．また，溶出時間（ピーク頂点）$t_P=1083$ s は equilibrium wave pulse theory（式(7.13)）による $(1+HK)\times t_R=1082$ s と一致している．グラフ中に K, N がクロマトグラムに及ぼす影響を示した．K は溶出時間，N はクロマトグラムの広がりを支配する．

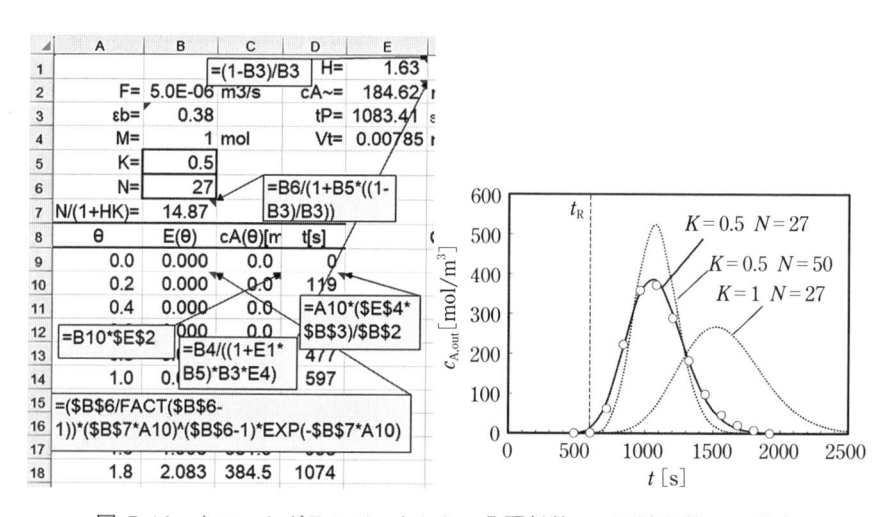

図 7.14 クロマトグラムデータからの分配係数 K，理論段数 N の推定 〈eche7_5.xlsx〉

7.3 クロマトグラフィー

【例題 7.6】 多成分クロマトグラムのパラメータ推定〈eche7_6.xlsx〉

図 7.15(a) の A, B, C 3 成分系のクロマトグラムデータがあるとする．操作条件は**セル B1：B3** である．各成分の溶出曲線(式(7.20))のパラメータを調節して全体のクロマトデータに合わせることで，各成分の量 M_i[mol]，および分配係数 K_i を推定せよ．理論段数 N は 100 とする．

〈解答例〉

図 7.15 のシートの **B, C, D 列**に A, B, C 各成分のクロマトグラムを個々に計算する．その合計のクロマトグラム(**E 列**)がデータに一致するよう各成分の M, K 値を試行する．その結果**セル B1：D3** の値でデータと一致した(図 7.15(b))．

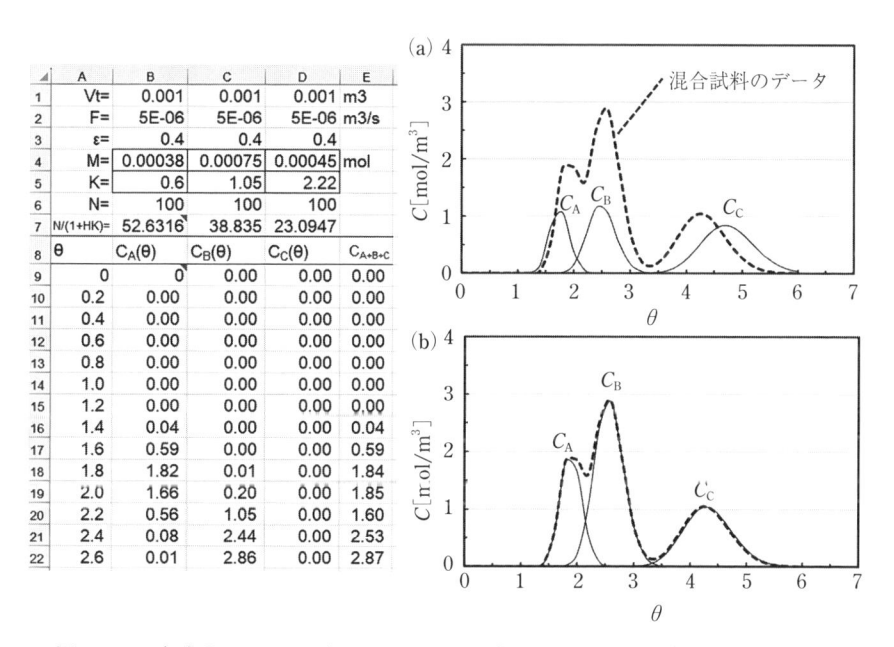

	A	B	C	D	E
1	Vt=	0.001	0.001	0.001	m3
2	F=	5E-06	5E-06	5E-06	m3/s
3	ε=	0.4	0.4	0.4	
4	M=	0.00038	0.00075	0.00045	mol
5	K=	0.6	1.05	2.22	
6	N=	100	100	100	
7	N/(1+HK)=	52.6316	38.835	23.0947	
8	θ	$C_A(θ)$	$C_B(θ)$	$C_C(θ)$	C_{A+B+C}
9	0	0	0.00	0.00	0.00
10	0.2	0.00	0.00	0.00	0.00
11	0.4	0.00	0.00	0.00	0.00
12	0.6	0.00	0.00	0.00	0.00
13	0.8	0.00	0.00	0.00	0.00
14	1.0	0.00	0.00	0.00	0.00
15	1.2	0.00	0.00	0.00	0.00
16	1.4	0.04	0.00	0.00	0.04
17	1.6	0.59	0.00	0.00	0.59
18	1.8	1.82	0.01	0.00	1.84
19	2.0	1.66	0.20	0.00	1.85
20	2.2	0.56	1.05	0.00	1.60
21	2.4	0.08	2.44	0.00	2.53
22	2.6	0.01	2.86	0.00	2.87

図 7.15 多成分クロマトグラムデータの各成分パラメータ推定〈eche7_6.xlsx〉

8 調　湿

8.1 湿度図表

　調湿は空気の湿度と温度を調整する操作であり，化学工学ではもっとも基礎的な単位操作である．調湿の基礎は湿度図表であり，これまで調湿計算は湿度図表上で説明されてきた．しかし，今後は表計算上での取扱い手法を検討する必要があるだろう．

　湿度図表では空気の温度 T と絶対湿度 H[kg-水蒸気/kg-乾き空気]の座標上に，相対湿度 φ[% RH]線と断熱冷却線が示されている．この湿度図上の湿度と水蒸気分圧 p[kPa]，飽和水蒸気圧 p_s[kPa]間の諸関係を式で表すと以下のとおりである．

$$H = f_1(T, \varphi) = \frac{18}{29}\frac{p}{101.3 - p} \tag{8.1}$$

$$\varphi = \frac{p}{p_s} \times 100 \tag{8.2}$$

$$p_s = f_2(T) \quad\text{(飽和水蒸気圧式)} \tag{8.3}$$

また，断熱冷却線の関係は次式である．

$$r_s(H_s - H) = c_H(T - T_s) \tag{8.4}$$

$$c_H = c_g + c_v \bar{H} \tag{8.5}$$

なお，

$$H_s = f_2(T_s) = (18/29)\{p_s/(101.3 - p_s)\} \tag{8.6}$$

(全圧は大気圧．添字 s は飽和湿度，温度を示す． r_s[kJ/kg-水]：蒸発潜熱 ($r_s = 2502 - 2.39 T_s$)， c_H, c_g, c_v[kJ/(kg-乾き空気 K)]：それぞれ湿り比熱，乾き空気の比熱($=1.005$)および水蒸気の比熱($=1.884$))．

　図 8.2 のシートがこれらを計算する Excel シートである(〈eche8_1.xlsx〉)．**セル B2：B5** では式(8.1)〜(8.3)により，温度 T と相対湿度から絶対湿度 H

を計算する．水蒸気圧式は簡便な Antoine 式[13,p.13] を用いた．**セル B8：B14** が断熱冷却線を計算する部分で，**B12** が式(8.4)の(左辺)－(右辺)の値すなわち残差である．**B13** は飽和湿度－飽和温度の関係式(8.6)の残差である．式(8.4)と式(8.6)の連立方程式により，ある湿り空気の T, H, T_s, H_s のうち二つが与えられると他の値が求められる．このシートにより湿度図上の計算が Excel 上で行える．

【例題 8.1】 湿球温度・露点温度〈eche8_1.xlsx〉

乾湿球温度計で乾球温度 $T=30°C$，湿球温度 $T_s=20°C$ であった(図 8.1)．この空気の相対湿度 φ と露点を求めよ．

〈解答例〉

湿度図上の断熱冷却線(式(8.4))が湿球温度・乾球温度の関係を表す．図 8.2 のシートの**セル B9，B11** に T, T_s を入力し，**ソルバー**で**目的セルの設定：B14，目標値：最小値，変数セルの変更：B8，B10** として**解決**する．その結果 $H=0.0103\,\mathrm{kg/kg}$，$H_s=0.0145\,\mathrm{kg/kg}$ を得る．次に **B2** に $T=30$ を入れ，**ゴールシーク**で**数式入力セル：B5，目標値：**$H=0.0103$，**変化させるセル：B4** として実行する．これにより相対湿度 $\varphi=40\%\,\mathrm{RH}$ と求められる．露点は **B4** に $\varphi=100\%\,\mathrm{RH}$ を入れ，再度**ゴールシーク**で**数式入力セル：B5，目標値：**$H=0.0103$，**変化させるセル：B2** として実行して求める．露点は 15°C である．

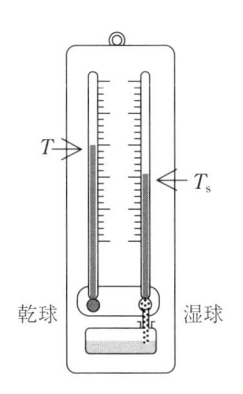

図 8.1 乾湿球温度計

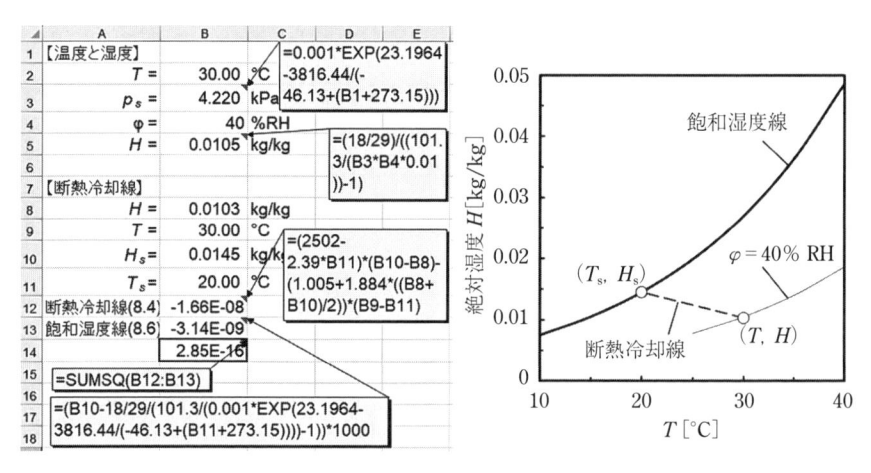

図 8.2　湿度計算シート〈eche8_1.xlsx〉

8.2　調湿プロセスの計算

【例題 8.2】　空気の調湿〈eche8_2.xlsx〉

$T_1=30℃$，絶対湿度 $H_1=0.0105$ kg/kg の空気に $T_2=100℃$ のスチームを加えて $\varphi_3=90\%$ RH の加湿空気を 10 kg/h 得たい．入口空気流量とスチーム流量 W_2[kg/h]を求めよ．

〈解答例〉

乾き空気量を A[kg/h]，入口空気に含まれる水蒸気量を W_1[kg/h] として，物質の流れは図 8.3 のようになる．H_1 の値から，

$$W_1/A=0.0105 \tag{8.7}$$

である．また，湿り空気量の条件から，

$$A+W_1+W_2=10 \tag{8.8}$$

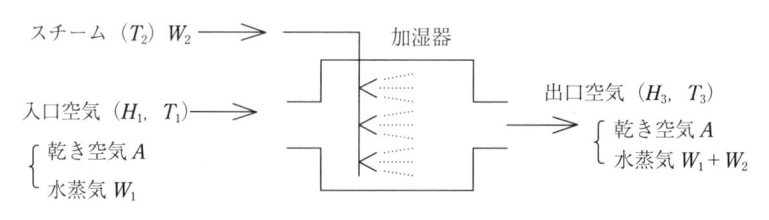

図 8.3　空気の調湿

8.2 調湿プロセスの計算

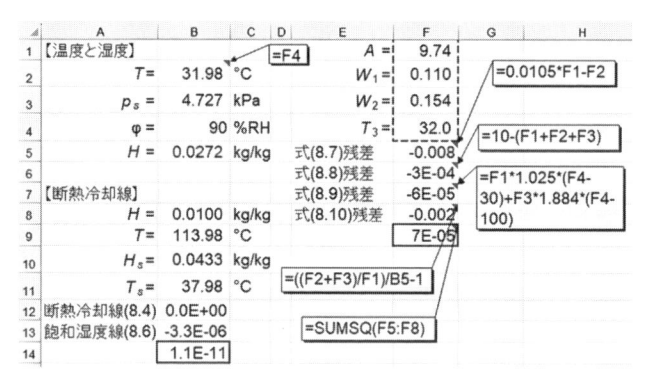

	A	B	C	D	E	F	G	H
1	【温度と湿度】				$A=$	9.74	=F4	
2		$T=$	31.98	°C	$W_1=$	0.110	=0.0105*F1-F2	
3		$p_s=$	4.727	kPa	$W_2=$	0.154		
4		$\varphi=$	90	%RH	$T_3=$	32.0	=10-(F1+F2+F3)	
5		$H=$	0.0272	kg/kg	式(8.7)残差	-0.008		
6					式(8.8)残差	-3E-04	=F1*1.025*(F4-30)+F3*1.884*(F4-100)	
7	【断熱冷却線】				式(8.9)残差	-6E-05		
8		$H=$	0.0100	kg/kg	式(8.10)残差	-0.002		
9		$T=$	113.98	°C		7E-05		
10		$H_s=$	0.0433	kg/kg				
11		$T_s=$	37.98	°C	=((F2+F3)/F1)/B5-1			
12	断熱冷却線(8.4)	0.0E+00						
13	飽和湿度線(8.6)	-3.3E-06		=SUMSQ(F5:F8)				
14		1.1E-11						

図 8.4 調湿計算⟨eche8_2.xlsx⟩

である．熱収支をとると，入口空気の湿り比熱 c_H を用いて，

$$Ac_\mathrm{H}(T_3-T_1)+W_2 c_\mathrm{v}(T_3-T_2)=0 \tag{8.9}$$

となる．さらに出口空気の湿度の条件から次式が成り立つ．

$$H_3=f_1(T_3, 90\%\ \mathrm{RH})=\frac{W_1+W_2}{A} \tag{8.10}$$

よって以上の四つの方程式で，未知数 A，W_1，W_2，T_3 を求める問題となる．

図 8.4 は前の例題 8.1 のシート⟨eche8_1.xlsx⟩である．**F1：F4** に未知数の初期値を設定し，**F5：F8** に連立方程式(8.7)〜(8.10)各式の残差を書く．式(8.10)は(左辺)/(右辺)が 1 になる条件とした．シートの湿度計算の部分を利用し，**B2** は "**＝F4**" とし，**B4** の φ に 90 を入力しておく．すると **B5** が H_3 である．すなわち，式(8.10)の $H_3=f_1(T_3, 90\%\ \mathrm{RH})$ の関係が組み込まれた．**F9** に連立方程式の残差 2 乗和を設定する．

ソルバーで目的セルの設定：F9，目標値：最小値，変数セルの変更：F1：F4 として **解決** する．解は $A=9.74$，$W_1=0.11$，$W_2=0.154$ kg/h，$T_3=32.0$°C である．

【例題 8.3】 **断熱増湿装置**⟨eche8_3.xlsx⟩

$H_1=0.01$ kg/kg の空気を温度 T_1 に予熱して，流量 $G=1.0$ kg-乾き空気/(m²s) で増湿塔の塔底から送入して増湿する．塔頂から去る空気の温度を $T_2=43$°C，絶対湿度を $H_2=0.04$ kg/kg としたい．T_1 と塔高さを求めよ．境

膜物質移動容量係数を $k'a = 2.83 \text{ kg}/(\text{m}^2 \text{s} \Delta H)$ とする.

〈解答例〉

水と空気が向流に接触し,水は循環している断熱増湿装置(図8.5)では,水の温度は断熱飽和温度 T_s で一定となる.一方,空気の温度,湿度は断熱冷却線に沿って変化し,塔の任意の位置で断熱冷却線の関係式(8.4)が成り立っている.このことからまず出口空気(塔頂)の条件から T_s, H_s を求める.例題8.1の〈eche8_1.xlsx〉において,**セル B8, B9** に $H_2 = 0.04 \text{ kg/kg}$, $T_2 = 43°C$ を,**セル B10, B11** に H_s, T_s の適当な初期値を入れる.**ソルバー**で**目的セルの設定:B14,目標値:最小値,変化させるセル:B10:B11** を設定して**解決**する.これより $H_s = 0.043 \text{ kg/kg}$, $T_s = 38.0°C$ が得られる.

次に,入口(塔底)条件で計算し,T_1 を求める.図8.6のように,上で得られた H_s, T_s, および $H = 0.01 \text{ kg/kg}$ を**セル B10, B11, B8** に入力し,**ソルバー**で**目的セルの設定:B14,目標値:最小値,変化させるセル:B9** のみを指定して**解決**する.これより $T_1 = 114°C$ と求められる.

塔高さ $Z[\text{m}]$ は次式となる[26].

$$Z = \frac{G}{k'a} \ln \frac{H_s - H_1}{H_s - H_2} = \frac{1.0}{2.85} \ln \frac{0.043 - 0.01}{0.043 - 0.04} = 0.84 \text{ m} \tag{8.11}$$

なお,塔内での水の蒸発速度は,$w = G(H_2 - H_1) = 0.03 \text{ kg}/(\text{m}^2 \text{s}) = 108 \text{ kg}/(\text{m}^2 \text{h})$ なので,この分の水を補給する必要がある.

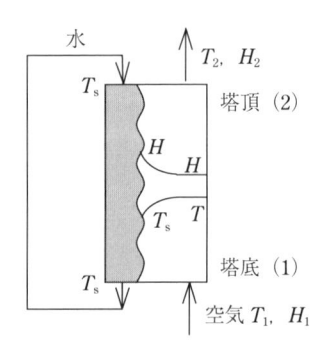

図 8.5 断熱増湿装置

8.2 調湿プロセスの計算

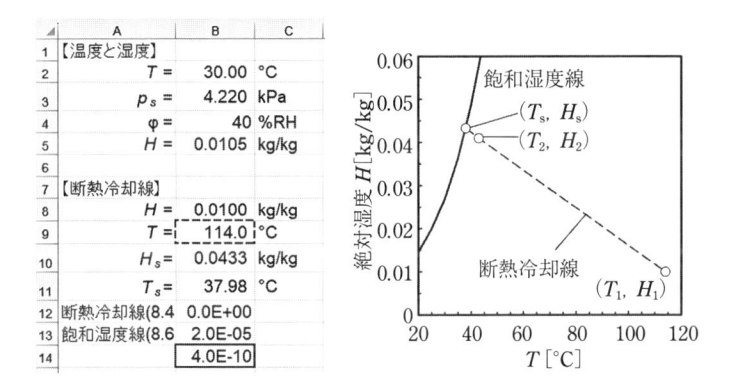

	A	B	C
1	【温度と湿度】		
2	$T =$	30.00	°C
3	$p_s =$	4.220	kPa
4	$\varphi =$	40	%RH
5	$H =$	0.0105	kg/kg
6			
7	【断熱冷却線】		
8	$H =$	0.0100	kg/kg
9	$T =$	114.0	°C
10	$H_s =$	0.0433	kg/kg
11	$T_s =$	37.98	°C
12	断熱冷却線(8.4	0.0E+00	
13	飽和湿度線(8.6	2.0E-05	
14		4.0E-10	

図 8.6 断熱増湿の計算〈eche8_3.xlsx〉

9 乾　　　　燥

乾燥操作は材料の含水率の範囲で**恒率乾燥**と**減率乾燥**に区別され，取扱いが異なる．例題9.1と例題9.2で恒率乾燥の例を，例題9.3で減率乾燥の解析を述べる．また，例題9.4で乾燥に関連した多重効用蒸発装置の収支計算を解説する．

【例題 9.1】 板状材料の熱風伝導乾燥[9,p.104]〈eche9_1.xlsx〉

厚さ $l=0.065$ m，各辺 $L=0.2$ m の角型の湿潤材料を，板面温度 $T_p=100$°C の加熱板の上に置き，材料の上面に温度 $T_a=85$°C，湿度 $H_a=0.0255$ kg/kg の熱風を $u=3.5$ m/s の流速で流す（図9.1）．このときの材料表面温度 T_m と恒率乾燥速度 R_c を求めよ．材料の熱伝導率 λ，水の蒸発潜熱 r_m の値と単位は図9.2のシート中に示す．熱風と材料表面間の伝熱係数 $h[\mathrm{W/(m^2\,K)}]$ は式 (13.18)（13章を参照）で推算する．また，熱風と材料表面間の物質移動係数 k はLewisの関係（$c_H=h/k$）より求められる（c_H は空気の湿り比熱）．

〈解答例〉

伝熱係数を式 (13.18) で求めると $h=16.4$ W/(m² K) (**B5**)，物質移動係数 k

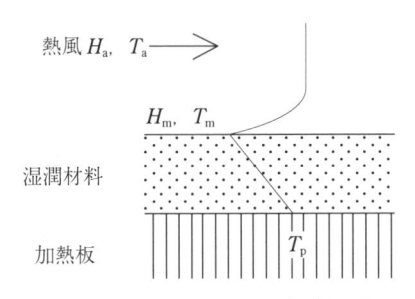

図 9.1　板状材料の熱風伝導乾燥

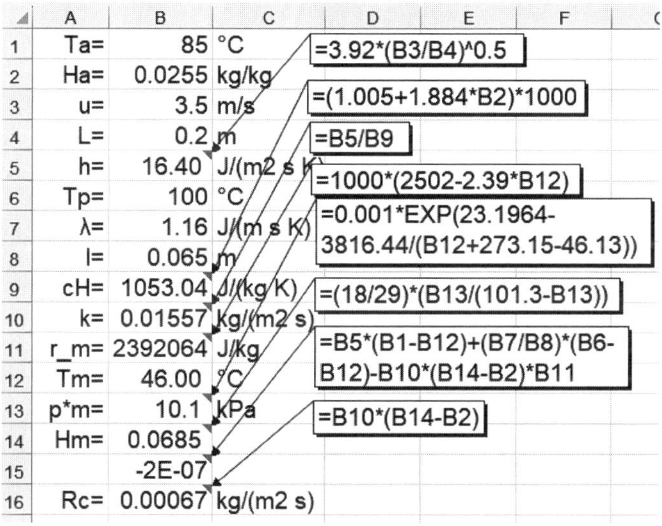

	A	B	C	D
1	Ta=	85	°C	=3.92*(B3/B4)^0.5
2	Ha=	0.0255	kg/kg	
3	u=	3.5	m/s	=(1.005+1.884*B2)*1000
4	L=	0.2	m	
5	h=	16.40	J/(m2 s K)	=B5/B9
6	Tp=	100	°C	
7	λ=	1.16	J/(m s K)	=1000*(2502-2.39*B12)
8	l=	0.065	m	=0.001*EXP(23.1964-3816.44/(B12+273.15-46.13))
9	cH=	1053.04	J/(kg K)	
10	k=	0.01557	kg/(m2 s)	=(18/29)*(B13/(101.3-B13))
11	r_m=	2392064	J/kg	=B5*(B1-B12)+(B7/B8)*(B6-B12)-B10*(B14-B2)*B11
12	Tm=	46.00	°C	
13	p*m=	10.1	kPa	=B10*(B14-B2)
14	Hm=	0.0685		
15		-2E-07		
16	Rc=	0.00067	kg/(m2 s)	

図 9.2　熱風伝導乾燥〈eche9_1.xlsx〉

[化学工学協会編，"化学工学プログラミング演習"，培風館(1976)，p.104，例題 4.3 をもとに作成]

は B10 のようである．材料表面では，水の蒸発で消費される潜熱量 $k(H_m-H_a)r_m$，加熱板からの伝導伝熱による熱流束 $(\lambda/l)(T_p-T_m)$，熱風からの対流伝熱による熱流束 $h(T_a-T_m)$ が釣り合っているので次式が成り立つ．

$$k(H_m-H_a)r_m = h(T_a-T_m) + (\lambda/l)(T_p-T_m) \tag{9.1}$$

H_m は T_m の関数であるから，この式は未知数 T_m に関する非線形方程式である．**B13** に T_m における水蒸気圧 p_m^* を Antoine 式から計算し，**B14** に H_m を求める．**B15** に式(9.1)の残差を記述して，**ゴールシーク**で**数式入力セル：B15，目標値：0，変化させるセル；B12** として実行する．解が $T_m=46.0℃$ と得られる．恒率乾燥速度は，$R_c=k(H_m-H_a)=0.00067\ \mathrm{kg/(m^2\,s)}$ となる．

【例題 9.2】 水滴の蒸発時間〈eche9_2.xlsm〉

$T=135℃$，湿度 $H=0.015\ \mathrm{kg/kg}$ の空気中に，滴径 $d=1.3\ \mathrm{mm}$ の水滴を落下させる(図 9.3)．全蒸発時間 t_0 を求めよ．空気密度 ρ，水滴密度 ρ_l，空気の熱伝導度 λ，空気の粘度 μ，水の蒸発潜熱 r，空気のプラントル数 Pr の値と単位は図 9.4 のシート中に示す．

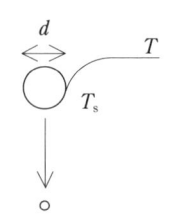

図 9.3　落下水滴の蒸発

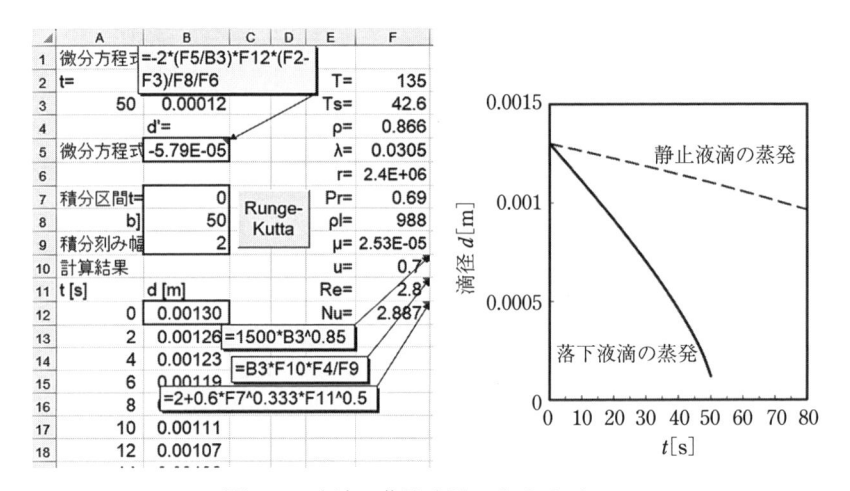

図 9.4　水滴の蒸発時間〈eche9_2.xlsm〉

〈解答例〉

まず水滴の温度を求める．水滴温度は空気からの顕熱速度と蒸発による潜熱消費が釣り合う温度すなわち湿球温度となる．例題 8.1 で使用したシート〈eche8_1.xlsx〉で T, H を入力し，**ソルバー**で湿球温度 T_s と H_s を求めると $T_s = 42.6$℃，$H_s = 0.0568$ kg/kg である．

水滴からの蒸発速度を N[kg/(m^{2}s)] とすると滴径 d の経時変化は次式である．

$$\frac{\mathrm{d}(\pi d^3 \rho_l / 6)}{\mathrm{d}t} = -\pi d^2 N \tag{9.2}$$

蒸発は温度 T の加熱空気と温度 T_s の水滴間の伝熱速度に支配されるので，伝熱係数を h とすると，

$$rN = h(T - T_s) \tag{9.3}$$

である．これらより滴径に関する微分方程式が次式となる．

$$\frac{d(d)}{dt} = -2h\frac{(T - T_s)}{\rho_l r} \tag{9.4}$$

固体球と相対速度 u [m/s]で流れる流体間の伝熱係数には Ranz‑Marshall 式[13,p.124]が適用される．

$$Nu = (hd/\lambda) = 2.0 + 0.60 Pr^{1/3} Re^{1/2} \tag{9.5}$$

(Nu：ヌッセルト数，$Re \equiv du\rho/\mu$：レイノルズ数)

また，水滴の落下速度はストークス法則の範囲内での終末速度として，

$$u = g(\rho_l - \rho) d^2 / (18\mu) \tag{9.6}$$

である．式(9.5)の伝熱係数 h を式(9.4)に代入すると，d に関する微分方程式になる．これを積分することで d の経時変化が求められる．

図9.4は「微分方程式解法シート」である．定数および u，Re の計算を **F** 列に記述し，**B5** に微分方程式(9.4)を記述する．積分区間，刻み幅を設定して，**ボタンクリック**で積分を実行する．$d = 0$ になるまでが蒸発時間 t_0 である(そこで**計算実行エラー**となりプログラムが停止する)．例題の場合は $t_0 = 50$ s と得られる．

図中のグラフではこの結果と，$Re = 0$ すなわち静止液滴としての蒸発を比較した．

【例題 9.3】 板状材料の減率乾燥―拡散方程式の差分解法―〈eche9_3.xlsx〉

厚さ $L = 2a = 0.02$ m の板状材料の**減率乾燥**を考える．初期含水率は材料中均一で $w_0 = 0.1$ kg/kg（質量分率），材料表面の**平衡含水率**は $w_e = 0.0$ とする．水分の拡散係数 $D_{AB} = 2.5 \times 10^{-10}$ m^2/s として，**拡散方程式**：

$$\frac{\partial w}{\partial t} = D_{AB}\frac{\partial^2 w}{\partial y^2} \tag{9.7}$$

を差分法で解いて**減率乾燥速度** R_f [kg/(m^2 h)] を求めよ．

〈解答例〉

平板の中心から表面までの距離 $a = 0.01$ m 間を，$\Delta y = 0.001$ m の $y = n\Delta y$ により10区間に**差分化**する(図9.5)．時間を $t = p\Delta t$ で差分化して含水率の

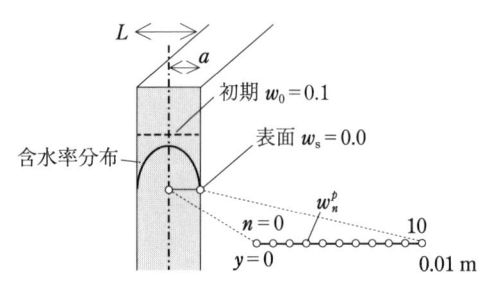

図 9.5 板状材料の減率乾燥

節点値を w_n^p として式(9.6)を差分式にすると次式である[3,p.98].

$$w_n^{p+1} = \Theta(w_{n+1}^p + w_{n-1}^p) + (1-2\Theta)w_n^p \quad \left(\Theta = \frac{D_{AB}\Delta t}{(\Delta y)^2}\right) \quad (9.8)$$

中心節点($n=0$)の差分式は次式である.

$$w_0^{p+1} = 2\Theta w_1^p + (1-2\Theta)w_0^p \quad (9.9)$$

図 9.6 の Excel シートで **1, 2 行**が n と節点座標,**セル O1：O4** が式(9.8)中の定数である.**A 列**が時間 t で,下の行が次の時間を表す.**5 行**が初期値で,$n=10$(表面)(**L5**)が $w=0$,材料内部は $w=0.1$ である.**B6** に式(9.9)を,**C6：K6** の各セルに式(9.8)を記述し,**L6** は "**=L5**" とする.この **6 行**を下にコピーすることで材料内部含水率 w の経時変化が求められる.これらから全節点の値を積分・平均して材料**平均含水率** $\bar{w}$ (**Q 列**),乾燥速度 Rt(**T 列**)を計算する(蒸発面積 $A=1.0\text{ m}^2$,片側の材料質量 $M=5.0\text{ kg}$).

図 9.7(a)は材料内の含水率 w の経時変化である.初期($t=0$)では材料内部は $w=0.1$,表面が $w=0$ である.乾燥が進むと濃度拡散により材料内部の濃度が相似形で低下する.材料内平均含水率 $\bar{w}$ による乾燥の進行度を図 9.7(b)

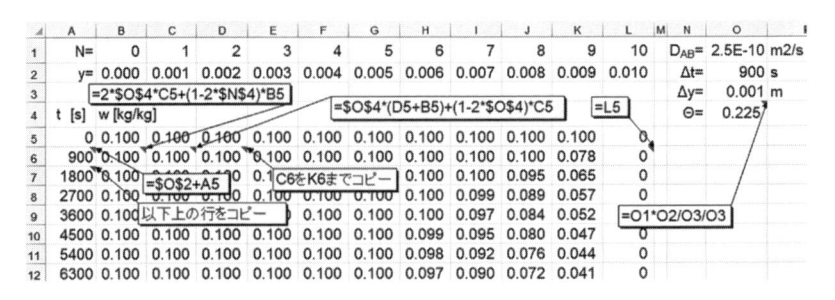

	A	B	C	D	E	F	G	H	I	J	K	L	M	N	O
1	N=	0	1	2	3	4	5	6	7	8	9	10		D_{AB}=	2.5E-10 m2/s
2	y=	0.000	0.001	0.002	0.003	0.004	0.005	0.006	0.007	0.008	0.009	0.010		Δt=	900 s
3		=2*O$4*C5+(1-2*$N$4)*B5			=$O$4*(D5+B5)+(1-2*$O$4)*C5							=L5		Δy=	0.001 m
4	t [s]	w [kg/kg]												Θ=	0.225
5	0	0.100	0.100	0.100	0.100	0.100	0.100	0.100	0.100	0.100	0.100	0			
6	900	0.100	0.100	0.100	0.100	0.100	0.100	0.100	0.100	0.100	0.078	0			
7	1800	0.100	=$O$2+A5	0.100	0.100	C6をK6までコピー	0.100	0.100	0.100	0.095	0.065	0			
8	2700	0.100	0.100	0.100	0.100	0.100	0.100	0.100	0.099	0.089	0.057	0			
9	3600	0.100	以下上の行をコピー	0.100	0.100	0.100	0.100	0.100	0.097	0.084	0.052	=O1*O2/O3/O3			
10	4500	0.100	0.100	0.100	0.100	0.100	0.100	0.099	0.095	0.080	0.047	0			
11	5400	0.100	0.100	0.100	0.100	0.100	0.100	0.098	0.092	0.076	0.044	0			
12	6300	0.100	0.100	0.100	0.100	0.100	0.100	0.097	0.090	0.072	0.041	0			

図 9.6 １次元拡散方程式の差分解法〈eche9_3.xlsx〉

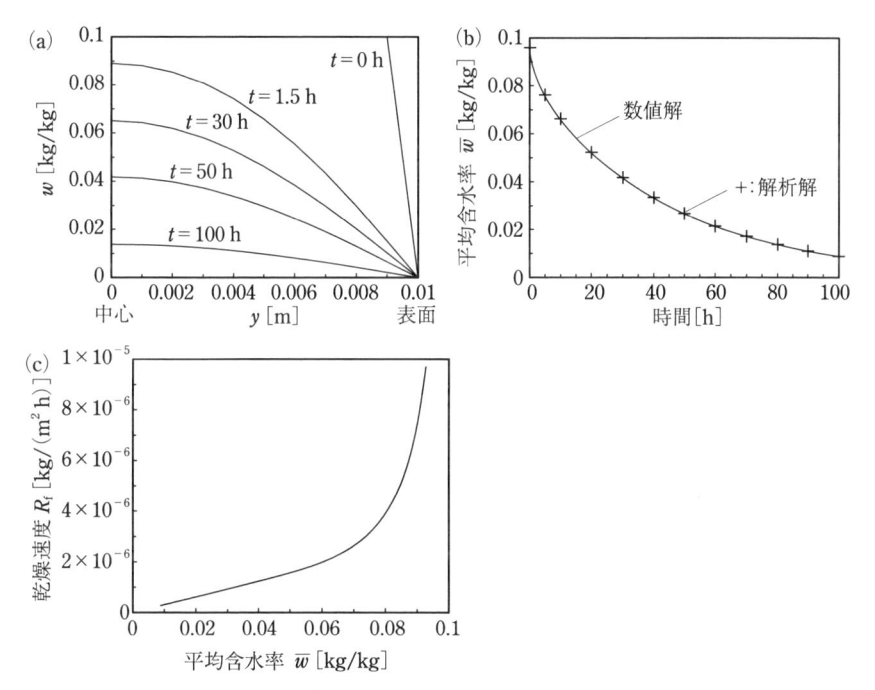

図 9.7 板状材料の乾燥(数値解),(a)材料内含水率分布,(b)平均含水率,(c)乾燥速度

に示す.なお,解析解は次式[27]であり図中で比較した.

$$\frac{\bar{w}-w_\mathrm{s}}{w_0-w_\mathrm{s}}=\frac{8}{\pi^2}\sum_{n=0}^{\infty}\frac{1}{(2n+1)^2}\exp\left\{-\frac{D_\mathrm{AB}(2n+1)^2\pi^2 t}{4a^2}\right\} \tag{9.10}$$

乾燥速度 R_f は図9.7(b)の平均含水率変化の傾き($\mathrm{d}\bar{w}/\mathrm{d}t$)から得られる.図9.7(c)が乾燥速度である.含水率が低くなると乾燥速度も低下することが減率乾燥の特徴である.

【例題 9.4】 多重効用蒸発[16,p.771] ⟨eche9_4.xlsx⟩

水溶液の蒸発濃縮では**多重効用蒸発**法が使われる.多重効用蒸発では蒸発器で発生した水蒸気を,次段の蒸発器の加熱用に使用する.これを多段で繰り返すことで最初の加熱用スチームのエネルギーを有効利用でき,蒸発操作の濃縮度を上げることができる.ただし次段で沸騰温度を下げるため減圧する必要がある($P_1>P_2>P_3$).

8 mass%（＝w_f）タンパク質水溶液（流量 m_f＝5.55 kg/s，温度 T_f＝51.7℃）を3重効用蒸発装置で45 mass%（＝w_3）まで濃縮する（図9.8）．第3缶は圧力 P_3＝13.4 kPa，温度 T_3＝51.7℃である．加熱用スチーム温度 T_s＝121℃として，蒸発缶伝熱面積 A，各缶温度 T_1，T_2，流量 m_1，m_2，m_3，m_s を求めよ．スチーム効率（供給スチーム m_s に対する蒸発量（m_f-m_3）の割合）はいくらか．記号説明，物性値などは Excel シートに示す．

〈解答例〉

溶質の物質収支から，

$$w_f m_f = w_3 m_3 \tag{9.11}$$

である．各缶における熱収支（(供給蒸気の凝縮潜熱)＝(発生蒸気の蒸発潜熱)＋(処理液の温度変化に要する熱量)）より次式が成り立つ．

$$m_s \Delta_v H = (m_f - m_1) \Delta_v H + (m_1 T_1 - m_f T_f) C_p \tag{9.12}$$

$$(m_f - m_1) \Delta_v H = (m_1 - m_2) \Delta_v H + (m_2 T_2 - m_1 T_1) C_p \tag{9.13}$$

$$(m_1 - m_2) \Delta_v H = (m_2 - m_3) \Delta_v H + (m_3 T_3 - m_2 T_2) C_p \tag{9.14}$$

また各缶における伝熱量と伝熱係数の関係より次式となる．

$$m_s \Delta_v H = Q_1 = U_1 A (T_s - T_1) \tag{9.15}$$

$$(m_f - m_1) \Delta_v H = Q_2 = U_2 A (T_1 - T_2) \tag{9.16}$$

$$(m_1 - m_2) \Delta_v H = Q_3 = U_3 A (T_2 - T_3) \tag{9.17}$$

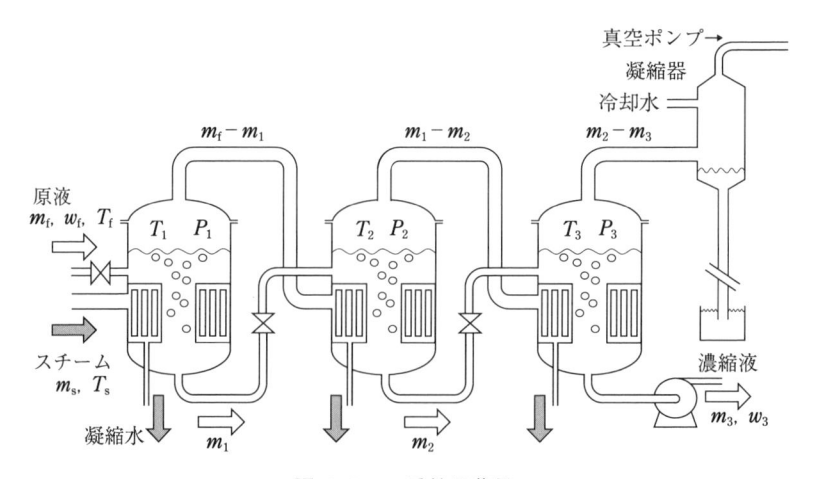

図 9.8 三重効用蒸発

よって，七つの連立方程式で7個の未知数を解く．

図9.9のシートで定数を **B2：B12** に書く．**E2：E8** に未知数の初期値，**H2：H8** に式(9.11)～(9.17)の残差式を，**H9** にそれらの2乗和を記述する．**ソルバー**で**目的セルの設定**：H9，**目標値**：最小値，**変数セルの変更**：E2：E8として**解決**する．蒸気量 $m_s=1.41$ kg/s，三重効用の効率 $(m_f-m_3)/m_s=3.21$ となった．

	A	B	C	D	E	F	H	I
1	定数			未知数			式(残差)	
2	蒸発潜熱ΔvH	2.21E+06	J/kg	3缶伝熱面積A	56.42	m2	-1.4E-04	(9.11)
3	熱容量Cp	3830	J/kg-K	溶液流量m1	4.35	kg/s	-2.8E-04	(9.12)
4	総括伝熱係数U1	1986	J/s-m2-K	m2	2.80	kg/s	-3.0E-04	(9.13)
5	U2	2384	J/s-m2-K	m3	0.99	kg/s	-2.8E-04	(9.14)
6	U3	2781	J/s-m2-K	ms	1.41	kg/s	2.5E-04	(9.15)
7	原液流量mf	5.55	kg/s	缶温度T1	93.24	°C	1.1E-04	(9.16)
8	原液濃度wf	0.08	mass frac	T2	73.49	°C	2.4E-05	(9.17)
9	濃縮液濃度w3	0.45	mass frac				3.4E-07	
10	原液温度Tf	51.7	°C				=SUMSQ(H2:H8)	
11	3缶温度T3	51.7	°C					
12	水蒸気温度Ts	121	°C					

図 9.9 三重効用蒸発〈eche9_4.xlsx〉

10 粒子系操作・晶析

10.1 粒子径分布

粉体における粒子径 x の分布は頻度分布 $q(x)$,積算分布 $Q(x)$,およびヒストグラム $\bar{q}(x_i)$ によって表される.添字を付して基準を明示する場合もあり,ここでは添字 0 が個数基準,3 は質量基準とする.これらの間には次式の関係がある.

$$Q(x) = \int_0^x q(x)\,\mathrm{d}x \tag{10.1}$$

$$Q(x_i) = \sum_{k=1}^{i} \bar{q}(x_k)\Delta x_k \tag{10.2}$$

ヒストグラムの高さは次式である.

$$\bar{q}(x_i) = \frac{Q(x_{i+1}) - Q(x_i)}{x_{i+1} - x_i} \tag{10.3}$$

また,粒子径軸(横軸)に対数目盛りを用いる場合のヒストグラム高さ $\bar{q}^*(x_i)$ は次式で与えられる.

$$\bar{q}^*(x_i) = \frac{Q(x_{i+1}) - Q(x_i)}{\log(x_{i+1}/x_i)} \tag{10.4}$$

【例題 10.1】 粒子径分布の諸計算〈eche10_1.xlsx〉

粉体試料の粒子径分布を測定して,粒子径に対する質量基準積算分布の値を図 10.1 のシート中の **A,C 列**のように得た.普通目盛りおよび片対数目盛りでのヒストグラムを作成し,個数基準,質量基準の積算分布を求めよ.

〈解答例〉

図 10.1 がこれを行ったシートである.**3 行**に計算式を示すが,以下の行のセルはすべてこれを**コピー**する.**G 列**に式(10.3)を,**H 列**に式(10.4)を計算

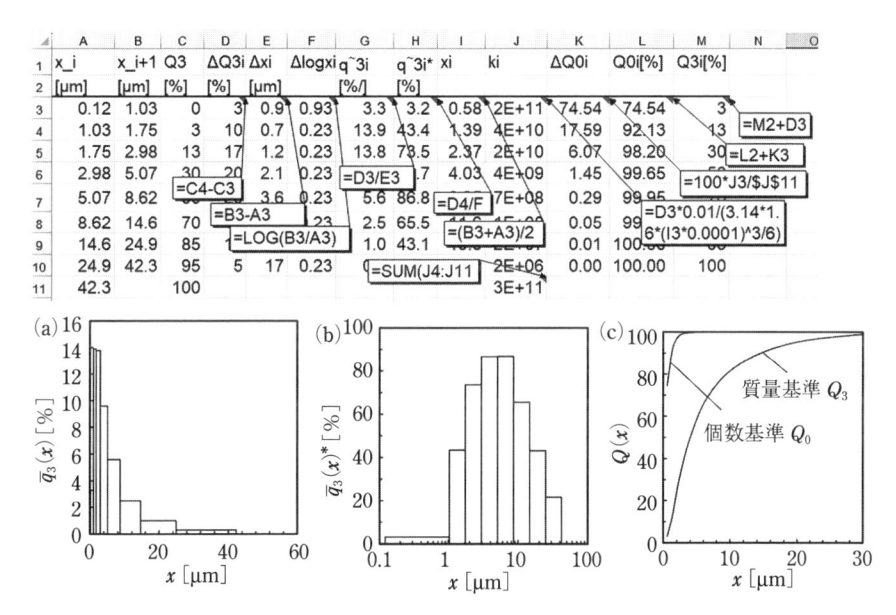

10.1 粒子径分布

	A	B	C	D	E	F	G	H	I	J	K	L	M
1	x_i	x_i+1	Q3	ΔQ3i	Δxi	Δlogxi	q~3i	q~3i*	xi	ki	ΔQ0i	Q0i[%]	Q3i[%]
2	[μm]	[μm]	[%]	[%]	[μm]		[%/]	[%]					
3	0.12	1.03	0	3	0.9	0.93	3.3	3.3	0.58	2E+11	74.54	74.54	3
4	1.03	1.75	3	10	0.7	0.23	13.9	43.4	1.39	4E+10	17.59	92.13	13
5	1.75	2.98	13	17	1.2	0.23	13.8	73.5	2.37	2E+10	6.07	98.20	30
6	2.98	5.07	30	20	2.1	0.23	9.5	71.7	4.03	4E+09	1.45	99.65	50
7	5.07	8.62	50	20	3.6	0.23	5.6	86.8	6.85	7E+08	0.29	99.95	70
8	8.62	14.6	70	15	6.0	0.23	2.5	65.5	11.6	1E+08	0.05	100.00	85
9	14.6	24.9	85	10	10.3	0.23	1.0	43.1	19.8	2E+07	0.01	100.00	95
10	24.9	42.3	95	5	17.4	0.23	0.3	25.3	33.6	2E+06	0.00	100.00	100
11	42.3		100							3E+11			

=C4-C3 =D3/E3 =LOG(B3/A3) =D4/F =(B3+A3)/2 =SUM(J4:J11) =100*J3/J$11 =L2+K3 =M2+D3 =D3*0.01/(3.14*1.6*(I3*0.0001)^3/6) =B3-A3

図 10.1 粒子径分布,(a)普通目盛り,(b)対数目盛り,(c)積算分布
〈eche10_1.xlsx〉

する．これらによるヒストグラムを図中のグラフで示す．密度が $\rho[\mathrm{g/cm^3}]$，大きさが $x_i[\mu\mathrm{m}]$ の球状粒子 $m_i[\mathrm{g}]$ 中に含まれる粒子個数 k_i は次式である．

$$k_i = m_i/(\pi \rho x_i^3 \times 10^{-12}/6) \tag{10.5}$$

これより個数基準のヒストグラムは次式であり，これを積算して積算分布 Q_0 となる．

$$\Delta Q_{0i} = k_i / \sum_{i=1}^{\infty} k_i = (\Delta Q_{3i}/x_i^3) / \sum_{i=1}^{\infty} (\Delta Q_{3i}/x_i^3) \tag{10.6}$$

これを計算したのが **K 列** である．以上により図10.1中のグラフのように普通目盛りおよび片対数目盛りのヒストグラムが作成される．

測定された粒子径分布を関数近似するには **Rosin-Rammler 分布関数式**：

$$1 - Q(x) = \exp\{-(x/x_e)^n\} \tag{10.7}$$

が一般的である．x_e は粒度特性数で36.8% 径であり，n は均等数で分布の広がりを表す．この式は粉砕産物によく適合するとされる．粒子径分布では積算値が50% となる粒子径を **メディアン径**，粒子径密度分布において最大密度を

与える径を**モード径**とよぶ．Rosin-Rammler 分布ではメディアン径とモード径は次式で与えられる．

$$(モード径) = x_\mathrm{e}\{(n-1)/n\}^{1/n} \tag{10.8}$$

$$(メディアン径) = x_\mathrm{e}(0.693)^{1/n} \tag{10.9}$$

【例題 10.2】 Rosin-Rammler 式〈eche10_2.xlsx〉

図 10.2 シート中の **A，B 列**の粒子径分布を Rosin-Rammler 式で相関せよ．

〈解答例〉

E 列にパラメータの初期値と式(10.7)の計算値[*1]を書き，**F 列**にデータとの残差をとり，**F12** に残差2乗和を計算する．**ソルバー**で**目的セルの設定：F12，目標値：最小値，変数セルの変更：E1：E2** として**解決**することにより **E1，E2** に最適なパラメータが得られる．

粒度分布の表現には統計学上の正規分布式(分布関数)：

$$Q(x) = \frac{1}{\sigma\sqrt{2\pi}} \int_{-\infty}^{x} \exp\left\{\frac{-(x-\mu)^2}{2\sigma^2}\right\} \mathrm{d}x \tag{10.10}$$

(パラメータは μ：平均値，σ：標準偏差)
および対数正規分布式：

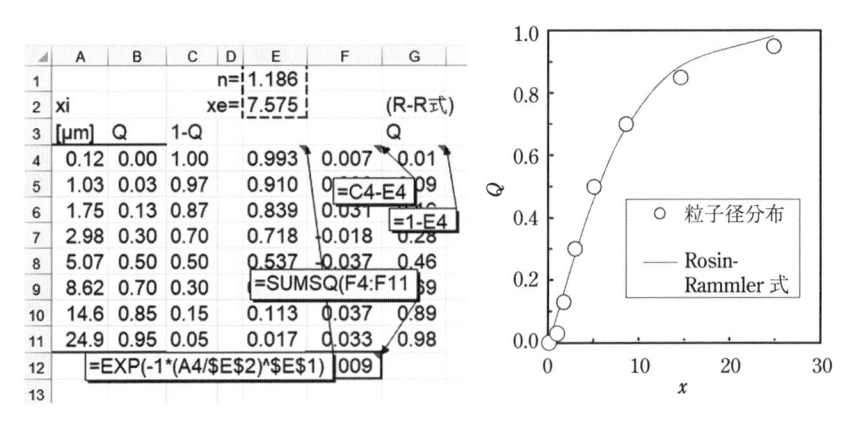

図 10.2 Rosin-Rammler 分布式の当てはめ〈eche10_2.xlsx〉

[*1]: Excel では $\exp(-x^n)$ の計算に注意する．計算式 $\exp(-1 \times x^n)$ としている．

10.1 粒子径分布

$$Q(x) = \frac{1}{\ln \sigma \sqrt{2\pi}} \int_{-\infty}^{\ln x} \exp\left\{\frac{-(\ln x - \ln \mu)^2}{2(\ln \sigma)^2}\right\} d(\ln x) \qquad (10.11)$$

も用いられる(この式における「対数」は常用対数,自然対数どちらでもよいが,ここでは自然対数 ln() とした).対数正規分布では平均径がメディアン径であり,これはモード径と一致する.

【例題 10.3】 正規分布〈eche10_3.xlsx〉

例題 10.1 における片対数目盛りでの粒子径分布を,C を定数として,$C \times$ 正規分布(確率密度関数):

$$q^*(z) = C \frac{1}{\sigma \sqrt{2\pi}} \exp\left\{\frac{-(z-\mu)^2}{2\sigma^2}\right\} \qquad (z = \log x) \qquad (10.12)$$

に当てはめよ.

〈解答例〉

図 10.3 のシートで,**B 列**が図 10.1 の **H 列**の粒子径分布,**A 列**が区間中心粒子径(対数基準)の対数値 $\log x$ である.**セル C1：C3** に比例定数 C,平均 μ と分散 σ の初期値を入れ,**C5** 以下に式(10.12)を計算する.ここでは Excel の関数である **"NORMDIST"** を利用した.この関数では**オプション**の **"FALSE"** が確率密度(式(10.12)),**"TRUE"** が分布関数(式(10.10))であ

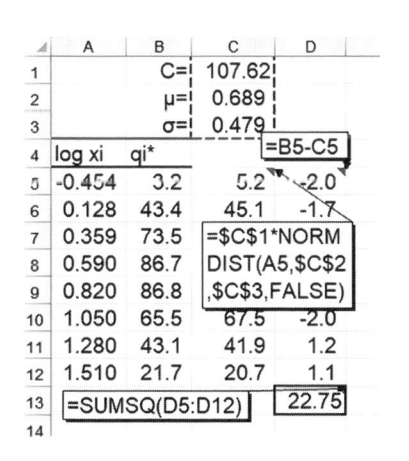

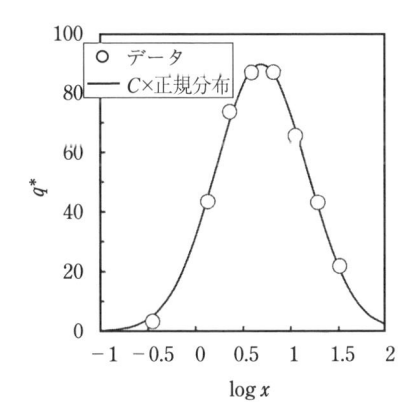

図 10.3 正規分布式の当てはめ〈eche10_3.xlsx〉

る．D13 にデータとの残差 2 乗和を設定し，**ソルバー**で**目的セルの設定**：**D13**，**目標値**：**最小値**，**変数セルの変更**：**C1：C3** として解決する．当てはめの様子をグラフに示す．

【例題 10.4】 粒度分布関数〈eche10_4.xlsx〉

粉体の粒子径 x と積算分布 $Q(x)$ について図 10.4 中の **A, B 列**のデータ[8,p.185]を得た．Rosin-Rammler 分布，正規分布，対数正規分布式で相関せよ．

〈解答例〉

Excel 関数である正規分布関数 **normdist** と対数正規分布関数 **lognormdist**

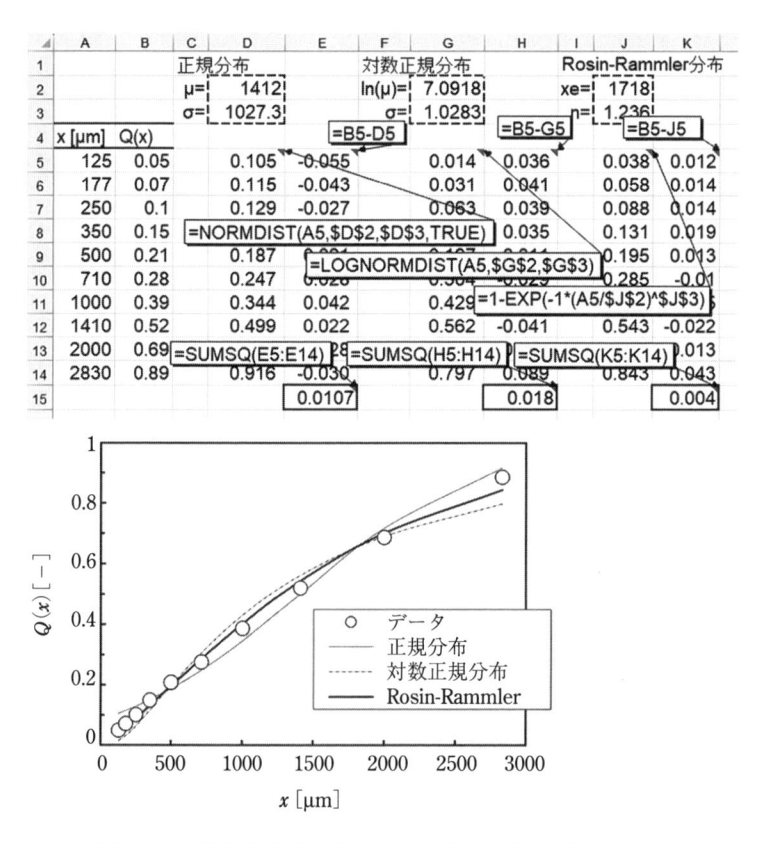

	A	B	C	D	E	F	G	H	I	J	K
1			正規分布			対数正規分布				Rosin-Rammler分布	
2			μ=	1412		ln(μ)=	7.0918		xe=	1718	
3			σ=	1027.3		σ=	1.0283		n=	1.236	
4	x [μm]	Q(x)			=B5-D5			=B5-G5			=B5-J5
5	125	0.05		0.105	-0.055		0.014	0.036		0.038	0.012
6	177	0.07		0.115	-0.043		0.031	0.041		0.058	0.014
7	250	0.1		0.129	-0.027		0.063	0.039		0.088	0.014
8	350	0.15	=NORMDIST(A5,$D$2,$D$3,TRUE)				0.035			0.131	0.019
9	500	0.21		0.187	=LOGNORMDIST(A5,$G$2,$G$3)					0.195	0.013
10	710	0.28		0.247	0.028		0.304	0.029		0.285	-0.01
11	1000	0.39		0.344	0.042		0.429	=1-EXP(-1*(A5/$J$2)^$J$3)			
12	1410	0.52		0.499	0.022		0.562	-0.041		0.543	-0.022
13	2000	0.69	=SUMSQ(E5:E14)			=SUMSQ(H5:H14)			=SUMSQ(K5:K14)		0.013
14	2830	0.89		0.916	-0.030		0.797	0.089		0.843	0.043
15					0.0107			0.018			0.004

図 10.4　粒度分布式の当てはめ〈eche10_4.xlsx〉

[化学工学会編，"BASIC による化学工学プログラミング"，培風館 (1985)，p. 185 のデータを引用]

を使う．たとえば正規分布関数では二つのパラメータの初期値を **D2：D3** に設定し，**D5** 以下に x の値における $Q(x)$ を **normdist** 関数で書く．データと関数式の残差を計算し，**E15** に残差2乗和を設定する．**ソルバーで目的セルの設定：E15，目標値：最小値，変数セルの変更：D2：D3** として**解決**することでパラメータの最適値が得られる．対数正規分布，Rosin-Rammler 分布も同様である．このデータの場合は Rosin-Rammler 分布が最もよく適合した．

10.2 晶析操作

晶析操作は結晶成長による粒子径の変化が基礎となる．ここでは流通式槽型晶析装置に関する**ポピュレーションバランスモデル（MSMPR モデル）**[28)]を述べる．図 10.5 のように容積 $V[\text{m}^3\text{-懸濁液}]$ の完全混合槽に，過飽和溶液が流量 $F[\text{m}^3/\text{s}]$ で流入・流出している．供給された過飽和溶液は槽内で粒子径ゼロから核発生し，結晶成長の後，粒子懸濁液として抜き出される．このプロセスが定常状態にあるとする．

槽内の粒子径区間 $L\sim(L+\Delta L)$ の単位容積あたり粒子個数 $\Delta N(L)[\#/\text{m}^3]$ について考える．これを粒子径区間幅 ΔL で割った個数密度関数 $n(L)[\#/(\text{m}^3\text{m})]$ は次式で定義される．

$$n(L)=\frac{\mathrm{d}N(L)}{\mathrm{d}L}=\frac{\Delta N(L)}{\Delta L} \tag{10.13}$$

時間 Δt 間に $\Delta N(L)$ のうち，抜き出しにより槽から排出される結晶個数は，

$$\Delta N(L)F\Delta t=Fn(L)\Delta L\Delta t \quad [\#] \tag{10.14}$$

である．一方，粒子の**線成長速度**を $G(-\mathrm{d}L/\mathrm{d}t)[\text{m/s}]$ とすると，Δt 間に一

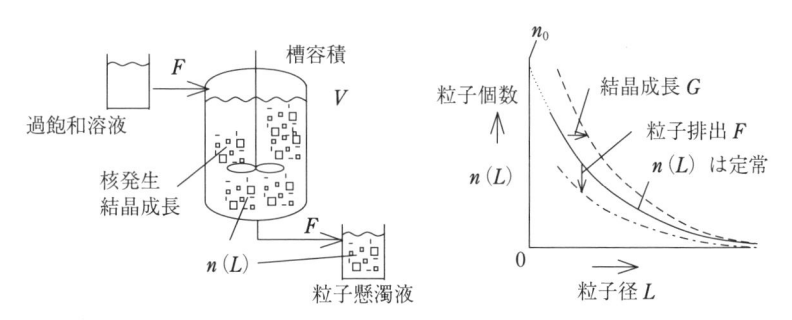

図 10.5 混合槽型晶析装置のポピュレーションバランスモデル

つ下の粒子径区間 $(L-\Delta L) \sim L$ の粒子が成長して，区間 $L \sim (L+\Delta L)$ に入ってくる数は $V\Delta t(G/\Delta L)\Delta N(L-\Delta L)$．また，成長してこの区間を出る粒子の数は，$V\Delta t(G/\Delta L)\Delta N(L)$ である．差し引き，

$$V\Delta t(G/\Delta L)\{\Delta N(L-\Delta L) - \Delta N(L)\}$$
$$= VG\Delta t\{n(L-\Delta L) - n(L)\} \quad [\#] \tag{10.15}$$

の増加となる．定常状態なので，この結晶成長による個数増加と抜き出しによる個数減少が全粒子径 L でバランスをとっている．

$$VG\{n(L-\Delta L) - n(L)\} - Fn(L)\Delta L = 0 \tag{10.16}$$

この式で ΔL の極限 $\left(\lim_{\Delta L \to 0} \dfrac{n(L) - n(L-\Delta L)}{\Delta L} = \dfrac{\mathrm{d}n(L)}{\mathrm{d}L}\right)$ をとり，**平均滞留時間** $\tau \equiv \dfrac{V}{F}$ [s] を用いると次式となる．

$$G\frac{\mathrm{d}\{n(L)\}}{\mathrm{d}L} + \frac{n(L)}{\tau} = 0 \tag{10.17}$$

これが**ポピュレーションバランス(個数収支)**式である．さらに成長速度 G が粒子径 L に依存しないとして定数とする(これを「McCabe の ΔL 法則」という)．すると上式を $L=0$ で $n(0) = n_0$(**核発生個数**)の条件で積分して次式となる．

$$n(L) = n_0 \exp\left(-\frac{L}{G\tau}\right) \tag{10.18}$$

また，

$$n_0 = n(0) = \frac{\mathrm{d}N(0)}{\mathrm{d}L} = \frac{\mathrm{d}N(0)}{\mathrm{d}t}\frac{\mathrm{d}t}{\mathrm{d}L} = \frac{B^\circ}{G} \tag{10.19}$$

である．ここで，$\mathrm{d}N(0)/\mathrm{d}t$ は粒子径 $L=0$ の**核発生速度** $B^\circ[\#/(\mathrm{m}^3\,\mathrm{s})]$ である．よって上の式は，

$$n(L) = \frac{B^\circ}{G}\exp\left(-\frac{L}{G\tau}\right) \quad [\#/\mathrm{m}^4] \tag{10.20}$$

となる．製品結晶について粒子径分布 $n(L)$ が実測されれば B° と G を求めることができる．

【例題 10.5】 完全混合槽型晶析装置⟨eche10_5.xlsx⟩

懸濁液容積 $V=1\,\mathrm{m}^3$，溶液供給・抜き出し速度 $F=0.152\,\mathrm{m}^3/\mathrm{h}$ で運転される有機酸の晶析装置がある．抜き出し液試料中の結晶粒子径測定結果が図

	A	B	C	D	E	F	G	H
1	粒子径範囲							=G4/D4
2	L_i	L_i+1	L	ΔL	粒子割合	ΔW(L)	ΔN(L)	n(L)
3	[mm]		[m]	[m]	[質量分率]	[kg]	[#/m3]	[#/(m3 m)]
4	0.147	0.208	0.000178	0.000061	0.05048	8.5308	1.75E+09	2.87E+13
5	0.208	0.295	0.000251	0.000087	0.11679	=169*E4	1.45E+09	1.66E+13
6	0.295	0.417	0.000356	0.000122	0.21254	35.919	9.22E+08	7.56E+12
7	0.417	0.589	0.000503	0.000172	0.28064	47.429	4.32E+08	2.51E+12
8	0.589	0.833	0.000711	0.000244	0.2	=F4/((3.14/6)*1650*C4^3)/1		7E+11
9	0.833	1.168	0.001000	0.000335	0.10331	17.459	2.02E+07	6.04E+10

(a) $y = 1.09 \times 10^{14} e^{-7.50E+03 x}$

(b) $n_0 = 1.09 \times 10^{14}$, 傾き $(-1/G\tau)$

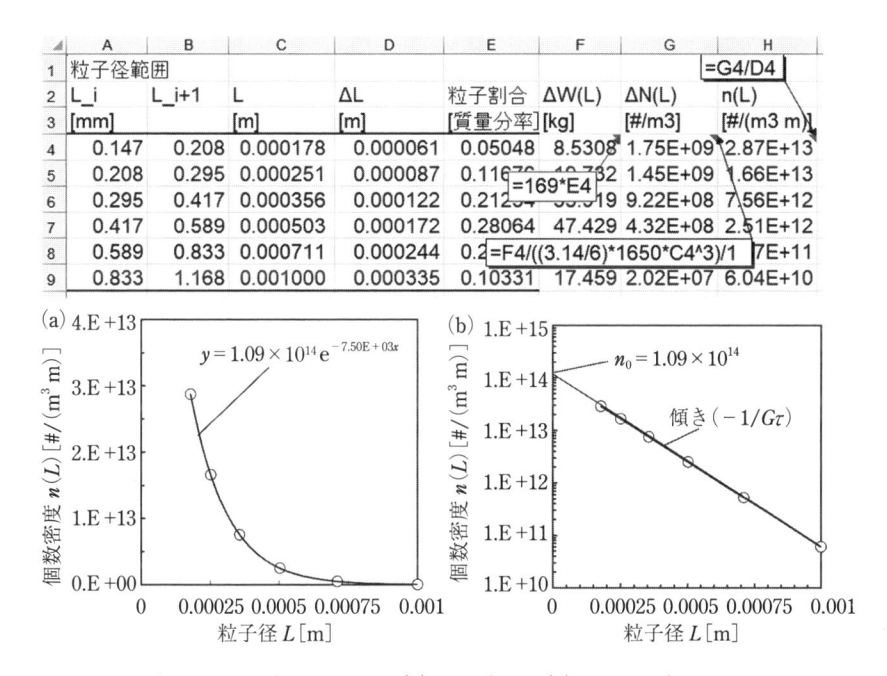

図 10.6 晶析装置の粒度分布解析, (a) 等目盛り, (b) 対数目盛り〈eche10_5.xlsx〉

10.6 のシートのようであった (**A, B 列**: 粒子径範囲, **C 列**: 平均径 L, **D 列**: 粒子径幅 ΔL, **E 列**: 質量基準の粒子割合). 結晶成長速度 G, 核発生速度 $B°$ を求めよ. 溶液中の粒子量は 169 kg/m³, 結晶の密度は $\rho_c = 1650$ kg/m³ とする.

〈解答例〉

まず個数密度関数 $n(L)$ を求める. 槽中の全結晶質量は $V \times 169 = 169$ kg. これから粒子径区分ごとの粒子質量 $\Delta W(L)$ は **F 列**である. 粒子個数は,

$$V\Delta N(L) = \Delta W(L)/(\phi_v \rho_c L^3) \quad (\phi_v = \pi/6 : 球の体積形状係数)$$
(10.21)

から **G 列**に求める. これより, $n(L) = \Delta N(L)/(\Delta L)$ が **H 列**となる.

L 対 $n(L)$ の**グラフ**を作成する. **データ系列**で右クリックして**近似曲線の追加・指数近似**・(オプション)**数式表示**によりグラフ内に示した相関式を得る.

$$n_0 = 1.09 \times 10^{14}, \quad (1/G\tau) = 7.50 \times 10^3$$

なので以下となる．

結晶成長速度：$G=1/(7.50\times10^3)\,\tau=2.05\times10^{-5}$ m/h

核発生速度　：$B°=n_0G=2.24\times10^9$ #/(m³ h)

MSMPR モデルによる粒子径分布：以上により個数密度関数 n などが理論的に得られたので，逆にこの関数から各種粒子径分布など結晶粒子の諸特性が順次求められる[16,p.754]．

晶析装置の懸濁液単位体積中粒子全個数 N_T[#/m³]は，

$$N_T=\int_0^\infty n\mathrm{d}L=n_0(G\tau)=B°\tau \tag{10.22}$$

である．粒子径 $0\sim L$ までの粒子個数は，$N(L)=\int_0^L n\mathrm{d}L$ なので，粒子個数の積算分布は次式となる．

$$Q_0(L)=\frac{N(L)}{N_T}=\frac{\int_0^L n\mathrm{d}L}{\int_0^\infty n\mathrm{d}L}=\frac{\int_0^L n_0\mathrm{e}^{-L/G\tau}\mathrm{d}L}{\int_0^\infty n_0\mathrm{e}^{-L/G\tau}\mathrm{d}L}=1-\exp\left(-\frac{L}{G\tau}\right) \tag{10.23}$$

MSMPR モデルから導かれた個数基準の粒子径分布は，前節の Rosin-Rammler 分布式(10.7)で均等数 n が 1 および粒度特性数が $x_e=G\tau$ に相当する．

次に粒子径 $0\sim L$ までの積算質量は $M(L)=\rho_c\phi_v\int_0^L nL^3\mathrm{d}L$ なので，質量基準の積算粒子径分布は，

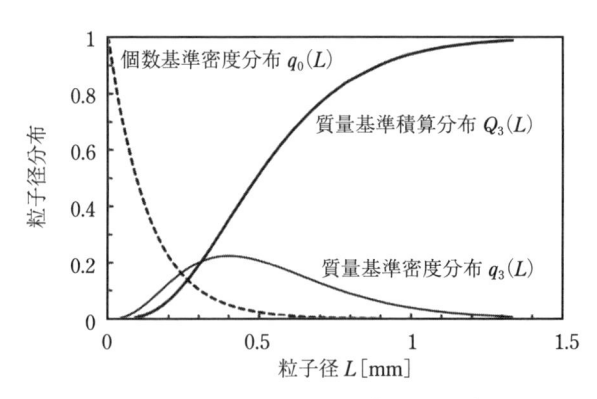

図 10.7　MSMPRモデルによる粒子径分布(例題 10.5)〈eche10_5.xlsx〉

$$Q_3(z) = \frac{\int_0^L nL^3 \mathrm{d}L}{\int_0^\infty nL^3 \mathrm{d}L} = \frac{\int_0^z nz^3 \mathrm{d}z}{\int_0^\infty nz^3 \mathrm{d}z} = 1 - \left(1 + z + \frac{z^2}{2} + \frac{z^3}{6}\right) \mathrm{e}^{-z} \quad (10.24)$$

である．ここで簡単のため無次元粒子径 $z = L/G\tau$ を用いた．これを z で微分すると粒子径密度分布は次式である．

$$q_3(z) = \frac{z^3}{6} \mathrm{e}^{-z} \quad (10.25)$$

以上の粒子径分布を例題 10.5 の例について図 10.7 に示す．

10.3 沈 降 分 離

【例題 10.6】 水平流型沈降槽の粒子分離性能[29]〈eche10_6.xlsm〉

長さ $L = 35\,\mathrm{m}$，高さ $H = 3\,\mathrm{m}$ の水平流型沈降槽を用いて，希薄スラリー（固体濃度 $0.105\,\mathrm{kg/m^3}$，粒子密度 $\rho_\mathrm{p} = 3650\,\mathrm{kg/m^3}$）を処理する（図 10.8）．流入スラリーは槽内を水平に $v = 4.2\,\mathrm{cm/min} = 7.0 \times 10^{-4}\,\mathrm{m/s}$ の一様流速で流れ，スラリー中の粒子は重力下で水中を沈降し，槽底に沈殿して流出流れから分離される．粒子の粒子径 d_p の質量基準積算分布 $Q(d_\mathrm{p})$ が図 10.9 の **A4：B14** である．流出液の固体濃度と粒子径分布を求めよ．水の密度 $\rho = 998\,\mathrm{kg/m^3}$，粘度 $\mu = 0.001\,\mathrm{Pa\,s}$，重力加速度 $g = 9.8\,\mathrm{m^2/s}$ である．

〈解答例〉

計算の便利のため粒子径積算分布データを Rosin-Rammler 式で相関すると以下の式と定数である（図 10.9）（例題 10.2 を参照）．

$$Q(d_\mathrm{p}) = 1 - \exp\{-(d_\mathrm{p}/d_\mathrm{pe})^n\} \quad (n = 2.19,\ d_\mathrm{pe} = 13.7\,\mathrm{\mu m}) \quad (10.26)$$

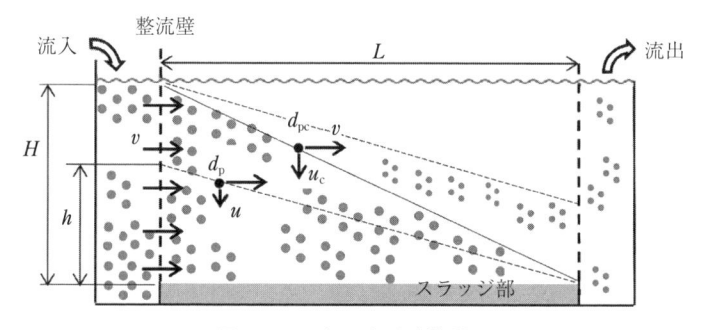

図 10.8 水平流型沈降槽

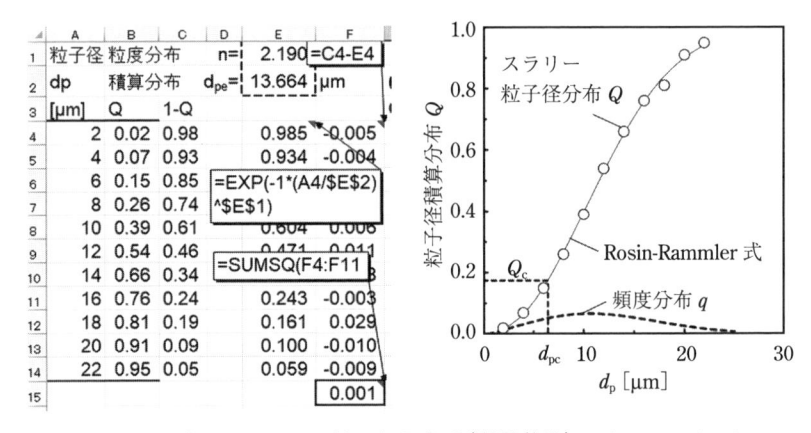

図 10.9 流入スラリーの粒子径分布 Q（質量基準）〈eche10_6.xlsm〉

これを数値微分して，粒子径頻度分布 $q(d_p)$ を求めて図中のグラフに破線で示す．なお，粒子径分布式を変形して次式である．

$$d_p = d_{pe} \times [-\ln\{1-Q(d_p)\}]^{1/n} \tag{10.27}$$

一般に水中の微粒子の沈降速度 u はストークスの式：

$$u = \frac{(\rho_p - \rho) d_p^2 g}{18 \mu} \tag{10.28}$$

で表せる[13, p.699]．沈降槽内では粒子の沈降速度の大小により，大きい粒子は槽底に達し分離され，小さい粒子は溢流内に残留して分離できない．この境界の分離限界粒子径 d_{pc} の粒子の沈降速度 u_c は，

$$u_c = v(H/L) = 0.36 \text{ cm/min} = 6 \times 10^{-5} \text{ m/s} \tag{10.29}$$

なので（図 10.10），ストークスの式より d_{pc} は，

$$d_{pc} = \sqrt{\frac{18 \mu u_c}{(\rho_p - \rho) g}} = \sqrt{\frac{18 \mu v}{(\rho_p - \rho) g}\left(\frac{H}{L}\right)} = 6.45 \text{ μm} \tag{10.30}$$

である．なお，この d_{pc} における粒子径積算値は $Q_c = 0.175$ である（図 10.9）．

流入した粒子径 d_p の粒子（粒子径積算値 $Q(d_p)$）のうち沈降槽で除去された割合を部分分離効率 η_Q とする．大きな $d_p > d_{pc}$ の粒子の部分分離効率 η_Q は 1 である．また，d_{pc} より小さく（$d_p < d_{pc}$），沈降速度 u の粒子については，図 10.8 より $u/u_c = h/H$ なので，ストークスの式を考慮して部分分離効率 η_Q が次式となる．

$$\eta_Q = \frac{h}{H} = \frac{u}{u_c} = \left(\frac{d_p}{d_{pc}}\right)^2 \quad (d_p < d_{pc}) \tag{10.31}$$

10.3 沈降分離

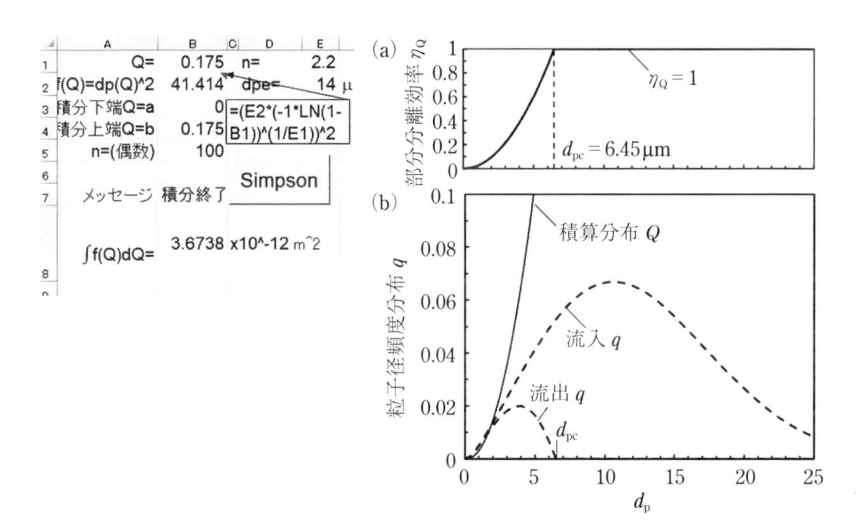

図10.10 分離効率の計算，(a)部分分離効率，(b)流出液の粒子径分布
〈eche10_6.xlsm〉

部分分離効率 η_Q と粒子径の関係を図10.10のグラフ(a)に示す．

これらを併せて，流入スラリーの粒度分布 $Q(d_p)$ を考慮した流入粒子全体の分離効率 η は次式で与えられる．

$$\eta = \int_0^1 \eta_Q dQ = \int_{Q_c}^1 \eta_Q dQ + \int_0^{Q_c} \eta_Q dQ = (1-Q_c) + \int_0^{Q_c} \eta_Q dQ \quad (10.32)$$

この式の第2項は式(10.31)，(10.26)より，

$$\int_0^{Q_c} \eta_Q dQ = \left(\frac{1}{d_{pc}^2}\right)\int_0^{Q_c} d_p^2 dQ = \left(\frac{1}{d_{pc}^2}\right)\int_0^{Q_c} [d_{pe}\{-\ln(1-Q)\}^{1/n}]^2 dQ \quad (10.33)$$

である．図10.10の積分シートで数値積分を行った結果，

$$\int_0^{Q_c} \eta_Q dQ = \left(\frac{1}{d_{pc}^2}\right)\int_0^{Q_c} d_p^2 dQ = \frac{1}{(6.45\times 10^{-6})^2}\times 3.67\times 10^{-12}$$
$$= 0.0884 \quad (10.34)$$

となる．以上で沈降槽全体の分離効率は $\eta = (1-0.175)+0.0883 = 0.913$ となる．よって流出液の固体濃度は $(1-\eta)c_f = 0.00914 \text{ kg/m}^3$ となる．

流出液の粒子径分布 q（頻度分布）は流入の粒子径分布 $q(d_p)$ に部分分離効率 $\eta_Q(d_p)$ を乗じて得られる．結果を図10.10(b)に示す．

11 プロセス流体工学

　流体力学，流体工学は工学系共通の基礎であるが，化学工学分野のプロセス流体工学では非ニュートン流体，充填層流れ，多相流れなど，対象が広範囲である．ここでは連立方程式，非線形方程式や微分方程式の解法となる例題を紹介する．

【例題 11.1】 ポンプ輸送の動力〈eche11_1.xlsx〉

　貯水池から工場内の冷却器に冷却水を送る．送水管は内径 $D=0.075$ m，長さ $L=200$ m，冷却器は貯水池水面から 10 m の高さにある．送水管の管摩擦係数は $f=0.0045$，冷却器内部の損失係数は送水管径基準で $K_a=16$ とする．ポンプ特性（流量 Q －揚程 h）が図 11.1 中に示した式のようであるとき，流量 Q と，効率 50% としてポンプ動力 P を求めよ．

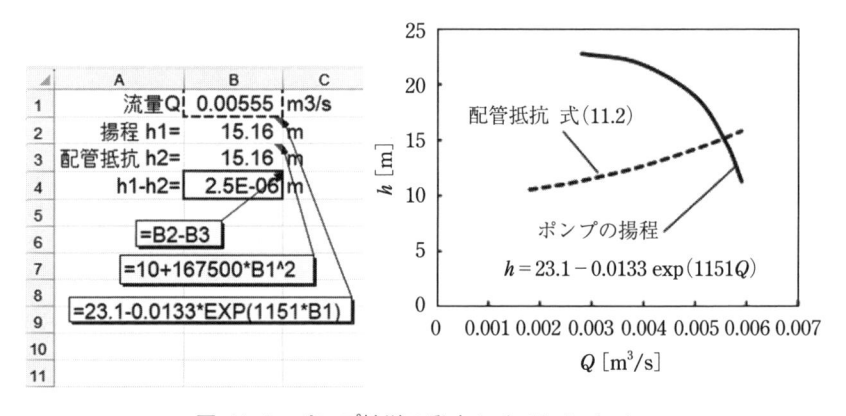

図 11.1　ポンプ輸送の動力〈eche11_1.xlsx〉

〈解答例〉

送水の配管抵抗をヘッド h[m]で表すと，管内平均流速を u[m/s]として，
$$h = 10 + 4f(L/D)(u^2/2g) + K_a(u^2/2g) = 10 + 3.265u^2 \tag{11.1}$$
であり，$u = Q/(\pi D^2/4) = 226.5Q$ なので，
$$h = 10 + 1.675 \times 10^5 Q^2 \tag{11.2}$$
である．したがって，未知数 h，Q に関する配管抵抗曲線(式(11.2))とポンプ特性式：$h = 23.1 - 0.0133\exp(1151Q)$ との連立方程式を解く問題となる．

図 11.1 のシート上で**セル B1** に仮の流量 Q を設定し，**B2** にポンプ揚程の式，**B3** に式(11.2)を書く．**B4** に両式の差をとり，**ゴールシーク**で**数式入力セル：B4，目標値：0，変化させるセル：B1** として実行する．解は流量 $Q = 0.00555$ m³/s，ヘッド $h = 15.2$ m である．ポンプ動力 P は，$P = \rho g Q h/\eta = 1653$ W $= 1.65$ kW となる．

【例題 11.2】 コーナータップオリフィスの設計<eche11_2.xlsx>

管内を流れる気体流量を計測するため，コーナータップオリフィスの絞り径 d[m]を設計せよ．条件は以下のとおりである．管径：$D = 0.0194$ m，最大流量：$q_m = 0.00833$ kg/s，最大差圧：$\Delta p = 1000$ mmH$_2$O $= 9806$ Pa，気体密度：$\rho_1 = 7.44$ kg/m³，気体粘度：$\mu_1 = 1.4 \times 10^{-5}$ Pa s．

〈解答例〉

JIS Z 8762-1995 によると，オリフィスの絞り係数 $\beta(= d/D)$ を用いて，質量流量 q_m と規格のコーナータップオリフィスの流出係数 C との関係が次式である．

$$q_m = \frac{C}{\sqrt{1-\beta^4}} \frac{\pi}{4} d^2 \sqrt{2\Delta p \rho_1} \tag{11.3}$$

$$C = 0.5959 + 0.0312\beta^{2.1} - 0.184\beta^8 + 0.0029\beta^{2.5}\left(\frac{10^6}{Re_D}\right)^{0.75} \tag{11.4}$$

$$\left(Re_D \equiv \frac{uD\rho_1}{\mu_1}, \quad u = \frac{\pi}{4}\frac{q_v}{D^2}, \quad q_m = \rho_1 q_v\right)$$

ここで，Re_D：レイノルズ数，u[m/s]：管内流速，q_v[m³/s]：体積流量．なお，ここでは気体の膨張補正係数 $\varepsilon = 1$ とする．上式は未知数 d に関する非線形方程式である．

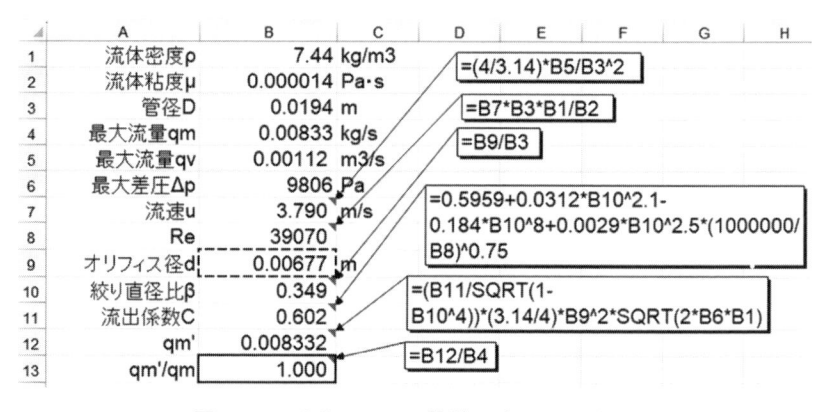

	A	B	C	D
1	流体密度ρ	7.44	kg/m3	
2	流体粘度μ	0.000014	Pa·s	
3	管径D	0.0194	m	
4	最大流量qm	0.00833	kg/s	
5	最大流量qv	0.00112	m3/s	=(4/3.14)*B5/B3^2
6	最大差圧Δp	9806	Pa	
7	流速u	3.790	m/s	=B7*B3*B1/B2
8	Re	39070		=B9/B3
9	オリフィス径d	0.00677	m	=0.5959+0.0312*B10^2.1-0.184*B10^8+0.0029*B10^2.5*(1000000/B8)^0.75
10	絞り直径比β	0.349		
11	流出係数C	0.602		=(B11/SQRT(1-B10^4))*(3.14/4)*B9^2*SQRT(2*B6*B1)
12	qm'	0.008332		=B12/B4
13	qm'/qm	1.000		

図 11.2　オリフィスの設計〈eche11_2.xlsx〉

図 11.2 に示したシートの**セル B12** に式(11.3)を書き，d の仮の値から q_m' を計算する．これが与えられた q_m に一致するよう d の値を試行する．ここでは $q_m'/q_m = 1$ を条件とした．**ゴールシーク**で**数式入力セル：B13，目標値：1，変化させるセル：B9**($=d$) を設定して実行する．解は $d = 0.00677$ m，このときの流出係数は $C = 0.602$ である．

【例題 11.3】　粒子の飛跡[8,p.137]〈eche11_3.xlsm〉

床面上 0.2 m の高さの点から，密度 $\rho_p = 2500$ kg/m^3，粒径 $D_p = 0.0003$ m の球形粒子が初速度 $u_0 = 15$ m/s，迎角 45 度($=\alpha_0$)で静止空気中に放出された．このときの粒子の飛跡を求め，床面に落ちる位置を決定せよ．ただし，空気密度 $\rho_f = 1.2$ kg/m^3，空気粘度 $\mu_f = 0.000018$ Pa s である．

〈解答例〉

水平方向を x 座標，垂直方向を y 座標とし，各座標の粒子の位置[m]を x, y，粒子の速度[m/s]を u_x, u_y とし，時間を t[s]とすると粒子の運動方程式は次式である．

$$\frac{dx}{dt} = u_x \qquad \frac{dy}{dt} = u_y \qquad (11.5), (11.6)$$

$$\frac{du_x}{dt} = -\frac{R}{m}\cos\alpha = -\frac{3}{4}\frac{\rho_f}{\rho_p D_p}C_D u u_x \qquad (11.7)$$

$$\frac{\mathrm{d}u_y}{\mathrm{d}t} = -g\frac{(\rho_\mathrm{p}-\rho_\mathrm{f})}{\rho_\mathrm{p}} - \frac{R}{m}\sin\alpha = -g\frac{(\rho_\mathrm{p}-\rho_\mathrm{f})}{\rho_\mathrm{p}} - \frac{3}{4}\frac{\rho_\mathrm{f}}{\rho_\mathrm{p}D_\mathrm{p}}C_\mathrm{D}uu_y \tag{11.8}$$

ここで，$u=\sqrt{u_x^2+u_y^2}$：粒子速度，$R=C_\mathrm{D}(\pi D_\mathrm{p}^2/4)(\rho_\mathrm{f}u^2/2)$：空気の抵抗，
$C_\mathrm{D}=\begin{cases} 24/Re & (Re\leq 2) \\ 10/\sqrt{Re} & (2<Re\leq 500) \\ 0.44 & (500<Re) \end{cases}$：球の抵抗係数，$Re\equiv D_\mathrm{p}u\rho_\mathrm{f}/\mu$：レイノルズ数，

である（m：粒子質量，g：重力加速度）．また，u_x，u_y の初期値はともに $u_0\sin\alpha_0=u_0\cos\alpha_0=10.61$ m/s である．よって，x，y，u_x，u_y に関する連立常微分方程式(11.5)～(11.8)を，初期条件 $t=0$ で $x=0$，$y=0.2$，$u_x=u_y=10.61$ により解く問題となる．

図 11.3 が「微分方程式解法シート」である．諸定数および u，Re，C_D の計算式を**セル G2：G9** に記入・記述する．このとき u_x，u_y は **D3，E3** とす

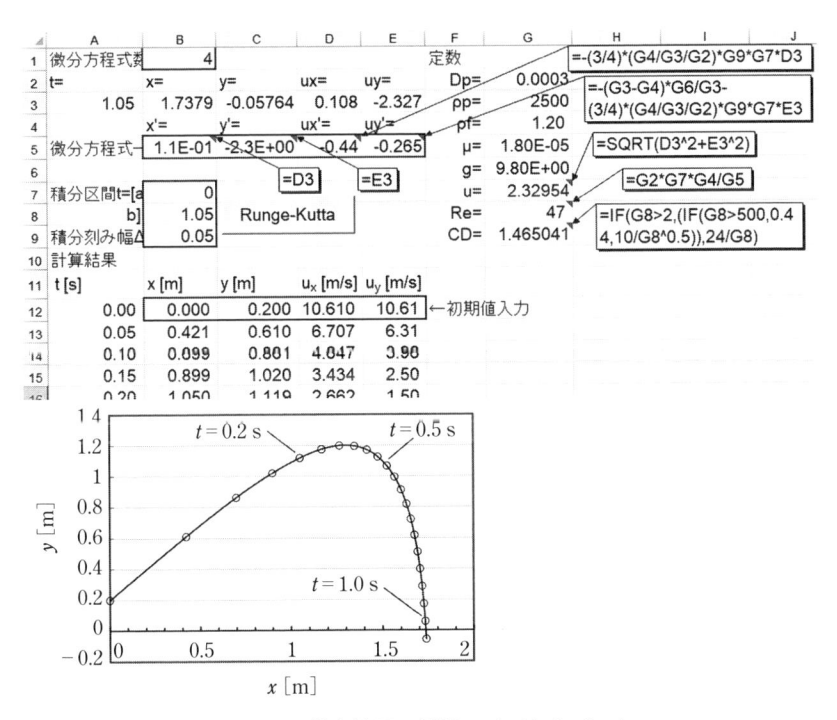

図 11.3 放出粒子の飛跡〈eche11_3.xlsm〉
［化学工学会編，"BASIC による化学工学プログラミング"，培風館(1985)，p.137，例題 10.1 をもとに作成］

る．方程式数(**B1**)を 4 とし，**B5**：**E5** に微分方程式(11.5)〜(11.8)を記述する．積分区間と刻み幅を設定し，初期値を **B12**：**E12** に書く．**ボタンクリック**で Runge-Kutta 法による積分が実行される．その結果から得られた粒子の飛跡(x-y)をグラフに示す．また床面に落ちる位置(y=0)は計算結果より x＝0.1735 m である．

【例題 11.4】 境界層方程式〈eche11_4.xlsm〉

x-y 2 次元座標上で x 方向のみ U_∞[m/s]の速度で主流流れがあるとする．x 方向に水平に薄い平板を置くと，平板表面に沿って速度境界層が形成される．境界層内の速度分布は境界層方程式：

$$2f''' + f f'' = 0 \tag{11.9}$$

で表せる(図 11.4)．これを境界条件，$\eta=0$ で $f=0$, $f'=0$, $\eta=\infty$ で $f'=1$ により解いて，平板表面から y 方向の速度分布 u/U_∞ を求めよ．ここで f：無次元流れ関数，u：x 方向速度($u=U_\infty f'$), U_∞：主流速度(x 方向), $\eta \equiv y\sqrt{\dfrac{U_\infty}{\nu x}}$：相似変数，$\nu$：流体の動粘度である．

〈解答例〉

まず 3 階の常微分方程式(11.9)を正規形にする．すなわち，$y_0=f$, $y_1=f'$, $y_2=f''$ と置くことで(11.9)式は，

$$y_0' = y_1 \quad (y_0(0)=0) \tag{11.10}$$

$$y_1' = y_2 \quad (y_1(0)=0) \tag{11.11}$$

$$y_2' = -(1/2) y_0 y_2 \tag{11.12}$$

となる．これらの連立常微分方程式として取り扱うことで Runge-Kutta 法で

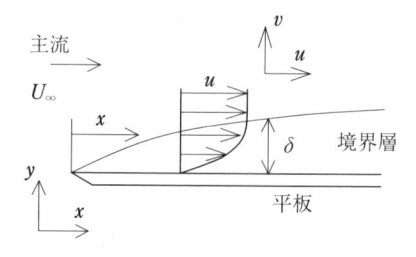

図 11.4　境界層流れ

解くことができる．ただし式(11.12)の初期値 $y_2(0)$ が不明で，その代わり y_1 の $\eta=\infty$ での値が与えられている(これを**境界値問題**という)．このため，$y_2(0)$ を仮定して積分を実行し，その結果が $y_1(\infty)=1$ の条件に一致するよう試行計算を行う．なお，ここでは $\eta=\infty$ を $\eta=8$ にとることにする．

図 11.5 が「微分方程式解法シート」である[*1]．式(11.10)～(11.12) を **B5：D5** に記述し，変数の初期値を **B12：D12** に書く．$f''(0)$ の値(**D12**)は仮の値を入れ，**ボタン**クリックで積分を実行する．$y_1(8)$ (**C52**) が 1.0 となるよう $y_2(0)$ (**D12**) の値を試行する．その結果，解が $f''(0)=0.332060$ と得られた．これは Howarth の解[30]に一致した．このときの速度分布 (f') を図中のグラフに示す．

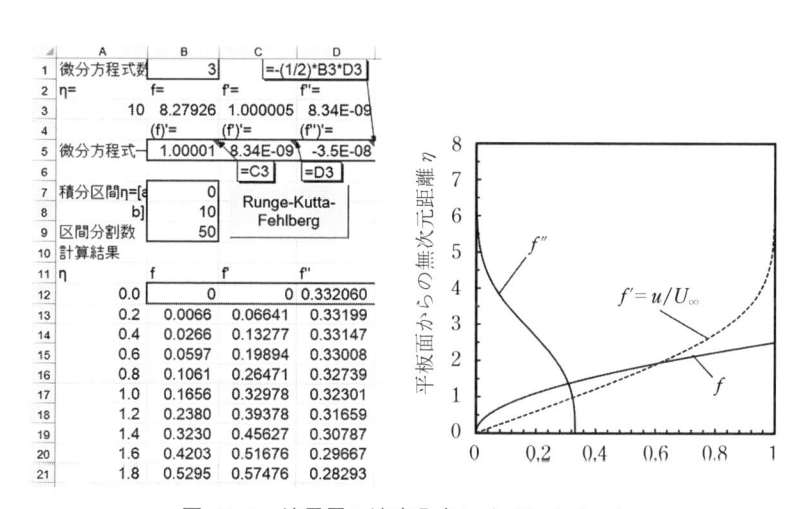

図 11.5　境界層の速度分布〈eche11_4.xlsm〉

[*1]：数値解の精度を上げるため Runge-Kutta-Fehlberg 法 VBA プログラム(刻み幅可変)を用いた．なお他の例題で使用したのは等刻みの Runge-Kutta 法であるが，こちらでも $f''(0)=0.332056$ の精度である．

12 装置内の混合モデル

容積 $V[\mathrm{m}^3]$，長さ $L[\mathrm{m}]$ の流通装置内を供給流量 $F[\mathrm{m}^3/\mathrm{s}]$，流速 $u[\mathrm{m/s}]$ で処理流体が流れている．入口でトレーサーをインパルス入力したとき，装置出口では広がりのあるピークとして観察される．このような装置内の混合状態を表現するには混合拡散モデルと槽列モデルの二つがある．データへの当てはめにより各モデルのパラメータを推定する方法を述べる．

12.1 混合拡散モデル

混合拡散モデルは押し出し流れを基準に，トレーサーの広がりを**混合拡散係数** $D_z[\mathrm{m}^2/\mathrm{s}]$ で表現するものである(図 12.1)．その基礎式は軸方向距離 z と時間 t についてトレーサー濃度 C に関する次式である．

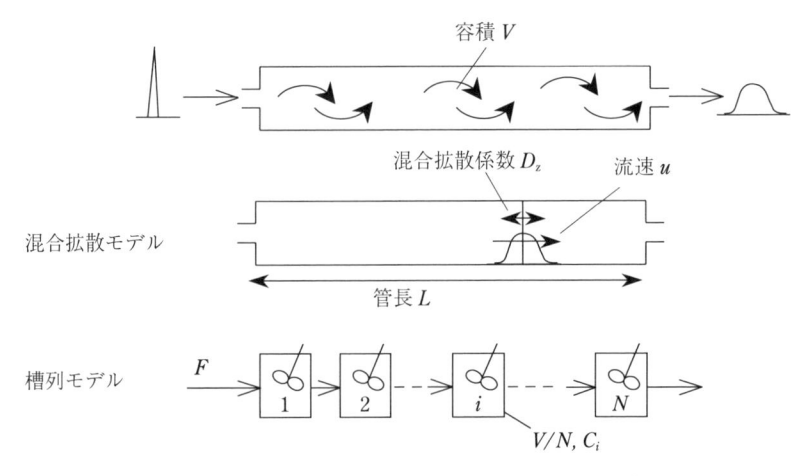

図 12.1 装置内の混合モデル(インパルス入力)

12.1 混合拡散モデル

$$D_z \frac{\partial^2 C}{\partial z^2} - u \frac{\partial C}{\partial z} = \frac{\partial C}{\partial t} \qquad (12.1)$$

解析解によると,インパルス入力に対する出力(応答)曲線の分散 σ^2 が次式で与えられ,これより規格化された混合拡散係数 D_z/uL が求められる[31]。

$$\sigma^2 = \bar{t}^2 \left\{ 2\frac{D_z}{uL} - 2\left(\frac{D_z}{uL}\right)^2 (1 - e^{-uL/D_z}) \right\} \qquad (12.2)$$

($\bar{t}$ は平均滞留時間)

【例題 12.1】 混合拡散モデル—インパルス入力—〈eche12_1.xlsx〉

流通装置でインパルス応答法により図12.2のシート **A, B 列**に示すデータが得られた.このデータを整理・相関して混合拡散係数を求めよ.

〈解答例〉

まず,平均滞留時間:

$$\bar{t} = \frac{\int_0^\infty tC\mathrm{d}t}{Q} \qquad \left(Q = \int_0^\infty C\mathrm{d}t\right) \qquad (12.3)$$

を求める.$C\Delta t$,$tC\Delta t$ の各値を **C 列**,**D 列**で求めその合計(積分値)を **C15**,

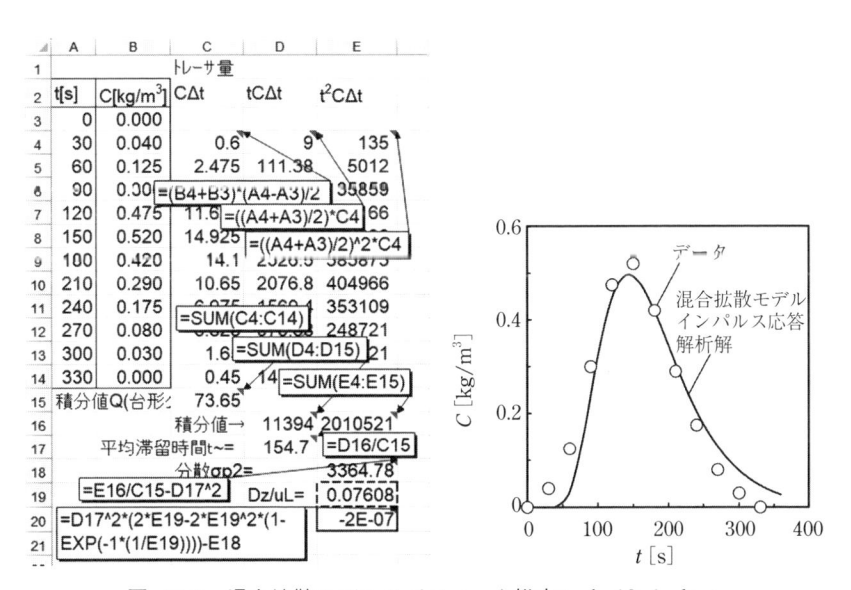

	A	B	C	D	E
1			トレーサ量		
2	t[s]	C[kg/m³]	CΔt	tCΔt	t²CΔt
3	0	0.000			
4	30	0.040	0.6	9	135
5	60	0.125	2.475	111.38	5012
6	90	0.30	=(B4+B3)*(A4-A3)/2		35859
7	120	0.475	11.6	=((A4+A3)/2)*C4	66
8	150	0.520	14.925	=((A4+A3)/2)^2*C4	
9	180	0.420	14.1	2526.5	585875
10	210	0.290	10.65	2076.8	404966
11	240	0.175	6.975	1560.1	353109
12	270	0.080	=SUM(C4:C14)		248721
13	300	0.030	1.6	=SUM(D4:D15)	21
14	330		0.45	14	=SUM(E4:E15)
15	積分値Q(台形)		73.65		
16		積分値=	11394	2010521	
17	平均滞留時間t~=		154.7	=D16/C15	
18	分散σ2=			3364.78	
19	=E16/C15-D17^2		Dz/uL=	0.07608	
20	=D17^2*(2*E19-2*E19^2*(1-			-2E-07	
21	EXP(-1*(1/E19))))-E18				

図 12.2 混合拡散モデルのパラメータ推定〈eche12_1.xlsx〉

D16 とする．これらより平均滞留時間 $\bar{t}$ は 155 s と得られる（**D17**）．分散は，

$$\sigma^2 = \frac{\int_0^\infty t^2 C \mathrm{d}t}{Q} - \bar{t}^2 \tag{12.4}$$

なので，これを **E18** に求める．**E20** に方程式(12.2)を記述して，**ゴールシークで数式入力セル：E20，目標値：0，変化させるセル：E19** として**実行**する．その結果 $D_z/uL = 0.076$ が得られる．グラフでこの値によるインパルス応答解析解とデータを比較した．

12.2 槽列モデル

流通装置や充塡層における混合・物質移動および反応を取り扱う簡便なモデルとして**槽列モデル**がよく用いられる．装置容積 V を等分割し，N 個の**完全混合槽**の連結であると仮定する．時間 $t=0$ で $M[\mathrm{kg}]$ の溶質（トレーサー）が入口から瞬間的に供給されたとする．溶質濃度を $C[\mathrm{kg/m^3}]$ として，i 番目の槽における溶質の物質収支は，

$$\mathrm{d}C_i/\mathrm{d}t = (FN/V)(C_{i-1} - C_i) \qquad (i=1, 2, \cdots, N) \tag{12.5}$$

である．この基礎式を，時間 $\theta = (F/V)t$，濃度 $E = (V/M)C$ で無次元化すると，この問題は以下の連立微分方程式を解く問題となる．

$$\mathrm{d}E_1/\mathrm{d}\theta = -NE_1 \tag{12.6}$$

$$\mathrm{d}E_n/\mathrm{d}\theta = N(E_{i-1} - E_i) \qquad (i=2, 3, \cdots, N) \tag{12.7}$$

境界条件　$\theta = 0$，$E_1(0) = N$，$E_i(0) = 0$ 　$(i=2, 3, \cdots, N)$

この解はラプラス変換法などで求められ，装置出口濃度 $E(\theta) = E_N$ は次式となる[31]．これをインパルス応答曲線という．

$$E(\theta) = \frac{N}{(N-1)!}(N\theta)^{N-1}\exp(-N\theta) \tag{12.8}$$

【例題 12.2】　槽列モデル—インパルス入力—〈eche12_2.xlsm〉

$N=4$ の場合について連立微分方程式(12.6)，(12.7)を検討せよ．

〈解答例〉

図 12.3 は「微分方程式解法シート」である．**セル B5** に式(12.6)を，**C5：E5** に式(12.7)を書く．その際，E_i は **B3～E3** を用いる．**B12：E12** の初期値

12.2 槽列モデル

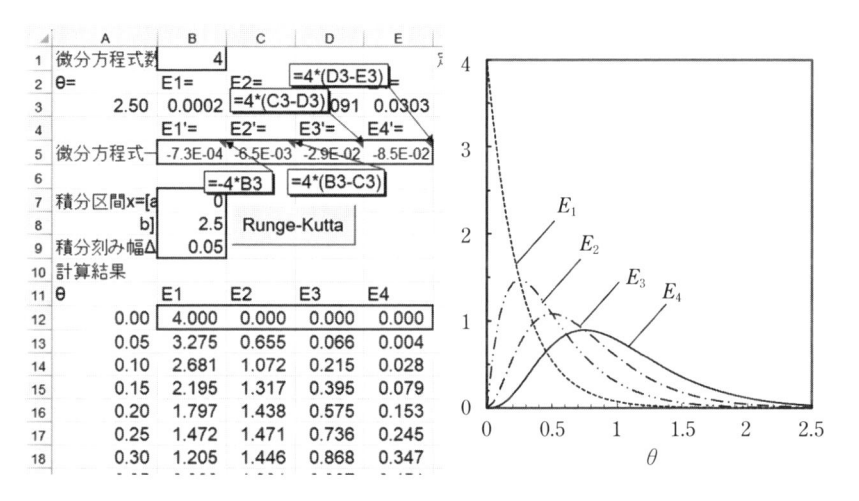

	A	B	C	D	E
1	微分方程式数	4			
2	θ=	E1=	E2=	=4*(D3-E3)	
3		2.50	0.0002	=4*(C3-D3)	091	0.0303
4		E1'=	E2'=	E3'=	E4'=
5	微分方程式	-7.3E-04	-6.5E-03	-2.9E-02	-8.5E-02
6		=-4*B3	=4*(B3-C3)		
7	積分区間x=[a	0			
8	b]	2.5	Runge-Kutta		
9	積分刻み幅Δ	0.05			
10	計算結果				
11	θ	E1	E2	E3	E4
12	0.00	4.000	0.000	0.000	0.000
13	0.05	3.275	0.655	0.066	0.004
14	0.10	2.681	1.072	0.215	0.028
15	0.15	2.195	1.317	0.395	0.079
16	0.20	1.797	1.438	0.575	0.153
17	0.25	1.472	1.471	0.736	0.245
18	0.30	1.205	1.446	0.868	0.347

図 12.3 槽列モデル―インパルス入力―〈eche12_2.xlsm〉

は E_1 のみ 4 で，ほかは 0 である．**ボタン**クリックで積分を実行した結果を右のグラフで示す．完全混合槽の連結により装置出口で濃度のピークが生成されることがわかる．

【例題 12.3】 槽列モデルのパラメータ〈eche12_3.xlsx〉

例題 12.1 と同じデータ（図 12.4 シートの **A**，**C** 列）について，槽列モデルを適用したときのパラメータ N を推定せよ．装置の条件 V，F，トレーサー量 M，平均滞留時間 $\bar{t}(=V/F)$ はシート上（**B1**：**B4**）に示す．

〈解答例〉

データを無次元化して，θ を **B** 列，E を **D** 列とする．**E** 列に式(12.8)を計算する．なお試行計算の都合上，式(12.8)中の階乗 $n!$ は n が実数でも計算できるように，スターリングの公式 $(n! \cong \sqrt{2\pi n}\, n^n e^{-n})$ を用いた．**F** 列にデータとモデル式の残差をとり，**F18** を残差 2 乗和とする．**ソルバー**で**目的セルの設定**：**F18**，**目標値**：**最小値**，**変数セルの変更**：**E2** として**解決**する．槽列モデルの最適パラメータが $N=7.2$ と得られる．図中のグラフでデータと槽列モデルの解析解（式(12.8)）を比較した．

130　12　装置内の混合モデル

	A	B	C	D	E	F	G	H I J K L
1	V=	5.00E-04	m3					=($E$2^$E$2)*B7^($E$2-1)*EXP(-
2	F=	3.22E-06	m3/s	N=	7.193	=D7-E7		1*$E$2*B7)/(SQRT(2*PI()*($E$2-
3	M=	2.37E-04	kg	=A7/$B$4				1))*($E$2-1)^($E$2-1)*EXP(-($E$2-1)))
4	t̄ =	155.0	s					
5	t[s]	θ	C[kg/m³]	E	槽列モデル			
6	0	0.00	0.000	0.00	0.00	0.00		
7	30	0.19	0.040	0.08	0.01	0.07		
8	60	0.39	0.125	0.26	0.25	0.02		
9	90	=C6*$B$1/$B$3		0.63	0.76	-0.12		
10	120	0.77	0.	以下B7,D7,E7,F7をコピー				
11	150	0.97	0.520	1.10	1.10	-0.01		
12	180	1.16	0.420	0.89	0.85	0.04		
13	210	1.35	0.290	0.61	0.55	0.06		
14	240	1.55	0.175	0.37	0.31	0.06		
15	270	1.74	0.080	0.17	0.16	0.01		
16	300	1.94	0.030	0.06	0.08	-0.01		
17	330	2.13	0.000	0.00	0.03	-0.03		
18			=SUMSQ(F6:F17)		0.04			

データ
槽列モデルインパルス応答
解析解 $N = 7.2$

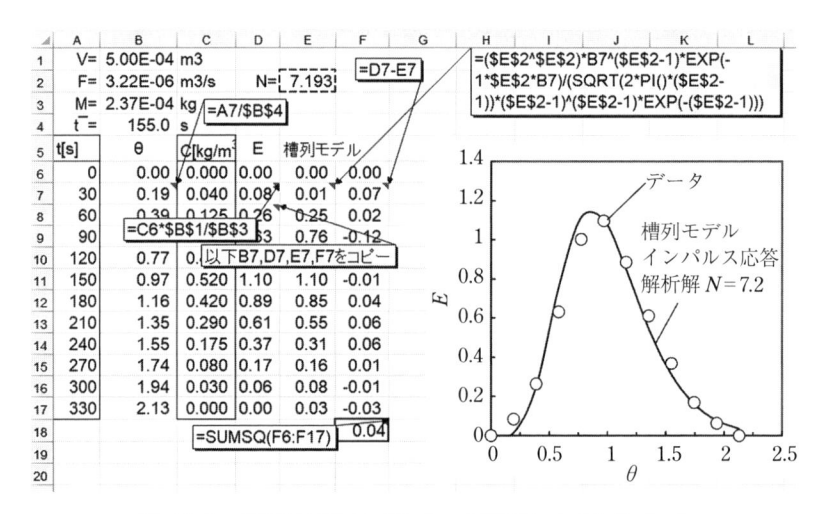

図 12.4　槽列モデルのパラメータ推定〈eche12_3.xlsx〉

13 伝 熱

13.1 伝導伝熱

伝熱の基礎であるフーリエの法則は「伝熱量は温度降下の勾配と断面積に比例し，その比例定数が熱伝導度である」というもので，x 方向 1 次元座標の場合に式で表すと，

$$q = \frac{Q}{A} = -\lambda \frac{dT}{dx} \tag{13.1}$$

である．ここで T [K or °C]：温度，x [m]：距離，λ [J/(m s K)]：熱伝導度，q [J/(m² s)]：熱流束，Q [J/s=W]：伝熱量，A [m²]：伝熱面積である．座標が円筒座標の場合は軸からの距離を r，円柱の長さを l として，$A = 2\pi r l$ なので，

$$\frac{dT}{dr} = -\frac{1}{r\lambda} \frac{Q}{2\pi l} \tag{13.2}$$

が基礎式となる．式(13.1)の微分形は，

$$\frac{d^2T}{dx^2} = 0 \tag{13.3}$$

である．これを x, y 2 次元座標とした場合の基礎式は次式となる．

$$\frac{\partial^2 T}{\partial x^2} + \frac{\partial^2 T}{\partial y^2} = 0 \tag{13.4}$$

非定常熱伝導では，1 次元での局所温度 $T(x,t)$ の時間 t [s]による変化を表す基礎式が次式である．

$$\frac{\partial T}{\partial t} = \alpha \frac{\partial^2 T}{\partial x^2} \tag{13.5}$$

時間 t と位置 x に関する偏微分方程式である．ここで，$\alpha = \lambda/\rho C_p$ [m²/s]：熱拡散率，C_p [J/(kg K)]：熱容量である．座標が円筒座標の場合は r 方向 1 次元非定常伝導伝熱の基礎式が次式である．

$$\frac{\partial T}{\partial t} = \alpha \left(\frac{\partial^2 T}{\partial r^2} + \frac{1}{r} \frac{\partial T}{\partial r} \right) \tag{13.6}$$

以下にこれらの基礎式(13.2)，(13.4)，(13.6)の数値解法例を示す．

【例題 13.1】 円管の保温〈eche13_1.xlsm〉

内径 1.5 m，外径 2.0 m の 2 重壁の耐火物製管がある．内側壁の厚みは 0.1 m，外側が 0.15 m であり，材料の熱伝導度は内側が $\lambda_1 = 0.5$，外側が $\lambda_2 = 2.0$ J/(m s K) である (図 13.1)．管の内表面温度が 1200℃，外表面温度が 100℃であるとき，管長 1 m あたりの伝熱量と管壁内温度分布を求めよ．

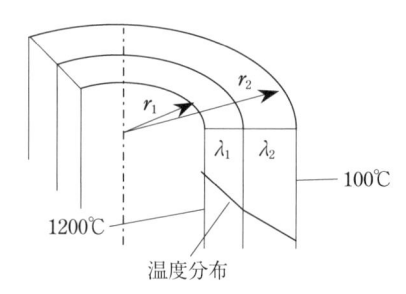

図 13.1 円管の保温（円柱座標 1 次元伝熱）

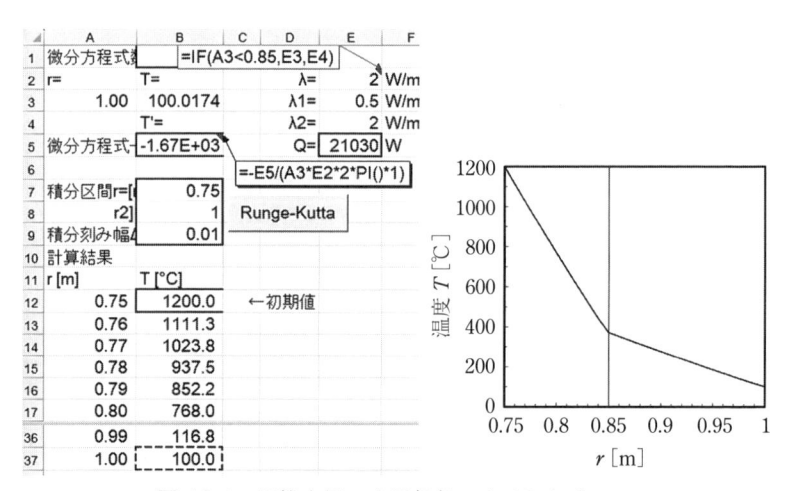

図 13.2 円柱座標 1 次元伝熱〈eche13_1.xlsm〉

〈解答例〉

$r_1 = 0.75$ m, $r_2 = 1.0$ m であり，常微分方程式(13.2)を r_1 から r_2 まで積分することで解かれる．図13.2が「微分方程式解法シート」である．定数を **E2**：**E5** に書く．ここで伝熱量 Q は仮の値とする．また，**E2** の λ は位置 r(**A3**)で値が異なる．微分方程式(13.2)を **B5** に記述し，T の初期値(1200℃)を入れて，(r_1, r_2) 区間で積分する．積分の結果，$r=1.0$ m における T が問題の条件，$T=100$℃，となるよう Q の値(**E5**)を試行する．結果は伝熱量 $Q=21\,030$ W で，この場合の温度分布を図中のグラフで示す．

2次元伝熱の差分解法：2次元定常伝導伝熱の基礎式(13.4)を差分式とする．領域を x 方向を Δx，y 方向を Δy で区切り，節点番号を n, m とする(図13.3)．温度 T の節点における値を $T_{n,m}$ とすると各項が以下のように差分化される．

$$\frac{\partial^2 T}{\partial x^2} = \frac{\left.\frac{\partial T}{\partial x}\right|_{x+\Delta x} - \left.\frac{\partial T}{\partial x}\right|_x}{(\Delta x)} = \frac{(T_{n+1,m} - T_{n,m}) - (T_{n,m} - T_{n-1,m})}{(\Delta x)^2}$$

$$= \frac{T_{n+1,m} + T_{n-1,m} - 2T_{n,m}}{(\Delta x)^2}$$

$$\frac{\partial^2 T}{\partial y^2} = \frac{(T_{n,m+1} - T_{n,m}) - (T_{n,m} - T_{n,m-1})}{(\Delta y)^2} = \frac{T_{n,m+1} + T_{n,m-1} - 2T_{n,m}}{(\Delta y)^2}$$

$\Delta x = \Delta y$ としてこれらを基礎式(13.4)に代入して，次式の差分式を得る．

$$T_{n,m} = (1/4)(T_{n,m+1} + T_{n,m-1} + T_{n+1,m} + T_{n-1,m}) \tag{13.7}$$

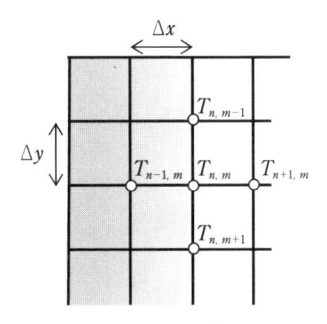

図 13.3 2次元熱伝導式の差分化

【例題 13.2】 矩形材料の定常温度分布〈eche13_2.xlsx〉

0.3 m 角の正方ダクトの外側に 0.5 m 厚の保温壁がある（図 13.4）．保温壁内面が 100℃，保温壁外面が 0℃のとき保温壁内部の温度分布を求めよ．

〈解答例〉

領域を $\Delta x = \Delta y = 0.1$ m 間隔で区切り，$n=1 \sim 14$，$m=1 \sim 14$ の格子状節点を設ける．各節点の温度 $T_{n,m}$ を図 13.4 のシートの**セル A1：N14** に対応させる．矩形領域の外側と内側に境界条件となる温度を設定する．内部の節点**セル B2** に式(13.7)を書き，それをすべての内部セルにコピーする．反復法により自動的に連立方程式が解かれる．計算結果と温度分布図を図 13.4 に示す．

円筒座標非定常伝熱の差分解法：円柱状固体内の r 方向1次元の温度 $T(r,t)$ について整数 p, n により時間を $t = p\Delta t$，位置を $r = n\Delta r$ で区切り，温

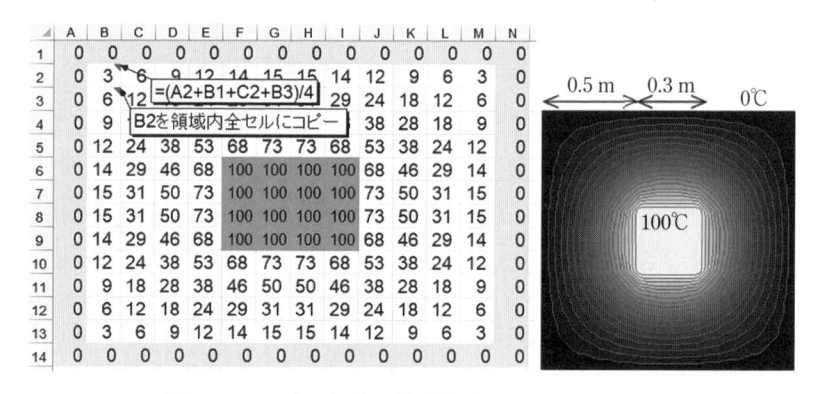

図 13.4　2次元伝熱の差分解法〈eche13_2.xlsx〉

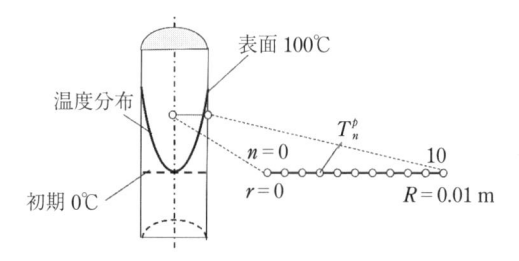

図 13.5　円柱状材料の r 方向1次元非定常伝熱

度 T_n^p を数値解における節点値とする（図 13.5）．すると式 (13.6) を差分化した式が次式となる．

$$T_n^{p+1} = \Theta_r \left(1 + \frac{1}{2n}\right) T_{n+1}^p + \Theta_r \left(1 - \frac{1}{2n}\right) T_{n-1}^p + (1 - 2\Theta_r) T_n^p$$

$$\left(\Theta_r = \frac{a\Delta t}{(\Delta r)^2}\right) \tag{13.8}$$

また，中心軸上の節点では次式である[3,p.63]．

$$T_0^{p+1} = 4\Theta_r T_1^p + (1 - 4\Theta_r) T_0^p \tag{13.9}$$

【例題 13.3】 円柱状材料の1次元非定常伝導伝熱 ⟨eche13_3.xlsm⟩

直径 $D = 0.02$ m（半径 $R = 0.01$ m）の円柱状材料の加熱を考える．材料初期温度を $T_0 = 0°C$ とし，これを $T_s = 100°C$ の水に漬けたとして材料内部の温度変化を求めよ．材料はゲルとして，物性値は水（60°C）の値を用い，密度 $\rho = 983$ kg/m³，熱容量 $C_p = 4.17 \times 10^3$ J/(kg K)，$\lambda = 0.653$ J/(m s K)，$a = 0.159 \times 10^{-6}$ m²/s である．$\Delta r = 0.001$ m，$\Delta t = 2$ s とする．

⟨解答例⟩

図 13.6 のシートで **4, 5 行** が n と節点座標，**セル E2** が物性値である．**A 列** が時間 t で，経時変化を表す．**8 行** が初期値で，$n = 10$（表面）（**L8**）が $T = 100$，材料内部は $T = 0$ である．**B9** に式 (13.9) を，**C9：K9** の各セルに式 (13.8) を記述し，**L9** は"= L8"としてこの行を下に**コピー**する．これで材料内部温度の経時変化が求められる．グラフ (a) は材料内部の温度変化を示す．$t = 60$ s での温度分布を解析解（＋印）（Excelシート参照）と比較した．グラフ (b) は材料平均温度 $\bar{T}$ の時間変化を示す．

円柱非定常伝熱の LDF モデル：7.1 節 (p. 80) で球状材料内の非定常拡散（吸着）における LDF モデル（線形推進力近似モデル）を述べた．LDF モデルは非定常伝熱にも適用可能であり，円柱材料の非定常伝熱が次式で表せる (p. 82 の式 (9) を参照)．

$$\frac{d\bar{T}}{dt} = \frac{8}{R^2} a (T_s - \bar{T}) \tag{13.10}$$

（$\bar{T}$：材料平均温度，T_s：表面温度）

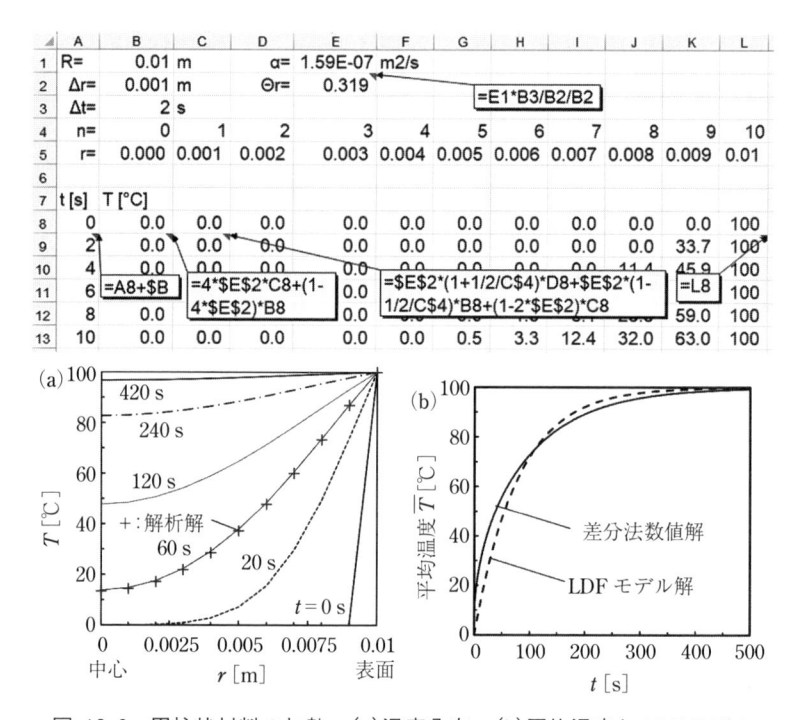

	A	B	C	D	E	F	G	H	I	J	K	L
1	R=	0.01	m	α=	1.59E-07	m2/s						
2	Δr=	0.001	m	Θr=	0.319		=E1*B3/B2/B2					
3	Δt=	2	s									
4	n=	0	1	2	3	4	5	6	7	8	9	10
5	r=	0.000	0.001	0.002	0.003	0.004	0.005	0.006	0.007	0.008	0.009	0.01
6													
7	t [s]	T [°C]										
8	0	0.0	0.0	0.0	0.0	0.0	0.0	0.0	0.0	0.0	0.0	100
9	2	0.0	0.0	0.0	0.0	0.0	0.0	0.0	0.0	0.0	33.7	100
10	4	0.0	0.0	0.0	0.0	0.0	0.0	0.0	0.0	11.4	45.9	100
11	6	=A8+$B	=4*$E$2*C8+(1-4*$E$2)*B8		0.0	=$E$2*(1+1/2/C$4)*D8+$E$2*(1-1/2/C$4)*B8+(1-2*$E$2)*C8					=L8	100
12	8	0.0			0.0						59.0	100
13	10	0.0	0.0	0.0	0.0	0.0	0.5	3.3	12.4	32.0	63.0	100

図 13.6 円柱状材料の加熱, (a)温度分布, (b)平均温度と LDF モデル
〈eche13_3.xlsm〉

このモデルによる $\overline{T}$ の時間変化を図 13.6(b) 中に数値解と比較して示す. 伝熱問題においても LDF モデルで非定常伝熱を簡便に計算できる. 式 (13.10) を例題 13.6 で応用する.

13.2 対流伝熱

対流伝熱とは固体表面上の流体(気体・液体)の流れに起因する伝熱である. 流体の速度分布が表面の温度勾配に影響し, 固体面からの伝熱量を支配する.

平板に沿った流れにおいて境界層を考える. 固体表面温度が T_s, 主流流れの温度が T_∞ とする. 例題 11.4 で速度に関する境界層方程式を示したが, 温度に関しても次式の**温度境界層方程式**が得られる.

$$\theta_\mathrm{T}'' + \frac{Pr}{2} f \theta_\mathrm{T}' = 0 \tag{13.11}$$

$\left(\theta_\mathrm{T} \equiv \dfrac{T_\mathrm{s}-T}{T_\mathrm{s}-T_\infty}\quad 境界条件:\eta=0のとき\ \theta_\mathrm{T}=0,\ \eta=\infty のとき\ \theta_\mathrm{T}=1\right)$

$y_3=\theta_\mathrm{T}$, $y_4=\theta_\mathrm{T}'$ と置いてこの微分方程式を正規形にすると次式となる．

$$y_3'=y_4 \qquad (\ y_3(0)=0\ ) \tag{13.12}$$

$$y_4'=-(Pr/2)\,y_0 y_4 \tag{13.13}$$

ここで，y_4 の初期値が不明なので，速度境界層と同様に，$\eta=\infty$ で $y_3=\theta_\mathrm{T}=1$ となるよう試行する．

【例題 13.4】 温度境界層方程式 ⟨eche13_4.xlsm⟩

空気のプラントル数 $Pr=0.7$ として，温度境界層方程式を解け．また，空気流れで $U_\infty=1\,\mathrm{m/s}$, $x=0.1\,\mathrm{m}$, $T_\mathrm{s}=100\,\mathrm{^\circ C}$, $T_\infty=20\,\mathrm{^\circ C}$ として，境界層の速度分布，温度分布を描け．

⟨解答例⟩

図 13.7 は「微分方程式解法シート」である．**B5, C5, D5** に速度境界層方程式 (11.10)〜(11.12)，**E5, F5** に温度境界層方程式 (13.12), (13.13) を記述し，積分を実行する．速度 f' および温度 θ_T が積分の上限 $\eta=8$ で 1 となるよう，f'', θ_T' の初期値を試行する．解は $\theta_\mathrm{T}'(0)=0.2930$ と得られる．図中のグラフ(a)に規格化速度分布，温度分布を示す．速度分布と温度分布は相似である．グラフ(b)に実距離 [nm] でそれらを示す．

伝熱係数と Nu：この例題のように，$Pr=0.7$ の場合，速度勾配の厳密解 0.332 に対して温度勾配は，

$$\theta_\mathrm{T}'(0)\approx 0.332\,Pr^{1/3}\,(=0.295) \tag{13.14}$$

と近似できる．よって，固体面から層流流体への強制対流伝熱は次式で表せることになる．

$$平板の局所:Nu_x=0.332\,Pr^{1/3}Re_x^{1/2} \tag{13.15}$$

$$平板平均\ :Nu=0.664\,Pr^{1/3}Re_\mathrm{L}^{1/2} \tag{13.16}$$

$\left(Nu=\dfrac{q}{\lambda(T_\mathrm{s}-T_\infty)/L}=\dfrac{hL}{\lambda}:\text{ヌッセルト数},\ Pr=\dfrac{c_p\mu}{\lambda}:\text{プラントル数},\right.$
$\left.Re_\mathrm{L}=\dfrac{\rho U_\infty L}{\mu}:\text{レイノルズ数}\right)$

13 伝熱

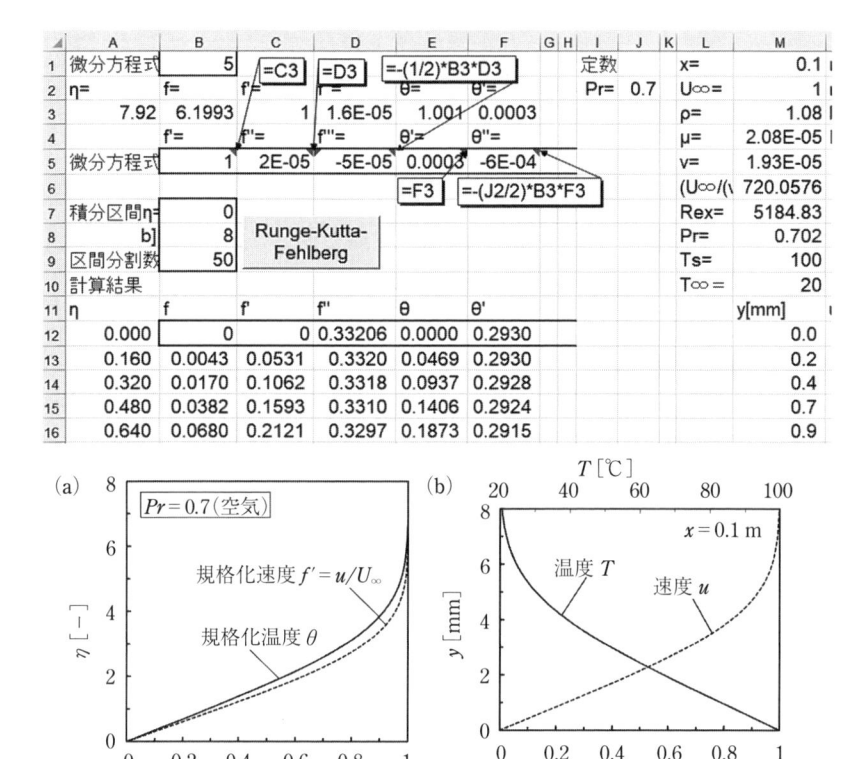

	A	B	C	D	E	F	G	H	I	J	K	L	M
1	微分方程式	5	=C3	=D3	=-(1/2)*B3*D3					定数	x=	0.1
2	η=		f'=		θ'=					Pr=	0.7	U∞=	1
3		7.92	6.1993	1	1.6E-05	1.001	0.0003					ρ=	1.08
4		f'=		f''=		f'''=	θ'=	θ''=					μ=	2.08E-05
5	微分方程式		1	2E-05	-5E-05	0.0003	-6E-04					ν=	1.93E-05
6						=F3	=-(J2/2)*B3*F3					(U∞/ν	720.0576
7	積分区間η=		0									Rex=	5184.83
8	b]		8	Runge-Kutta-								Pr=	0.702
9	区間分割数		50	Fehlberg								Ts=	100
10	計算結果											T∞=	20
11	η		f	f'	f''	θ	θ'					y[mm]	
12	0.000		0	0	0.33206	0.0000	0.2930					0.0	
13	0.160	0.0043	0.0531	0.3320	0.0469	0.2930						0.2	
14	0.320	0.0170	0.1062	0.3318	0.0937	0.2928						0.4	
15	0.480	0.0382	0.1593	0.3310	0.1406	0.2924						0.7	
16	0.640	0.0680	0.2121	0.3297	0.1873	0.2915						0.9	

図 13.7 温度境界層〈eche13_4.xlsm〉

ここで対流伝熱のパラメータである**伝熱係数** $h[\mathrm{W/(m^2\,K)}]$：

$$q = \frac{Q}{A} = h(T_\mathrm{s} - T_\infty) \qquad \left(h = \frac{\lambda}{\delta}\right) \tag{13.17}$$

が導入された．伝熱係数は熱伝導の「距離」が不明の対流伝熱に特徴的なパラメータであり，流体の熱伝導度 λ と境膜（境界層）厚さ δ の比である．

たとえば平板-空気間の伝熱では，境界層方程式の解に空気（300 K）の熱伝導率 $\lambda=0.0263\,\mathrm{W/(m\,K)}$，動粘度 $\nu=\mu/\rho=15.9\times10^{-6}\,\mathrm{m^2/s}$ を代入して，

$$Re_\mathrm{L} = \frac{uL}{15.9\times10^{-6}} = 62\,900\,uL, \quad Nu = \frac{h_\mathrm{c}L}{0.0263} = 0.664\,(62\,900\,uL)^{1/2}\,0.717^{1/3}$$

より，**強制対流伝熱**における伝熱係数が次式で概算できる．

$$h_\mathrm{c} = 3.92\,(u/L)^{1/2}\,[\mathrm{W/(m^2\,K)}] \tag{13.18}$$

また，**自然対流伝熱**における伝熱係数の概略値は次式である．

$$h_c = 2.51 C \left(\frac{\Delta T}{L}\right)^{0.25} \tag{13.19}$$

ただし ΔT は温度差，L は代表長さで形状により異なる．係数 C の値は水平平板で 0.52，垂直平板で 0.56 とされている．

放射伝熱：壁面 1-空間-壁面 2 間の放射伝熱（熱放射）の基礎式は次式である．

$$Q_r = F_{12} \varepsilon_1 \sigma A_1 (T_1^4 - T_2^4) \tag{13.20}$$

Q_r [J/s = W]：放射による伝熱量，F_{12} [-]：形態係数，ε_1 [-]：放射率，$\sigma = 5.675 \times 10^{-8}$ W/(m² K⁴)：ステファン・ボルツマン定数，A_1 [m²]：固体の伝熱表面積，T_1，T_2 [K]：壁面 1 および 2 の絶対温度．これを伝熱係数で書くと次式である．

$$\begin{aligned} h_r &= \frac{Q}{A(T_s - T_\infty)} = \frac{Q_r}{A_1(T_1 - T_2)} = F_{12}\varepsilon_1 \sigma \frac{(T_1^4 - T_2^4)}{(T_1 - T_2)} \\ &= F_{12}\varepsilon_1 \sigma \frac{(T_1^2 + T_2^2)(T_1^2 - T_2^2)}{(T_1 - T_2)} = F_{12}\varepsilon_1 \sigma (T_1^2 + T_2^2)(T_1 + T_2) \end{aligned} \tag{13.21}$$

【例題 13.5】 伝導，対流，放射の複合伝熱〈eche13_5.xlsx〉

水平に置かれた厚さ $\delta = 4$ mm，50×50 mm 角のアルミナ板（熱伝導度 $\lambda = 25$ W/(m K)，表面積 $A = 0.0025$ m²）の底面に消費電力 1.0 W の電気回路があり発熱している（図 13.8）．アルミナ板表面から温度 $T_\infty = 300$ K の空気中へ自然対流と熱放射で放熱されるとき，底面の温度 T_0 を求めよ．

〈解答例〉

発熱量 $Q_0 = 1.0$ W である．板の表面温度を T_w とすると次式が成立する．

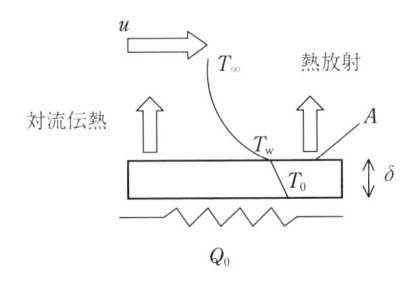

図 13.8 電子機器の放熱

	A	B	C	D	E	F	G
1	Tw	337.9	K	=2.51*0.52*((B1-B2)/0.05)^0.25			
2	T∞	300	K				
3	hc	6.85	W/m2-K	=0.5*5.675e-8*(B1^2+B2^2)*(B1+B2)			
4	hr	3.70	W/m2-K				
5	h	10.55	W/m2-K	=B4+B3			
6	A	0.0025	m2				
7	hA(Tw-T∞)	1.000	W	=B5*B6*(B1-B2)			
8	Q	1.0	W				
9	hA(Tw-T∞)-Q	-8.45E-05		=B7-B8			

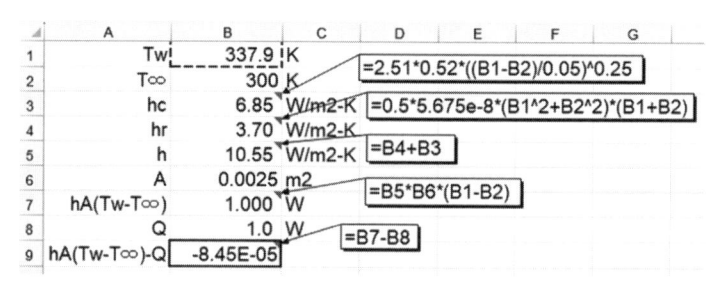

図 13.9 電子機器の放熱〈eche13_5.xlsx〉

$$Q_0 = \lambda A(T_0 - T_w)/\delta = hA(T_w - T_\infty) \tag{13.22}$$

ここで，伝熱係数は次式で与えられる．

$$h = h_c + h_r \tag{13.23}$$

$$h_c = 2.51 C \left(\frac{T_w - T_\infty}{L}\right)^{0.25} = 2.51 \times 0.52 \times \left(\frac{T_w - T_\infty}{0.05}\right)^{0.25} \tag{13.24}$$

$$h_r = 0.5 \times 5.675 \times 10^{-8} (T_w^2 + T_\infty^2)(T_w + T_\infty) \tag{13.25}$$

これらの式は全体で T_w についての非線形方程式である．図13.9のExcelシートで**セル B3：B5** に式(13.23)～(13.25)を記述し，式(13.22)の残差を **B9** につくる．**ゴールシークで数式入力セル：B9，目標値：0，変化させるセル：B1** として**実行**すると，$T_w = 338$ K と求まる．また，$Q_0 = \lambda A(T_0 - T_w)/\delta$ より，$(T_0 - T_w) = 0.064$ K となる．

【例題 13.6】 伝導と対流の複合伝熱—缶ビールの冷却—〈eche13_6.xlsm〉

30°Cの缶ビールを空気温度 $T_\infty = 5$°C の冷蔵庫内で冷やす．缶ビールは半径 $R = 3.3$ cm の円筒状固体（水の物性値）として LDF モデルを，空気側は自然対流の伝熱係数 h が適用できるとして，冷却の様子を示せ．なお，式(13.19)から自然対流の伝熱係数 $h = 5.7$ W/(m² K) である（Excel シート参照）．

〈解答例〉

缶内の平均温度を $\overline{T}$，缶表面温度を T_s とする（図13.10）．円柱材料内の非定常伝熱にLDFモデル（式(13.10)）を適用すると次式である．

$$\frac{d\overline{T}}{dt} = \frac{8}{R^2}\alpha(T_s - \overline{T}) \tag{13.26}$$

13.2 対 流 伝 熱

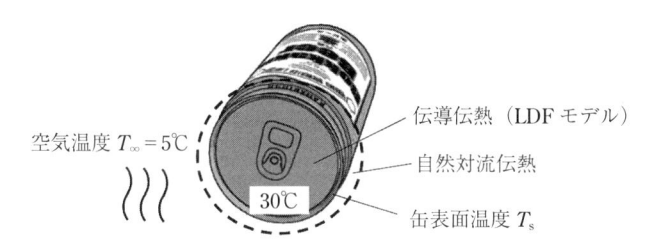

図 13.10 伝導と対流の複合伝熱(缶ビールの冷却)

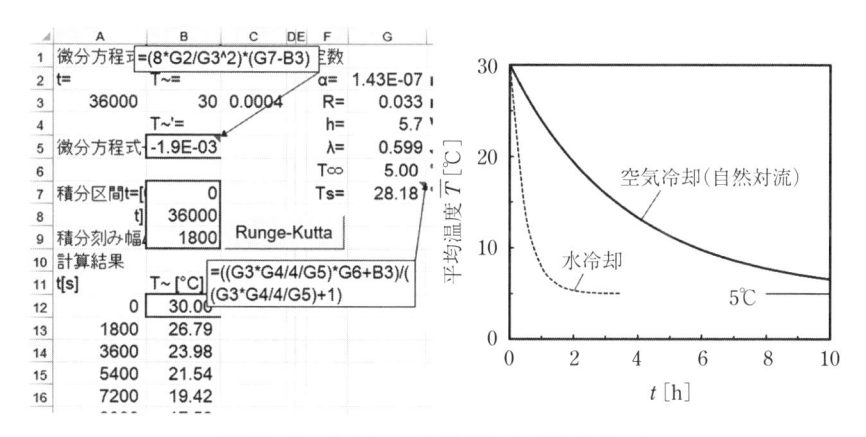

図 13.11 缶ビールの冷却〈eche13_6.xlsm〉

缶表面の空気境膜を通しての対流伝熱は熱流束 $q[\mathrm{J/(m^2\,s)}]$ について，
$$q = h(T_s - T_\infty) \tag{13.27}$$
である．両式から T_s を消去する．単位長さ円柱材料の熱収支：

円柱側面からの伝熱(式(13.27))：$2\pi R q = 2\pi R h(T_s - T_\infty)$

材料の温度変化(式(13.26))：$(\pi R^2)(\rho C_p)\dfrac{\mathrm{d}\overline{T}}{\mathrm{d}t} = (\pi R^2)\dfrac{8\lambda}{R^2}(T_s - \overline{T})$

で両者の和が 0 より，T_s が次式となる．
$$T_s = \frac{(Rh/4\lambda)\,T_\infty + \overline{T}}{(Rh/4\lambda) + 1} \tag{13.28}$$

図 13.11 の常微分方程式解法シートで，**G7** で式(13.28)の T_s を計算して，**B5** に式(13.26)を入れて積分する．求めた冷却の様子を右グラフに示す．10 時間で 6.5℃ まで冷える．グラフに水冷却の場合($T_s = 5$℃)と比較した．

【例題 13.7】 フィンの伝熱[32,p.210] ⟨eche13_7.xlsm⟩

$T_b=350$°C の壁面に $t=0.005$ m,$w=0.1$ m,$L=0.05$ m,$\lambda=235$ W/(m K) の矩形フィンを設置した（図 13.12）.周囲流体温度 $T_\infty=25$°C,流体-フィン間の伝熱係数 $h=154$ W/(m² K) のとき,フィンの温度分布と放熱量を求めよ.

⟨解答例⟩

フィンの長さ方向温度分布 $T(x)$ に関する基礎式が次式となる[33,p.141].

$$0=\lambda\frac{d^2T}{dx^2}-\frac{hP}{A_c}(T-T_\infty) \tag{13.29}$$

ここで $P=2w+2t$,$A_c=wt$ である.この 2 階常微分方程式をフィン内の熱流束 $q=-\lambda\frac{dT}{dx}$ を用いて q,T に関する次式の連立常微分方程式とする.

$$\begin{cases} \dfrac{dT}{dx}=-\dfrac{1}{\lambda}q \\ \dfrac{dq}{dx}=-\dfrac{hP}{A_c}(T-T_\infty) \end{cases} \tag{13.30}$$

このとき初期値のうち $T(0)=T_b$ であるが,$q(0)$ が不明なので,$q(L)=0$ となる $q(0)$ を試行計算して求める.

図 13.13 の常微分方程式解法シートで,**B5:C5** に式(13.30)を記述する.**G 列**に各設定値を入れ,積分を実行する.$q(0)$ の初期値(**C12**)について試行計算を行い,積分区間終端で $q(L)=0$ となる $q(0)$ を求める.得られた温度分布を右グラフに示す.フィンの放熱量は,$q(0)\times A_c=431$ W である.

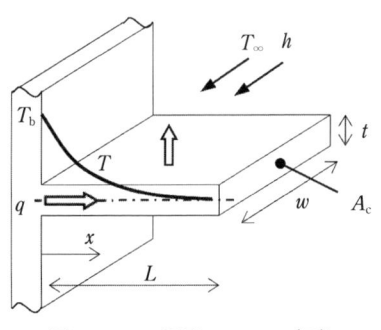

図 13.12 矩形フィンの伝熱

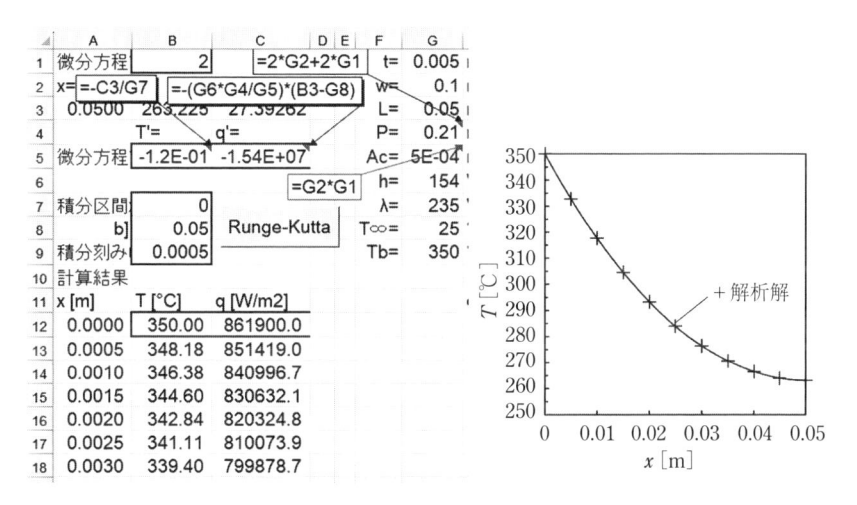

	A	B	C	D	E	F	G
1	微分方程		2	=2*G2+2*G1		t=	0.005
2	x=	=-C3/G7	=-(G6*G4/G5)*(B3-G8)		w=	0.1
3		0.0500	263.225	27.39262		L=	0.05
4		T'=		q'=		P=	0.21
5	微分方程	-1.2E-01	-1.54E+07			Ac=	5E-04
6				=G2*G1		h=	154
7	積分区間		0			λ=	235
8		b]	0.05	Runge-Kutta		T∞=	25
9	積分刻み		0.0005			Tb=	350
10	計算結果						
11	x [m]	T [°C]	q [W/m2]				
12	0.0000	350.00	861900.0				
13	0.0005	348.18	851419.0				
14	0.0010	346.38	840996.7				
15	0.0015	344.60	830632.1				
16	0.0020	342.84	820324.8				
17	0.0025	341.11	810073.9				
18	0.0030	339.40	799878.7				

図 13.13 フィンの伝熱〈eche13_7.xlsm〉

なお，断面積一定フィン伝熱における温度分布の解析解は $m^2 \equiv hP/(\lambda A_c)$ として次式である[33,p.144]．グラフ中で比較した．

$$\frac{T-T_\infty}{T_b-T_\infty} = \frac{\cosh\{m(L-x)\}}{\cosh(mL)} \tag{13.31}$$

13.3 熱交換器

熱交換器はエネルギー有効利用のため化学プロセスで多く使用される．図13.14は多管式熱交換器のモデルである．高温流体(H)から管壁を通して低温流体(C)へ熱移動が生じる．高温，低温各流体の流れの方向により並流式と向流式がある．

図の熱交換器モデルにおいて高温流体，低温流体の流量 w_H[kg/s]，w_C，熱容量 C_{pH}[J/(kg K)]，C_{pC}，熱流束 q[W/m²]とする．流体温度による熱流量 Q[J/s=W]（$Q=wC_pT$）に関して，流れ方向プラグフローモデルによる微分エネルギー収支は高温流体と低温流体について次式である．

$$\begin{cases} \dfrac{dQ_H}{dA} = \pm q \\ \dfrac{dQ_C}{dA} = q \end{cases} \tag{13.32}$$

（±）は並流が（−），向流が（+）である．変数を温度にして式(13.33)とする．

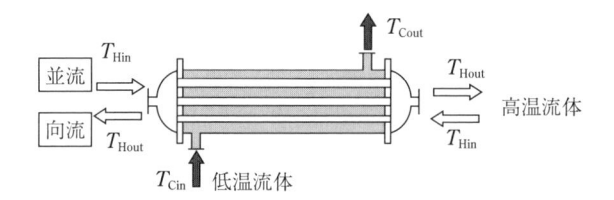

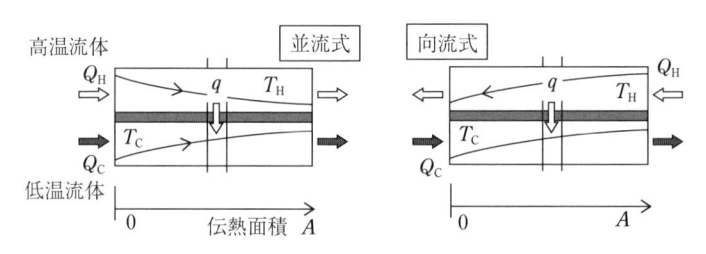

図 13.14 熱交換器のモデル

$$\begin{cases} w_H C_{pH} \dfrac{dT_H}{dA} = \pm q \\ w_C C_{pC} \dfrac{dT_C}{dA} = q \end{cases} \tag{13.33}$$

管壁の熱流束 q を総括伝熱係数 $U[\mathrm{W/(m^2\,K)}]$ で表すと次式：

$$q = U(T_H - T_C) \tag{13.34}$$

なので，式(13.33)が温度 T_H, T_C と A に関する連立常微分方程式となる．

$$\begin{cases} \dfrac{dT_H}{dA} = \pm \dfrac{1}{w_H C_{pH}} U(T_H - T_C) \\ \dfrac{dT_C}{dA} = \dfrac{1}{w_C C_{pC}} U(T_H - T_C) \end{cases} \tag{13.35}$$

この式を $A=0$ から積分して，所定の T_H, T_C になる A が必要な伝熱面積である．この微分方程式を用いる伝熱面積の計算法を以下の例題で示す．

さらに上式を伝熱面積 $A[0, A]$ で積分して，対数平均温度差 ΔT_{lm} を導入し，次式で伝熱面積を簡単に表すことができる[*1]．

$$\Delta Q = UA\Delta T_{\mathrm{lm}} \quad \left(\Delta T_{\mathrm{lm}} \equiv \dfrac{(\Delta T_A - \Delta T_0)}{\ln(\Delta T_A / \Delta T_0)} \right) \tag{13.36}$$

ここで，$\Delta Q[\mathrm{W}]$ は熱交換量($=\pm\Delta Q_H = \Delta Q_C = qA$)であり，$\Delta T_0$, ΔT_A は $A=0$ および $A=A$(左右端)の温度差であり，次式である(図 13.14 参照)．

並流：$\Delta T_0 = T_{Hin} - T_{Cin}$, $\Delta T_A = T_{Hout} - T_{Cout}$ (13.37)

向流：$\Delta T_0 = T_{Hout} - T_{Cin}$, $\Delta T_A = T_{Hin} - T_{Cout}$ (13.38)

熱交換器の伝熱面積の計算は対数平均温度差を用いた式(13.36)による方法が普通である．

【例題 13.8】 熱交換器の性能[34]〈eche13_8.xlsx〉

向流の熱交換器により温度 $T_1 = 80$°C の高温流体で温度 $t_1 = 25$°C の低温流体を加熱する．それぞれの出口温度 T_2, t_2 を求めよ．高温流体は流量 $W = 0.3$ kg/s，熱容量 $C_p = 1800$ J/(kg K)，低温流体は $w = 0.15$ kg/s，$c_p = 4200$ J/(kg K)，また熱交換器の伝熱面積 $A = 5$ m²，**総括伝熱係数** $U = 464$ J/(s m² K) とする．

〈解答例〉

向流の場合，流体の温度変化が図 13.15 のようになり，各温度変化と伝熱量 Q[J/s] との関係が次式である．

$$Q = WC_p(T_1 - T_2), \quad Q = wc_p(t_2 - t_1) \quad (13.39), (13.40)$$

また，熱交換器の伝熱速度式は，

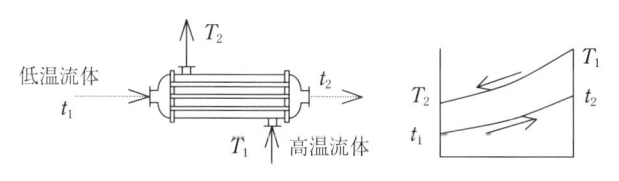

図 13.15 熱交換器(向流)

---

*1： 向流の場合を示すと，式(13.33) より

$$q\mathrm{d}A = w_H C_{pH} \mathrm{d}T_H = w_C C_{pC} \mathrm{d}T_C = \frac{\mathrm{d}(T_H - T_C)}{1/w_H C_{pH} - 1/w_C C_{pC}} = \frac{\mathrm{d}(\Delta T)}{m} \quad (a)$$

である．これと $q = U(T_H - T_C) = U\Delta T$ より，$mU\mathrm{d}A = \frac{\mathrm{d}(\Delta T)}{\Delta T}$ である．この式を

$A = 0; \Delta T_0 = (T_{Hout} - T_{Cin})$, $A = A; \Delta T_A = (T_{Hin} - T_{Cout})$

間で積分して次式となる．

$$mUA = \ln(\Delta T_A / \Delta T_0)$$

また，式(a) の積分形は，$qA = \Delta Q = \frac{(\Delta T_A - \Delta T_0)}{m}$ なので，m を消去して式(13.36) となる．

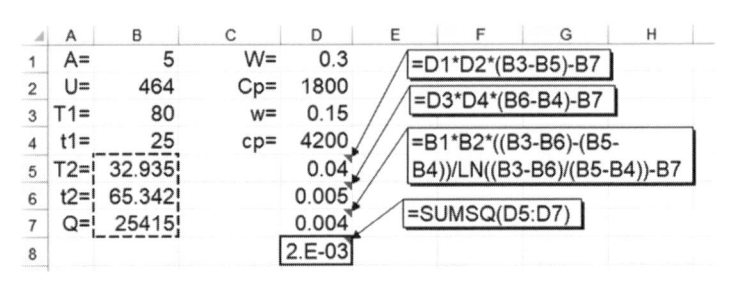

	A	B	C	D	E	F	G	H
1	A=	5	W=	0.3		=D1*D2*(B3-B5)-B7		
2	U=	464	Cp=	1800		=D3*D4*(B6-B4)-B7		
3	T1=	80	w=	0.15				
4	t1=	25	cp=	4200		=B1*B2*((B3-B6)-(B5-		
5	T2=	32.935		0.04		B4))/LN((B3-B6)/(B5-B4))-B7		
6	t2=	65.342		0.005				
7	Q=	25415		0.004		=SUMSQ(D5:D7)		
8				2.E-03				

図 13.16 熱交換器の性能〈eche13_8.xlsx〉

$$Q = UA(\Delta t) = UA(\Delta t)_{\mathrm{lm}} = UA \frac{(T_1 - t_2) - (T_2 - t_1)}{\ln\{(T_1 - t_2)/(T_2 - t_1)\}} \quad (13.41)$$

である．平均温度差 Δt には**対数平均温度差** $(\Delta t)_{\mathrm{lm}}$ が用いられる．

したがって，問題は三つの未知数 Q，T_2，t_2 に関する連立方程式(13.39)～(13.41)を解くことになる．図13.16のシートにおいて，設定温度など定数を **B1：B4**，**D1：D4** に書く．**B5：B7** に未知数の初期値を入れ，**D5：D7** に式(13.39)～(13.41)の残差を書く．**D8** にその2乗和を設定し，**ソルバー**で**目的セルの設定：D8**，**目標値：最小値**，**変数セルの変更：B5：B7** を指定し，**解決**することで解が得られる．

【例題 13.9】 熱交換器の性能―微分方程式解法―〈eche13_9.xlsm〉

流量 $w_{\mathrm{H}}=0.5$ kg/s，$T_{\mathrm{Hin}}=375$ K のオイル(高温流体)($C_{pH}=2090$ J/(kg K))を，流量 $w_{\mathrm{C}}=0.201$ kg/s，$T_{\mathrm{Cin}}=280$ K の水(低温流体)($C_{pC}=4177$)で，$T_{\mathrm{Hin}}=350$ K に冷却する．総括伝熱係数 $U=250$ W/m^2 K として，並流，向流のそれぞれについて，連立常微分方程式(13.31)により必要な伝熱面積 A [m^2] を求めよ．

〈解答例〉

高温流体側の条件より熱交換器の伝熱量は，$\Delta Q = w_{\mathrm{H}} C_{pH}(T_{\mathrm{Hin}} - T_{\mathrm{Hout}}) = 26\,125$ W．低温流体側の条件より，$\Delta Q = w_{\mathrm{C}} C_{pC}(T_{\mathrm{Cin}} - T_{\mathrm{Cout}})$ から，$T_{\mathrm{Cout}}=311.1$ K である．

並流について，常微分方程式解法シート(図13.17)で T_{H}，T_{C} に関する連立常微分方程式(13.35)を **B5**，**C5** に記述し，初期値 T_{Hin}，T_{Cin}(**B12**，**C12**)から伝熱面積 A に関して積分する．T_{Hout}，T_{Cout} になる $A=1.66$ m^2 が並流の解である．

13.3 熱交換器

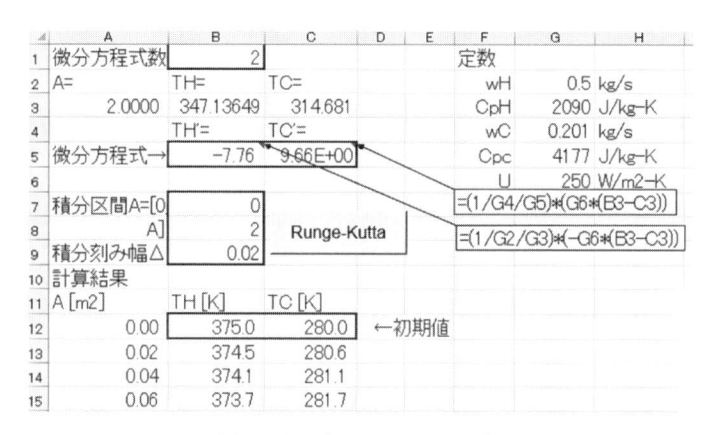

	A	B	C	D	E	F	G	H
1	微分方程式数		2			定数		
2	A=	TH=	TC=			wH	0.5	kg/s
3	2.0000	347.13649	314.681			CpH	2090	J/kg-K
4		TH'=	TC'=			wC	0.201	kg/s
5	微分方程式→	-7.76	9.66E+00			Cpc	4177	J/kg-K
6						U	250	W/m2-K
7	積分区間A=[0	0				=(1/G4/G5)*(G6*(B3-C3))		
8	A]	2		Runge-Kutta				
9	積分刻み幅Δ	0.02				=(1/G2/G3)*(-G6*(B3-C3))		
10	計算結果							
11	A [m2]	TH [K]	TC [K]					
12	0.00	375.0	280.0	←初期値				
13	0.02	374.5	280.6					
14	0.04	374.1	281.1					
15	0.06	373.7	281.7					

図 13.17 並流式熱交換器(微分方程式解法)〈eche13_9.xlsm〉

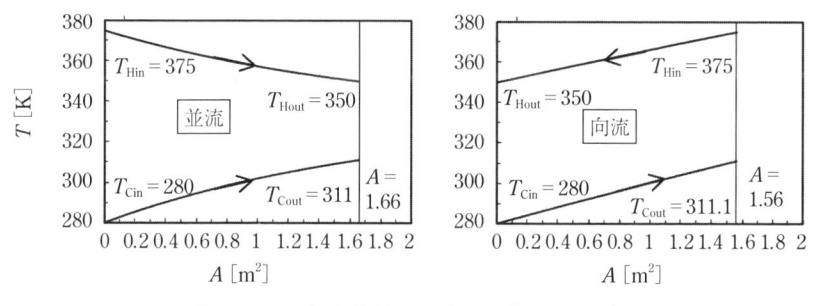

図 13.18 熱交換器の温度分布(例題 13.9)

また，向流は，向流の連立常微分方程式(13.35)を初期値 T_{Hout}，T_{Cin} から積分する(別シート)．$A=1.56$ m² が向流の解である．図 13.18 に温度分布を示す．

なお，対数平均温度差を用いた積分式(13.37)による解は以下のようである．

$$並流：\Delta T_{\text{lm}} = \frac{38.9-95}{\ln(38.9/95)} = 62.8 \text{ K}, \quad A = \frac{26125}{250 \times 62.8} = 1.66 \text{ m}^2$$

$$向流：\Delta T_{\text{lm}} = \frac{63.9-70}{\ln(63.9/70)} = 66.9 \text{ K}, \quad A = \frac{26125}{250 \times 66.9} = 1.56 \text{ m}^2$$

【例題 13.10】 熱交換器システムの性能[8,p.82]〈eche13_10.xlsx〉

図 13.19 は高温排ガスにより原料の予熱を行うための四つの向流型熱交換器で構成されたプロセスである．各流体の入口の流量と温度が図 13.20 の**セル D2：E5 および B6：B8** のように与えられたとき，各出口温度 $t_1 \sim t_8$ を求め

13 伝　熱

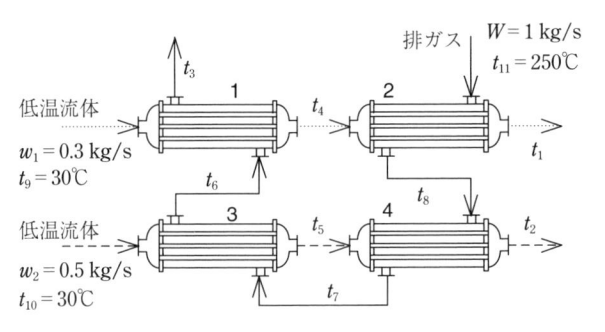

図 13.19　熱交換器システム

図 13.20　熱交換器システムの性能〈eche13_10.xlsx〉
[化学工学会編，"BASICによる化学工学プログラミング"，培風館(1985)，p.82，例題7.1をもとに作成］

よ．ただし，すべての熱交換器の総括伝熱係数，伝熱面積は等しく，$UA = 1000\,\mathrm{J/(s\,K)}$ である．また，排ガス，低温流体の熱容量はそれぞれ，$C_p = 1052\,\mathrm{J/(kg\,K)}$，$c_{p1} = c_{p2} = 4575\,\mathrm{J/(kg\,K)}$ である．

⟨解答例⟩

個々の熱交換器で例題13.8のような非線形連立方程式が成り立つが，これを四つの熱交換器で同時に解くのは難しいので，普通は連立方程式を線形化して取り扱う．式(13.39)～(13.41)から Q を消去して未知数を二つにすることにより，たとえば熱交換器1における出口温度は入口温度の線形関数として次のように表せる[8,p.82]．

$$\begin{cases} t_3 = a_1 t_6 + b_1 t_9 \\ t_4 = c_1 t_6 + d_1 t_9 \end{cases} \qquad (13.42)$$

ただし a，b，c，d は以下の既知の定数である．

$$a_1 = \frac{R-1}{kR-1}, \quad b_1 = \frac{R(k-1)}{kR-1}, \quad c_1 = \frac{k-1}{kR-1}, \quad d_1 = \frac{k(R-1)}{kR-1}$$

$$R = w_1 c_p / W C_p, \quad k = \exp\{(UA/w_1 c_p)(R-1)\}$$

他の熱交換器も同様に以下の式，

$$\begin{cases} t_8 = a_2 t_{11} + b_2 t_4 \\ t_1 = c_2 t_{11} + d_2 t_4 \end{cases} \quad \begin{cases} t_6 = a_3 t_7 + b_3 t_{10} \\ t_5 = c_3 t_7 + d_3 t_{10} \end{cases} \quad \begin{cases} t_7 = a_4 t_8 + b_4 t_5 \\ t_2 = c_4 t_8 + d_4 t_5 \end{cases}$$

$$(13.43) \sim (13.45)$$

となる．これらを整理すると，システム全体の熱収支が図13.20中の**A9：K16**に示した行列式で表せる．

この8元連立1次方程式の解を**行列演算関数**により求める．解を記入する**セル範囲 A18：H25** を選択し，"**=MINVERSE(A9：H16)**" を配列数式入力する(**配列数式入力**では範囲を指定し，式を **Shift＋Ctrl＋Enter** で入力する)．次に **L18：L25** を選択し，"**=MMULT(A18：H25, I18：I25)**" を配列数式入力することで，**L18：L25** に連立1次方程式の解が得られる．

このように Excel 上の関数で計算シートを作成すると，パラメータ(たとえば排ガス温度 t_{11}(**B8**))を変えた場合の結果が直ちに得られる．

13.4 熱 応 答

物体・流体には「熱容量」があるため，その温度を変えるには時間を要する．これを考えるのが熱応答の問題である．撹拌槽の伝熱問題を例に示すが，これは伝熱係数 h を適切にとればどんなシステムでも同様に扱える．

図13.21のように，表面温度 T_0 の加熱・冷却コイルで撹拌槽内の液温 T を

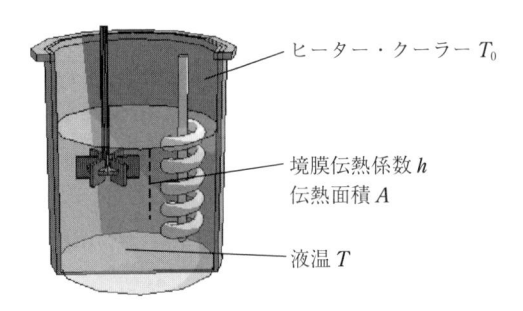

図 13.21 撹拌槽の熱応答

変えることを考える．時間を t[s]，液量を V[kg]，液の熱容量を C_p[J/(kg K)]，コイルの伝熱面積を A[m^2]，コイル-槽液間の伝熱係数を h[J/(m^2 s K)] とする．熱収支((液温の上昇速度)=(伝熱速度))から，

$$C_p V \frac{dT}{dt} = hA(T_0 - T) \tag{13.46}$$

が基礎式となる．整理すると，

$$T' = (1/\tau)(T_0 - T) \qquad (\tau = C_p V / hA) \tag{13.47}$$

である．ここで τ は「時定数」とよばれるパラメータである．

【例題 13.11】 周期変化の熱応答〈eche13_11.xlsm〉

$\tau = 50$ の系において，はじめの液温 $T = 30$°C から，加熱・冷却コイル温度を $T_0 = a\sin(bt) + 30$ と周期的に変化させる場合の液温変化を求めよ．$a = 10$，$b = 0.04$ とする．

〈解答例〉
系の特性である式(13.47)と T_0 を微分した次式：

$$T_0' = (10 \times 0.04)\cos(0.04t) \qquad (初期条件\ t = 0 ; T_0 = 30) \tag{13.48}$$

の連立常微分方程式を解く問題となる．図 13.22 の「微分方程式解法シート」で，**セル B5：C5** に連立常微分方程式，式(13.47)，(13.48)を記述し，初期値を **B12：C12** に設定して**ボタン**クリックで実行する．結果を図 13.22 中のグラフで示す．

13.4 熱応答

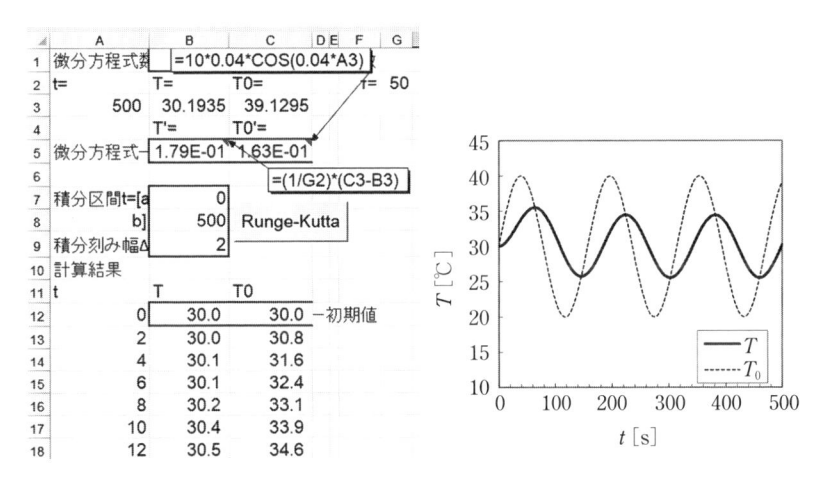

図 13.22 周期変化の熱応答〈eche13_11.xlsm〉

次に加熱と冷却が同時に起こる系を考える(図 13.23)．温度 T の撹拌槽内液が，温度 T_1 のヒーターで加熱され，外気温 T_2 で冷却される．この系の熱収支は次式となる．

$$C_p V \frac{dT}{dt} = h_1 A_1 (T_1 - T) + h_2 A_2 (T_2 - T) \tag{13.49}$$

この式は，$\tau_i = C_p V / (h_i A_i)$ と置くと，

$$T' = (1/\tau_1)(T_1 - T) + (1/\tau_2)(T_2 - T) \tag{13.50}$$

である．

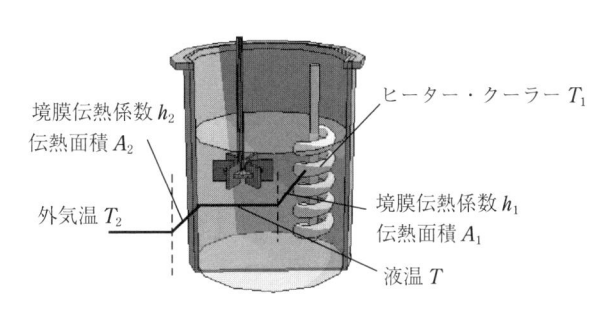

図 13.23 加熱・冷却のある撹拌槽

【例題 13.12】 加熱・冷却槽の温度応答〈eche13_12.xlsm〉

時定数が $\tau_1 = 50$, $\tau_2 = 200$ として，$T_1 = T = T_2 = 20°C$ の状態から，ヒーター温度 T_1 を $120°C$ に上げた場合，および元に戻した場合の T の応答を示せ．

〈解答例〉

微分方程式(13.50)で T_1 を変化させる．図 13.24 は「微分方程式解法シート」で，**B5** に式(13.50)を記述する．定数を **G2**：**G5** に書くが，このとき T_1 について $t = 50$ s から $T_1 = 120$, $t = 250$ から $T_1 = 20$ とする．**ボタンクリック**で積分を実行することで T の応答が示される．図中の**グラフ**のように，T は exp 型の応答を示す．

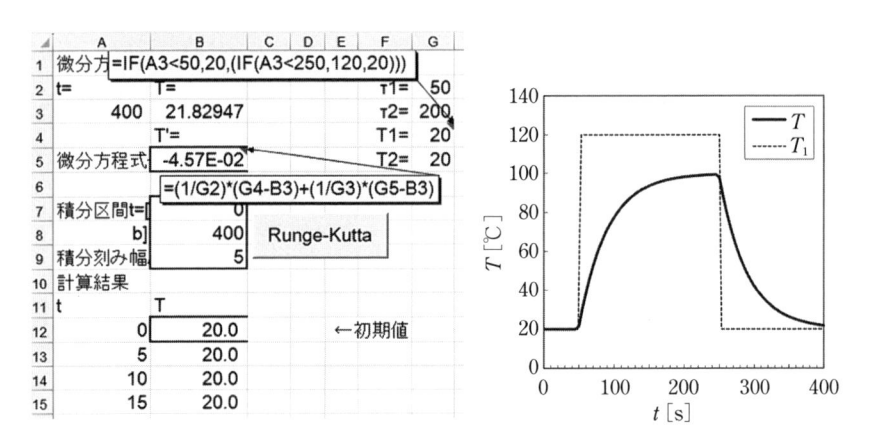

図 13.24 加熱・冷却槽の温度応答〈eche13_12.xlsm〉

14 反応工学

平衡計算，触媒反応層の計算など反応工学の化工計算は，従来その複雑さにより大型計算機での計算に頼らざるを得なかった．しかし，以下のようにExcelの活用でパソコン上でも取り扱えるようになる．

14.1 平衡定数と平衡反応率

【例題 14.1】 アンモニアの平衡反応率〈eche14_1.xlsx〉

アンモニア生成反応： $N_2 + 3H_2 \longrightarrow 2NH_3$ の400℃，100気圧における平衡反応率を求めよ．

〈解答例〉

まず約束温度($T_0 = 298.15$ K)における反応の**平衡定数** K_{298} を求める．図14.1のシートで**セル C3：C5** に各成分の標準生成Gibbsエネルギー ΔG_f° を示した．ν_i を反応の化学量論係数(**B3：B5**)として，

$$\ln K_{298} = \frac{-1}{RT_0} \sum_i \nu_i \Delta G_{fi}^\circ \tag{14.1}$$

から，**B7** のように K_{298} が得られる(R：気体定数)．

次に平衡定数への温度の影響を考慮して，$T = 673$ K($=400$℃)における平衡定数 K_T を求める．Gibbs-Helmholtz式を温度 T で積分すれば，平衡定数の温度依存性に関して次式の関係が得られる．

$$\ln K_T = \frac{1}{R} \int_{T_0}^{T} \frac{\Delta H_r}{T^2} dT + C \quad (C：任意の積分定数) \tag{14.2}$$

ΔH_r は温度 T における反応熱である．以下では浅野[7]にならって具体的計算法を示す．いま気体の熱容量 C_p[J/(mol K)]を3次式：

$$C_p = a + bT + cT^2 + dT^3 \tag{14.3}$$

154　14 反応工学

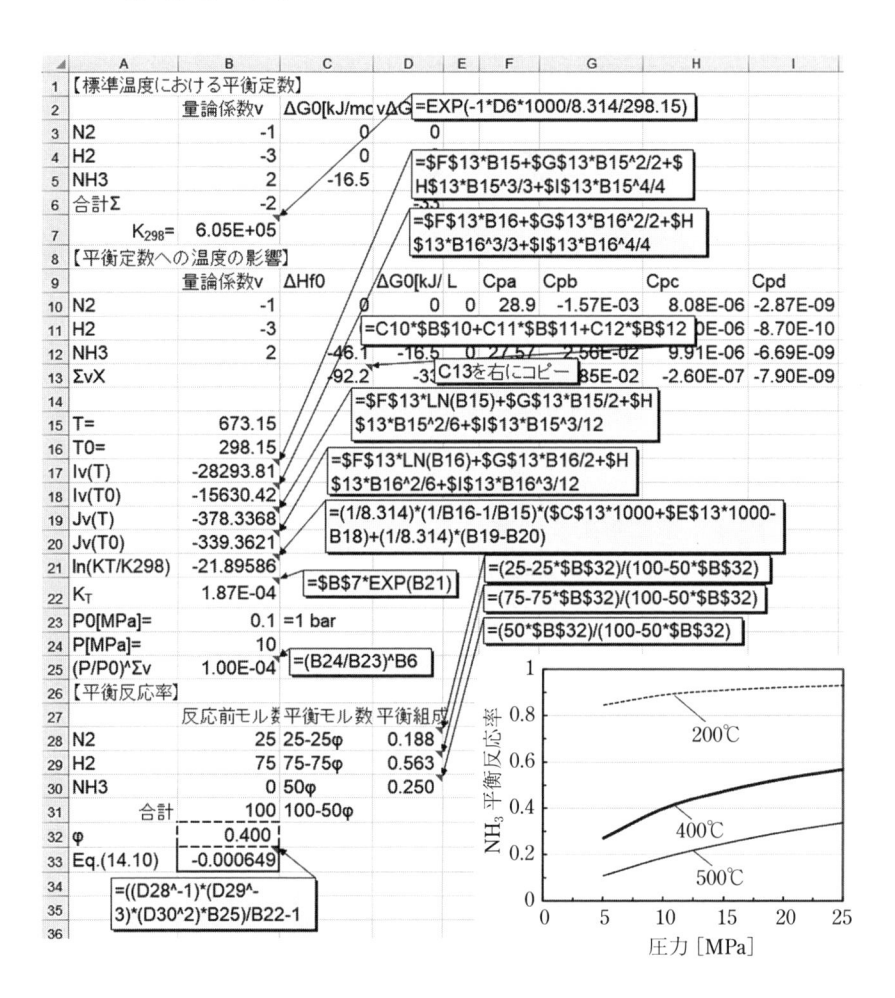

	A	B	C	D	E	F	G	H	I
1	【標準温度における平衡定数】								
2		量論係数v	ΔG0[kJ/mc	vΔG	=EXP(-1*D6*1000/8.314/298.15)				
3	N2	-1	0	0					
4	H2	-3			=$F$13*B15+$G$13*B15^2/2+$H$13*B15^3/3+$I$13*B15^4/4				
5	NH3	2	-16.5						
6	合計Σ	-2			=$F$13*B16+$G$13*B16^2/2+$H$13*B16^3/3+$I$13*B16^4/4				
7	K₂₉₈=	6.05E+05							
8	【平衡定数への温度の影響】								
9		量論係数v	ΔHf0	ΔG0[kJ/	L	Cpa	Cpb	Cpc	Cpd
10	N2	-1	0	0	0	28.9	-1.57E-03	8.08E-06	-2.87E-09
11	H2	-3		=C10*$B$10+C11*$B$11+C12*$B$12			0E-06	-8.70E-10	
12	NH3	2	-46.1	-16.5		C13を右にコピー		9.91E-06	-6.69E-09
13	ΣvX		-92.2	-33			85E-02	-2.60E-07	-7.90E-09
14									
15	T=	673.15		=$F$13*LN(B15)+$G$13*B15/2+$H$13*B15^2/6+$I$13*B15^3/12					
16	T0=	298.15							
17	Iv(T)	-28293.81		=$F$13*LN(B16)+$G$13*B16/2+$H$13*B16^2/6+$I$13*B16^3/12					
18	Iv(T0)	-15630.42							
19	Jv(T)	-378.3368		=(1/8.314)*(1/B16-1/B15)*($C$13*1000+E$13*1000-B18)+(1/8.314)*(B19-B20)					
20	Jv(T0)	-339.3621							
21	ln(KT/K298)	-21.89586				=(25-25*$B$32)/(100-50*$B$32)			
22	K_T	1.87E-04		=$B$7*EXP(B21)					
23	P0[MPa]=	0.1	=1 bar			=(75-75*$B$32)/(100-50*$B$32)			
24	P[MPa]=	10							
25	(P/P0)^Σv	1.00E-04	=(B24/B23)^B6			=(50*$B$32)/(100-50*$B$32)			
26	【平衡反応率】								
27		反応前モル数	平衡モル数	平衡組成					
28	N2	25	25-25φ	0.188					
29	H2	75	75-75φ	0.563					
30	NH3	0	50φ	0.250					
31	合計	100	100-50φ						
32	φ		0.400						
33	Eq.(14.10)		-0.000649						
34		=((D28^-1)*(D29^-3)*(D30^2)*B25)/B22-1							
35									
36									

図 14.1　アンモニア生成反応の平衡反応率〈eche14_1.xlsx〉

で表せば，温度 T における反応熱は，$I_i(T) = a_i T + (b_i/2) T^2 + (c_i/3) T^3 + (d_i/4) T^4$ とすると，

$$\Delta H_r = H_r^\circ + \sum_i \nu_i \cdot L_{vi}^\circ + \sum_i \nu_i \cdot \{I_i(T) - I_i(T_0)\} \tag{14.4}$$

である．これを式(14.2)に代入して整理すると以下の関係が得られる．

$$\ln\left(\frac{K_T}{K_{298}}\right) = \frac{1}{R}\left(\frac{1}{T_0} - \frac{1}{T}\right)\{\sum_i \nu_i \Delta H_{fi}^\circ + \sum_i \nu_i \Delta L_{vi}^\circ - I_\nu(T_0)\}$$
$$+ \frac{1}{R}\{J_\nu(T) - J_\nu(T_0)\} \tag{14.5}$$

$$I_\nu(T) = a_\nu T + (b_\nu/2)\,T^2 + (c_\nu/3)\,T^3 + (d_\nu/4)\,T^4 \tag{14.6}$$

$$J_\nu(T) = a_\nu \ln T + (b_\nu/2)\,T + (c_\nu/6)\,T^2 + (d_\nu/12)\,T^3 \tag{14.7}$$

$$a_\nu = \sum_i \nu_i a_i,\quad b_\nu = \sum_i \nu_i b_i,\quad c_\nu = \sum_i \nu_i c_i,\quad d_\nu = \sum_i \nu_i d_i \qquad (14.8\,\mathrm{a}) \sim (14.8\,\mathrm{d})$$

($\Delta H_\mathrm{f}^\circ$：標準生成熱，$\Delta L_\mathrm{v}^\circ$：標準蒸発熱)

C10：C12 に $\Delta H_\mathrm{f}^\circ$，**E10：E12** に $\Delta L_\mathrm{v}^\circ$，**F10：I12** に各気体の熱容量式の係数を書き，これらに量論係数を乗じた和を **C13：I13** に作成する．**B17：B20** に式(14.6)，(14.7)を計算し，最終的に式(14.5)を **B21** に求める．以上により **B22** に K_T が得られた．

最後に反応ガスの平衡組成を求める．アンモニアの**平衡反応率**を φ として，原料 100 mol 基準での各成分の反応前のモル数は **B28：B30** のよう，反応後のモル数は **C28：C30** のようである．平衡における各成分のモル分率を $x_{\mathrm{E}i}$，全圧 P，標準圧力 $P_0(=100\,\mathrm{kPa})$ とすれば，

$$K_\mathrm{T} = \left(\prod_i x_{\mathrm{E}i}^{\nu_i}\right)\left(\frac{P}{P_0}\right)^{\sum_i \nu_i} \tag{14.9}$$

なので，φ に関する方程式が次式となる．

$$\begin{aligned}
&\left(\prod_i x_{\mathrm{E}i}^{\nu_i}\right)\left(\frac{P}{P_0}\right)^{\sum_i \nu_i}/K_\mathrm{T} - 1 \\
&= \left(\frac{25 - 25\varphi}{100 - 50\varphi}\right)^{-1}\left(\frac{75 - 75\varphi}{100 - 50\varphi}\right)^{-3}\left(\frac{50\varphi}{100 - 50\varphi}\right)^{2} \times \left(\frac{10.1}{0.101}\right)^{-2}\left(\frac{1}{K_{698}}\right) - 1 = 0
\end{aligned} \tag{14.10}$$

この式の( )内を **D28：D30** に求め，式(14.10)の左辺を **B33** に書く．φ の初期値を **B32** に設定し，**ゴールシークで数式入力セル：B33，目標値：0，変化させるセル：B32** として**実行**する．これより 673 K における平衡反応率が $\varphi = 0.40$ と得られる．

図 14.1 中のグラフは温度・圧力を変えて計算を行い，平衡反応率の温度・圧力依存性を示したものである．

14.2 反応速度式

【例題 14.2】 n 次反応の反応次数〈eche14_2.xlsx〉

一般に n 次反応の反応速度式は次式である．

$$-\frac{\mathrm{d}C_\mathrm{A}}{\mathrm{d}t} = k C_\mathrm{A}^n \tag{14.11}$$

(C_A:反応物質の濃度,k:**反応速度定数**,t:時間)
C_A の初期値を C_{A0} とすると,この式の解は次式である.

$$(C_A/C_{A0}) = \{1+(n-1)kC_{A0}^{n-1}t\}^{\frac{1}{1-n}} \tag{14.12}$$

図 14.2 中の**セル A4:C9** に示す液相回分反応のデータについて,上式により反応次数と反応速度定数を決定せよ.

〈解答例〉

図 14.2 において,C_A/C_{A0} を **D4:D9** に計算する.パラメータ k,n の初期値を **F1:F2** に設定し,式(14.12)による計算値を **F4:F9** に求める.この際パラメータのオーダー(桁数)を揃えるため,$k \times 10^6$ を用いた.データと計算値の差を **G5:G9** に求め,その 2 乗和を **G10** とする.ソルバーで**目的セルの設定:G10,目標値:最小値,変数セルの変更:F1:F2 として解決**する.その結果より $n=2.1$,$k=2.6 \times 10^{-6}$ が得られる.

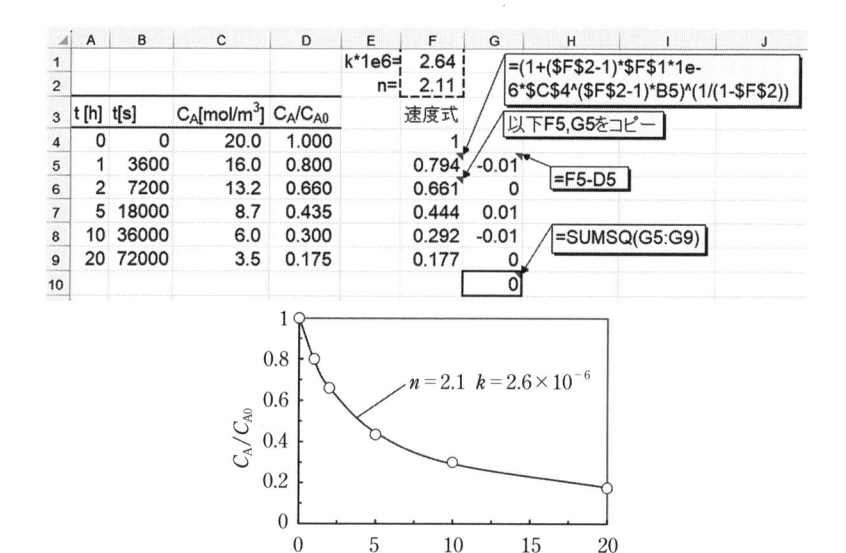

	A	B	C	D	E	F	G
1					k*1e6=	2.64	=(1+($F$2-1)*$F$1*1e-6*$C$4^($F$2-1)*B5)^(1/(1-$F$2))
2					n=	2.11	
3	t[h]	t[s]	C_A[mol/m^3]	C_A/C_{A0}		速度式	以下F5,G5をコピー
4	0	0	20.0	1.000		1	
5	1	3600	16.0	0.800		0.794	-0.01 =F5-D5
6	2	7200	13.2	0.660		0.661	0
7	5	18000	8.7	0.435		0.444	0.01
8	10	36000	6.0	0.300		0.292	-0.01 =SUMSQ(G5:G9)
9	20	72000	3.5	0.175		0.177	0
10							0

図 14.2 n 次反応の反応速度次数の決定〈eche14_2.xlsx〉

14.3 複合反応   157

【例題 14.3】 Michaelis-Menten 式による相関[8,p.34]〈eche14_3.xlsx〉

酵素による乳糖の加水分解の初期反応速度 $-r_{s0}$ と基質濃度 C_{s0} との関係が表のようであった．このデータから Michaelis-Menten 式：

$$-r_{s0} = \frac{V_{\max} C_{s0}}{K_m + C_{s0}} \qquad (14.13)$$

のパラメータである Michaelis 定数 K_m と最大反応速度 $V_{\max}$ を推定せよ．

〈解答例〉

図 14.3 で**セル C1：C2** にパラメータの初期値を設定し，**C6：C12** に式 (14.13) による計算値を作成する．データとの残差を計算し，その 2 乗和を **D13** とする．ソルバーで**目的セルの設定：D13，目標値：最小値，変数セルの変更：C1：C2** として**解決**する（ここではパラメータのオーダーを揃えるためもあり，式を 10^4 倍して，$V_{\max} \times 10^4$ を新たなパラメータとした）．**C1：C2** にパラメータが得られる．相関式による計算値とデータを図中のグラフで比較した．

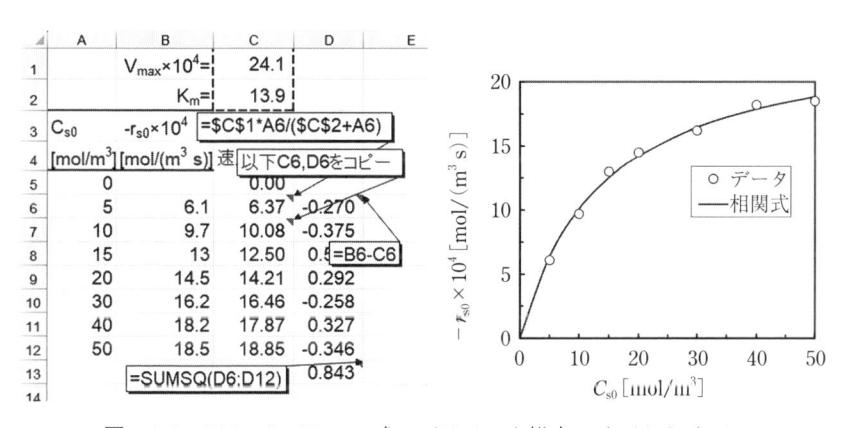

図 14.3　Michaelis-Menten 式のパラメータ推定〈eche14_3.xlsx〉
[化学工学会編，"BASIC による化学工学プログラミング"，培風館 (1985)，p.34，例題 3.1 をもとに作成]

14.3　複 合 反 応

【例題 14.4】 逐次反応〈eche14_4.xlsm〉

反応物 A が R を経て S になる簡単な**逐次反応**：

$$\left.\begin{array}{ll} A \longrightarrow R & r_1 = k_1 C_A \\ R \longrightarrow S & r_2 = k_2 C_R \end{array}\right\} \qquad (14.14)$$

では，各成分の濃度を表す連立常微分方程式が次のように書ける．

$$\frac{dC_A}{dt} = -k_1 C_A \tag{14.15}$$

$$\frac{dC_R}{dt} = k_1 C_A - k_2 C_R \tag{14.16}$$

$$\frac{dC_S}{dt} = k_2 C_R \tag{14.17}$$

ここで C_i は各成分の濃度，r は反応速度，k_1, k_2 は反応速度定数である．$k_1 = 0.2$，$k_2 = 0.2$，初期濃度を $C_A = 1$，$C_R = 0$，$C_S = 0$ として濃度の時間変化を示せ．

〈解答例〉

図 14.4 が「微分方程式解法シート」である．定数を **G2：G3** に，式 (14.15) 〜 (14.17) を **B5：D5** に記述する．積分区間・刻み幅，初期値 (**B12：D12**) を設定し，**ボタン**クリックで積分を実行する．図中のグラフに各成分の濃度変化の

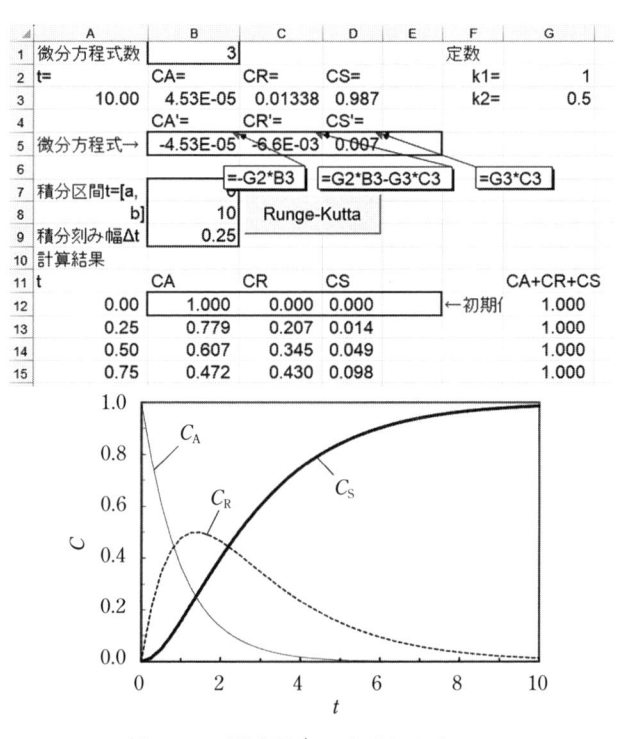

図 14.4 逐次反応 〈eche14_4.xlsm〉

14.4 回分反応操作

【例題 14.5】 反応熱・反応速度を考慮した回分反応操作の解析[35]
〈eche14_5.xlsm〉

[この例題は，橋本健治，"反応工学"，培風館(1979)，p.150，例題7.4をもとに作成した]

A → C で表される液相反応を槽型の回分反応器を用いて行う（図14.5）．反応器は外側ジャケットを流れる温度 $T_w = 613\,\mathrm{K}$ の熱媒体によりに保温されている．反応は吸熱反応であり，反応速度式は温度依存性とともに次式で表せる．

$$r = k e^{-E/RT} C_A \tag{14.18}$$

反応物濃度と反応物温度 T の経時変化を求めよ．必要な定数と名称・単位を図14.6の **G2：G12** に示す．

〈解答例〉

問題は反応物の収支と熱収支から，反応物濃度 C_A と反応物温度 T に関する次式の連立常微分方程式となる．

$$\frac{dC_A}{dt} = -r \qquad (t=0\,;\, C_A = C_{A0}) \tag{14.19}$$

$$V\rho C_p \frac{dT}{dt} = (-\Delta H) V r - UA(T - T_w) \qquad (t=0\,;\, T = T_w) \tag{14.20}$$

図14.6の「微分方程式解法シート」において，式(14.19)，(14.20)を **B5**，**C5** に記述し，初期値を **B12**，**C12** に設定して，**ボタン**クリックで積分を実行する．結果を図中のグラフで示す．

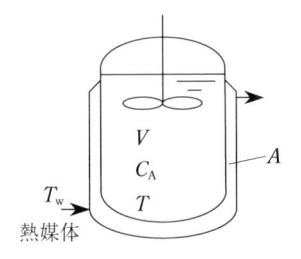

図 14.5 温度変化のある回分反応操作

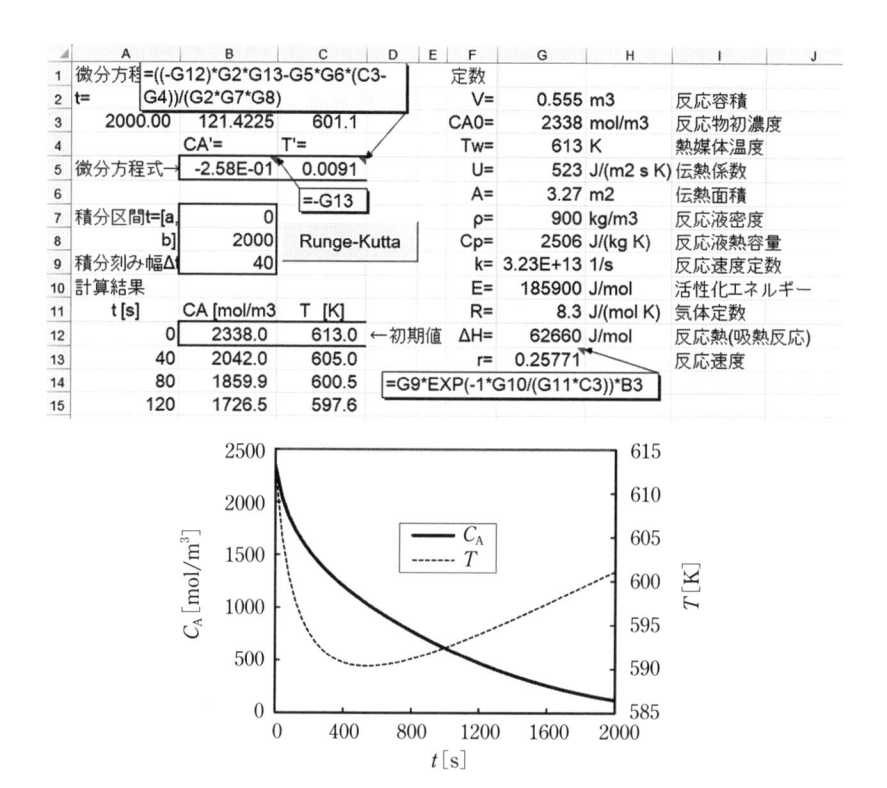

	A	B	C	D	E	F	G	H	I	J
1	微分方程	=((-G12)*G2*G13-G5*G6*(C3-				定数				
2	t=	G4))/(G2*G7*G8)				V=	0.555	m3	反応容積	
3		2000.00	121.4225	601.1		CA0=	2338	mol/m3	反応物初濃度	
4		CA'=	T'=			Tw=	613	K	熱媒体温度	
5	微分方程式→	-2.58E-01	0.0091			U=	523	J/(m2 s K)	伝熱係数	
6			=-G13			A=	3.27	m2	伝熱面積	
7	積分区間t=[a,	0				ρ=	900	kg/m3	反応液密度	
8	b]	2000	Runge-Kutta			Cp=	2506	J/(kg K)	反応液熱容量	
9	積分刻み幅Δt	40				k=	3.23E+13	1/s	反応速度定数	
10	計算結果					E=	185900	J/mol	活性化エネルギー	
11	t [s]	CA [mol/m3	T [K]			R=	8.3	J/(mol K)	気体定数	
12	0	2338.0	613.0	←初期値		ΔH=	62660	J/mol	反応熱(吸熱反応)	
13	40	2042.0	605.0			r=	0.25771		反応速度	
14	80	1859.9	600.5	=G9*EXP(-1*G10/(G11*C3))*B3						
15	120	1726.5	597.6							

図 14.6 回分反応〈eche14_5.xlsm〉

14.5 連続撹拌槽型反応器

【例題 14.6】 連続撹拌槽型反応器(CSTR：continuous stirred tank reactor)〈eche14_6.xlsm〉

液容積 $V[\mathrm{L}]$ の完全混合槽に，流量 $F[\mathrm{L/s}]$ で流入・流出がある (図 14.7).

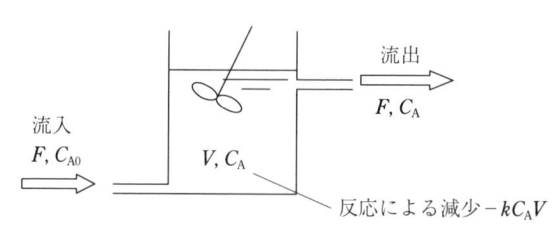

図 14.7 連続撹拌槽型反応器

14.6 管型反応器

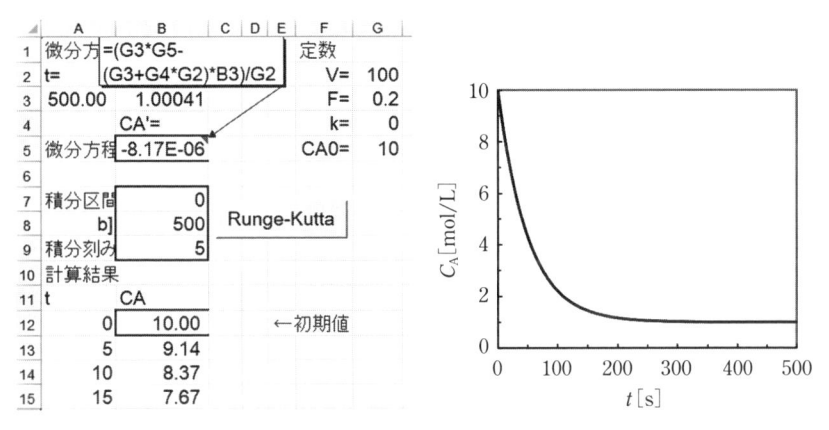

図 14.8 CSTR〈eche14_6.xlsm〉

流入流れ中のA成分の濃度および槽内初期濃度がC_{A0}[mol/L]であり，槽内と流出流れ中の濃度がC_Aである．槽内では1次反応：$A \to C$, $-r_A = kC_A$ [mol/(L s)]によりA成分がC成分になる．必要な定数の値を図14.8の**G2**：**G5**に示す．C_Aの経時変化を求めよ．

〈解答例〉

A成分についての物質収支式は次式である．

$$\frac{d(C_A V)}{dt} = FC_{A0} - FC_A - kC_A V \tag{14.21}$$

Vは一定なのでこれよりC_Aに関する微分方程式が次式となる．

$$\frac{dC_A}{dt} = \{FC_{A0} - (F+kV)C_A\}/V \qquad (t=0 ; C_A = C_{A0}) \tag{14.22}$$

図14.8の「微分方程式解法シート」において，式(14.22)を**B5**に記述し，初期値を**B12**に設定して，**ボタン**クリックで積分を実行する．結果を図中のグラフで示す．

14.6 管型反応器

【例題 14.7】 液相押し出し流れ反応操作[36,p.147] 〈eche14_7.xlsm〉

[この例題は，久保田宏，関沢恒男，"反応工学概論 第2版"，日刊工業新聞社(1986)，p.147，例題12.1をもとに作成した]

$A \to R+S$なる均一液相反応の速度が次の実験式で与えられている．

$$r_A = -kC_{A0}(1-x_A) \quad (k = k_0 \exp(-E/RT)) \tag{14.23}$$

反応管に A のみを C_{A0} で含む原料を流してこの反応を進行させる（図 14.9）．原料供給温度 $T_0 = 613.15$ K，反応管壁の温度は T_w で一定とする．反応物の物質収支と熱収支式から，反応率 x_A と温度 T に関する式が次式となる．

$$u_0 \frac{dx_A}{dL} = k(1-x_A) \quad (L=0\,;\,x_A=0) \tag{14.24}$$

$$u_0 \frac{dT}{dL} = \frac{-Q_A k C_{A0}(1-x_A)}{C_p \rho} - \frac{UA_1}{SC_p \rho}(T-T_w) \quad (L=0\,;\,T=T_0) \tag{14.25}$$

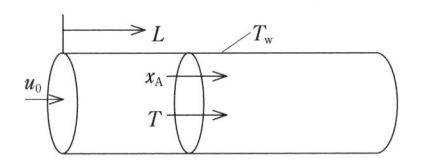

図 14.9 押し出し流れ反応操作

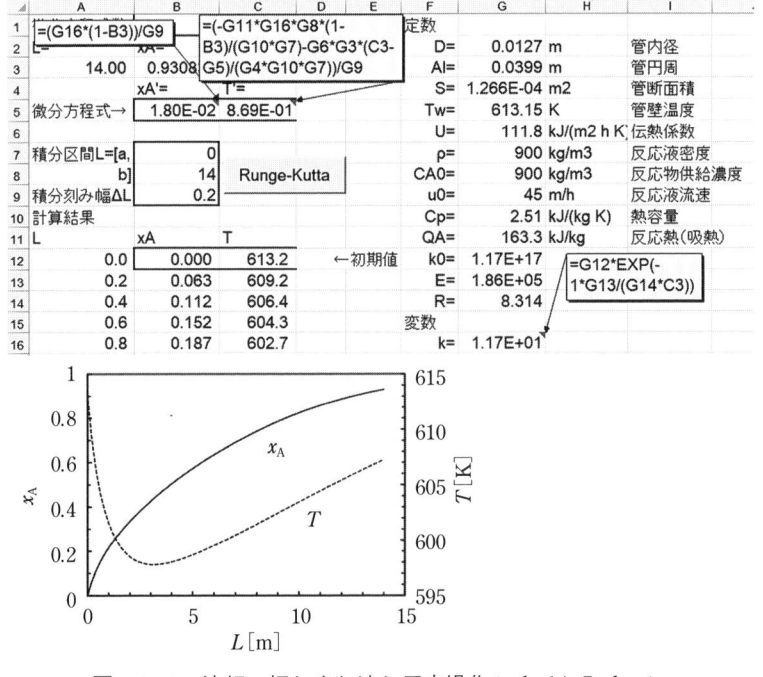

	A	B	C	D	E	F	G	H	I
1	=(G16*(1-B3))/G9		=(-G11*G16*G8*(1-B3)/(G10*G7)-G6*G3*(C3-G5)/(G4*G10*G7))/G9			定数			
2		xA'				D=	0.0127	m	管内径
3	14.00	0.9308				Al=	0.0399	m	管円周
4		xA'=	T'=			S=	1.266E-04	m2	管断面積
5	微分方程式→	1.80E-02	8.69E-01			Tw=	613.15	K	管壁温度
6						U=	111.8	kJ/(m2 h K)	伝熱係数
7	積分区間L=[a,	0				ρ=	900	kg/m3	反応液密度
8	b]	14	Runge-Kutta			CA0=	900	kg/m3	反応物供給濃度
9	積分刻み幅ΔL	0.2				u0=	45	m/h	反応液流速
10	計算結果					Cp=	2.51	kJ/(kg K)	熱容量
11	L	xA	T			QA=	163.3	kJ/kg	反応熱（吸熱）
12	0.0	0.000	613.2	←初期値		k0=	1.17E+17		=G12*EXP(-1*G13/(G14*C3))
13	0.2	0.063	609.2			E=	1.86E+05		
14	0.4	0.112	606.4			R=	8.314		
15	0.6	0.152	604.3			変数			
16	0.8	0.187	602.7			k=	1.17E+01		

図 14.10 液相の押し出し流れ反応操作〈eche14_7.xlsm〉

記号説明，定数の値は図 14.10 の **G2：G14** に示す．この微分方程式を解いて，反応管内の反応率と温度の分布を示せ．

〈解答例〉

図 14.10 の「微分方程式解法シート」において，式(14.24)，(14.25)を **B5，C5** に記述し，**初期値**を **B12，C12** に設定する．反応速度定数 k は **G16** に計算する．**ボタン**クリックで積分を実行すると **12 行以下**に管長さ L に対する x_A，T の変化が得られる．結果を図中のグラフで示す．

【例題 14.8】 触媒反応層の温度分布(1)[36,p.149]〈eche14_8.xlsm〉

[この例題は，久保田宏，関沢恒男，"反応工学概論 第2版"，日刊工業新聞社(1986)，p.149，例題 12.2 をもとに作成した]

量論式 A＋B → R なる気相触媒反応を触媒を充填した管型反応器で行う(図 14.11)．全圧 $P=0.1013$ MPa 一定の条件で，A 成分のモル分率 $z_{A0}=0.05$，B 成分が $z_{B0}=0.20$，その他は不活性成分の原料気体を，流量 $F_0=4.0\times10^4$ mol/h，温度 673.15 K で供給する．A 成分についての反応速度 r[mol/(h kg-触媒)] と反応速度定数 k が次式のように与えられる．

$$-r = kp_A p_B \tag{14.26}$$
$$k = 2.44\times10^{10}\exp(-75.37\times10^3/RT) \tag{14.27}$$

ここで，p_A，p_B[MPa]は各成分の分圧，T[K]が反応温度，R は気体定数 (8.314 Pa m^3/(mol K))である．反応器外側温度は $T_c=673.15$ K で一定とする．層単位長さあたりの伝熱面積を A_l[m^2]，層壁を通しての総括伝熱係数を U[J/(m^2 h K)]，層断面積を S[m^2]として，(UA_l/S)[J/(m^3 h K)]の値によって反応装置内温度分布がどのように変化するか計算せよ．ただし，反応熱 Q_A[kJ/mol]，気体の平均熱容量 C_{pm}[J/(mol K)]，触媒充填層のかさ密度 ρ_B [kg/m^3]など必要な諸量は図 14.12 の**セル G3：G11** に示す．

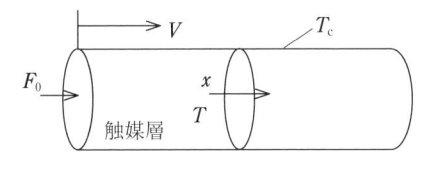

図 14.11 気相触媒反応

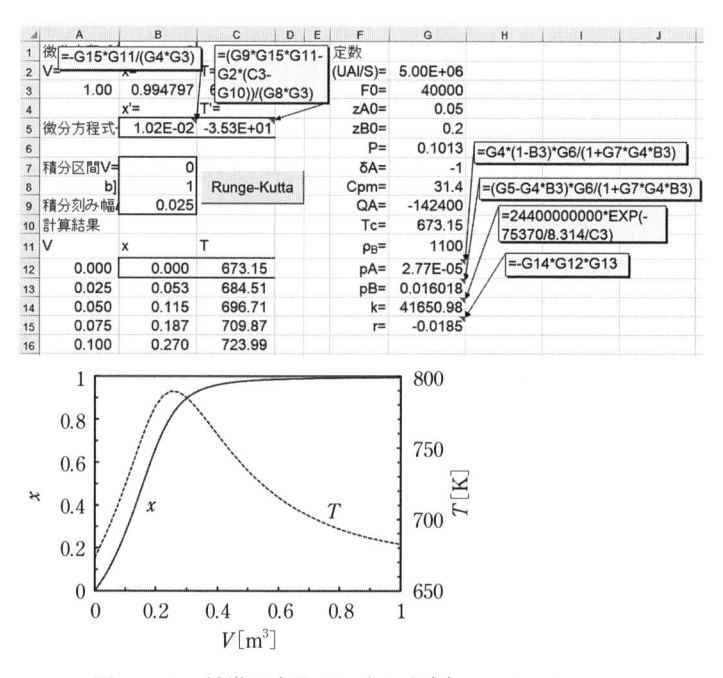

図 14.12 触媒反応層の温度分布(1)〈eche14_8.xlsm〉

〈解答例〉

A 成分の反応率を x とすると各成分の分圧は,

$$p_A = Pz_A = P\frac{z_{A0}(1-x)}{1+\delta_A z_{A0} x} \tag{14.28}$$

$$p_B = Pz_B = P\frac{z_{B0} - z_{A0} x}{1+\delta_A z_{A0} x} \tag{14.29}$$

である.ここで δ_A は原料成分 A の 1 mol 消費あたりの反応成分全体のモル数変化で,この反応の場合は $\delta_A = (1-1-1)/1 = -1$ である.触媒層の微少体積 $dV[\text{m}^3]$ における A 成分の物質収支より次式が成り立つ.

$$\frac{dx}{dV} = -\frac{r\rho_B}{z_{A0} F_0} \tag{14.30}$$

また,dV における熱収支から反応気体の温度 $T[\text{K}]$ は次式となる.

$$\frac{dT}{dV} = \frac{Q_A r\rho_B - (UA_1/S)(T-T_c)}{C_{pm} F_0} \tag{14.31}$$

よってこれらの x, T に関する連立常微分方程式を解く.

図14.12が「微分方程式解法シート」で，**G2**に(UA_1/S)の値を入れ，**G12：G15**に式(14.26)～(14.29)を計算する．**B5**，**C5**に式(14.30)，(14.31)を記述する．初期値を**B12**，**C12**に設定して**ボタン**クリックで積分を実行する．$(UA_1/S) = 5.0 \times 10^6$の場合の結果を図中のグラフで示した．

【例題 14.9】 触媒反応層の温度分布(2)[8,p.149]〈eche14_9.xlsm〉

外部熱交換式の固定層触媒反応器により，ベンゼンの水素化反応によるシクロヘキサンの合成を行う（図14.13）．反応式および反応速度rは次式で与えられる．

$$C_6H_6 + 3\,H_2 \longrightarrow C_6H_{12}$$
$$\text{(B)} \qquad \text{(H)} \qquad\qquad \text{(C)}$$

$$r = \frac{kK_H^3 K_B p_H^3 p_B}{(1 + K_H p_H + K_B p_B + K_C p_C)^4} \tag{14.32}$$

ここでkは反応速度定数，Kは吸着平衡定数，pは各成分の分圧である．反応速度定数kと吸着平衡定数は図14.14の**セル G18：G21**に示すような温度依存性をもつとする[8,p.149]．各成分の分圧pは全圧P_tとベンゼンの反応率x_B，ベンゼンに対する水素の流量比θ_Hから次式である．

$$p_H = P_t \frac{\theta_H - 3x_B}{1 + \theta_H - 3x_B} \qquad p_B = P_t \frac{1 - x_B}{1 + \theta_H - 3x_B} \qquad p_C = P_t \frac{x_B}{1 + \theta_H - 3x_B}$$
$$(14.33\ \text{a}\sim\text{c})$$

触媒層内の流れをプラグフローとすると，物質収支と熱収支から流れ方向のx_BとTの変化を表す微分方程式が次式となる．

$$G y_{B0} \frac{dx_B}{dL} = r \rho_B M_{av} \qquad (L=0\,;\ x_B = 0) \tag{14.34}$$

$$G C_p \frac{dT}{dL} = -2 h_0 \frac{T - T_w}{R_0} + r \rho_B (-\Delta H) \qquad (L=0\,;\ T = T_0)\tag{14.35}$$

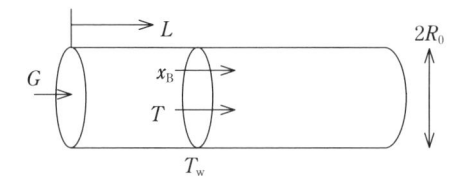

図 14.13 気相触媒反応層の温度分布

14 反応工学

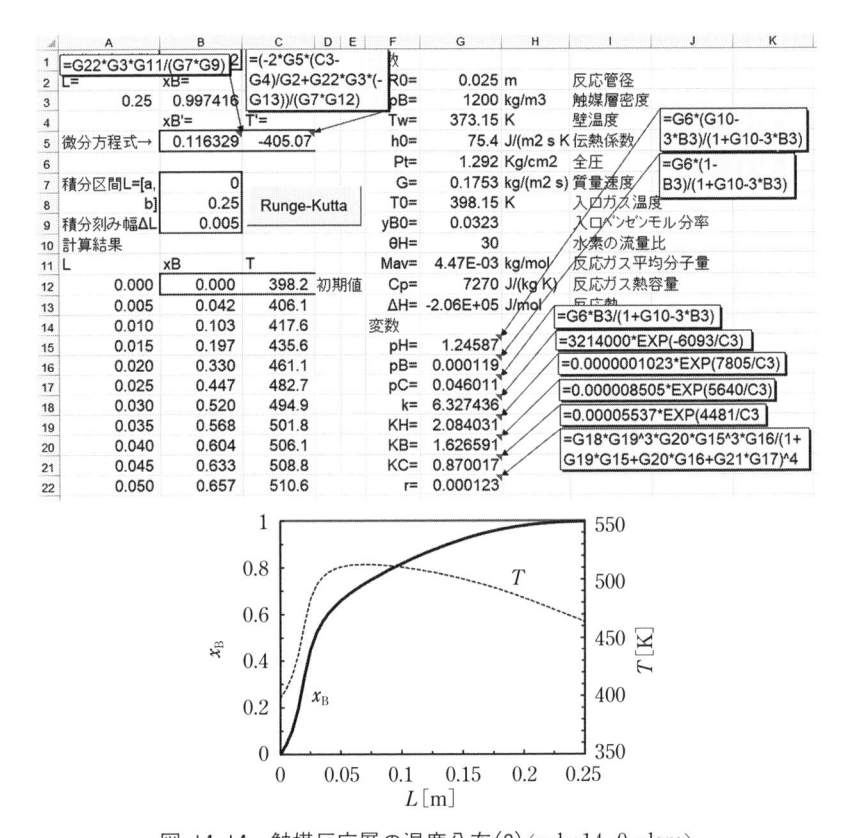

	A	B	C	D	E	F	G	H	I	J	K
1	=G22*G3*G11/(G7*G9)		=(-2*G5*(C3-								
2	L=	xB=	G4)/G2+G22*G3*(-			R0=	0.025	m	反応管径		
3	0.25	0.997416	G13))/(G7*G12)			pB=	1200	kg/m3	触媒層密度		
4		xB'=	T'=			Tw=	373.15	K	壁温度	=G6*(G10-3*B3)/(1+G10-3*B3)	
5	微分方程式→	0.116329	-405.07			h0=	75.4	J/(m2 s K)	伝熱係数		
6						Pt=	1.292	Kg/cm2	全圧	=G6*(1-B3)/(1+G10-3*B3)	
7	積分区間L=[a,	0				G=	0.1753	kg/(m2 s)	質量速度		
8	b]	0.25				T0=	398.15	K	入口ガス温度		
9	積分刻み幅ΔL	0.005	Runge-Kutta			yB0=	0.0323		クロロベンゼンモル分率		
10	計算結果					θH=	30		水素の流量比		
11	L	xB	T			Mav=	4.47E-03	kg/mol	反応ガス平均分子量		
12	0.000	0.000	398.2	初期値		Cp=	7270	J/(kg K)	反応ガス熱容量		
13	0.005	0.042	406.1			ΔH=	-2.06E+05	J/mol	反応熱	=G6*B3/(1+G10-3*B3)	
14	0.010	0.103	417.6			変数				=3214000*EXP(-6093/C3)	
15	0.015	0.197	435.6			pH=	1.24587			=0.0000001023*EXP(7805/C3)	
16	0.020	0.330	461.1			pB=	0.000119			=0.000008505*EXP(5640/C3)	
17	0.025	0.447	482.7			pC=	0.046011			=0.00005537*EXP(4481/C3	
18	0.030	0.520	494.9			k=	6.327436				
19	0.035	0.568	501.8			KH=	2.084031			=G18*G19^3*G20*G15^3*G16/(1+G19*G15+G20*G16+G21*G17)^4	
20	0.040	0.604	506.1			KB=	1.626591				
21	0.045	0.633	508.8			KC=	0.870017				
22	0.050	0.657	510.6			r=	0.000123				

図 14.14　触媒反応層の温度分布(2)〈eche14_9.xlsm〉
[化学工学会編，"BASIC による化学工学プログラミング"，培風館(1985)，p.149，例題 10.3 をもとに作成]

この連立常微分方程式を解いて反応層内の温度分布を求めよ．その他に必要な物性値などの値と説明は図 14.14 中に示す．

〈解答例〉

図 14.14 が「微分方程式解法シート」で，反応速度定数(式(14.32))を **G22** に求め，**B5, C5** に式(14.34)，(14.35)を記述する．初期値を **B12, C12** に設定して**ボタン**クリックで積分を実行する．結果を図中のグラフで示した．

15 制　　　御

　制御は各種のシステムの動的挙動を取り扱う手法であり，化学工学においても「プロセス制御」として化学装置・プラントの定常的運転や非定常挙動の予測のために重要な分野である．普通，制御理論は基礎式である微分方程式に対してラプラス変換を行い，その解析解で取り扱われる．本書では常微分方程式を簡単に扱える「微分方程式解法シート」を作成・活用してきたので，本章でもこれを利用して，モデルと制御の微分方程式を直接取り扱う方法を試みる．対象は基礎的なシステムとそのステップ応答に限るが，システムの動特性・制御の様子を実時間領域で示すことができる．制御の初歩的理解に役立つであろう．

15.1　プロセスの動特性

　完全混合槽の濃度応答：流量 $F[\mathrm{m}^3/\mathrm{s}]$ で溶媒の流入・留出のある溶媒容積 $V[\mathrm{m}^3]$ の**完全混合槽**を考える(図15.1)．槽入口で微量のトレーサー成分Aを混合して，入口濃度を $C_{A0}[\mathrm{mol}/\mathrm{m}^3]$ とする．完全混合槽なので(槽内濃度)＝(出口濃度)であり，これを C_A とすると，A成分の非定常物質収支は次式である．

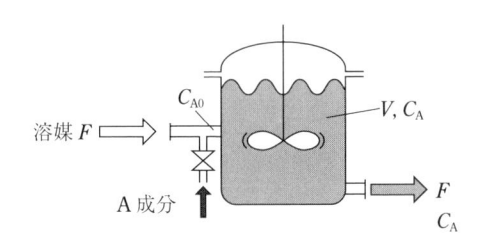

図 15.1　完全混合槽の濃度応答

168   15 制　　御

$$V\frac{dC_A}{dt} = F(C_{A0} - C_A) \tag{15.1}$$

このプロセスで入口濃度 C_{A0} をステップ状に変化させた場合の出口濃度 C_A の時間変化が**ステップ応答**である．この微分方程式は整理すると，

$$\tau\frac{dx}{dt} + x = x_0 \tag{15.2}$$

という形式であり，一般に**1次遅れ系**という．$\tau(=V/F)$ を**時定数**という（13.4節参照）．

【例題 15.1】　1次遅れ系のステップ応答〈eche15_1.xlsm〉

溶媒容積 $V = 5\,\mathrm{m}^3$，流入・流出流量 $F = 0.1\,\mathrm{m}^3/\mathrm{s}$ として，始めは $C_{A0} = 0$ で，$t = 50\,\mathrm{s}$ で $C_{A0} = 1.0\,\mathrm{mol/m}^3$ に変えると出口濃度 C_A はどうなるか．これは1次遅れ系のステップ応答を求める問題である．

〈解答例〉

図 15.2 のシートで**セル G4** に C_{A0} のステップ変化を書く．**B5** に微分方程式 (15.1) を記述し，**B7：B9** に積分区間と刻み幅を設定して，**ボタンクリック**で積分を実行する．結果をグラフで示す．C_A は exp 型の曲線で応答して C_{A0} に至る．

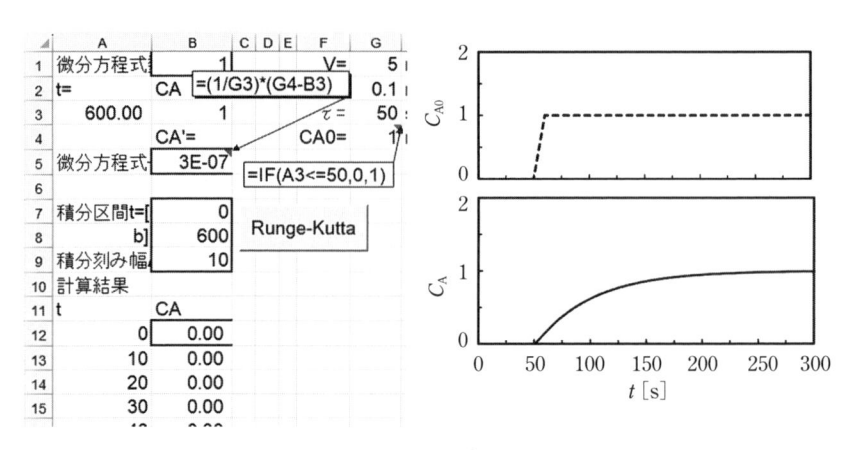

図 15.2　1次遅れ系のステップ応答〈eche15_1.xlsm〉

連結 2 槽の濃度応答：次に同じ容積 V の完全混合槽を二つ連結した 2 槽のモデルを考える（図 15.3）．第 1 槽からの流出濃度 C_{A1} が第 2 槽の流入濃度になるので C_{A1}，C_A の時間変化を表す式が次の連立常微分方程式となる．

$$\begin{cases} V\dfrac{dC_{A1}}{dt}=F(C_{A0}-C_{A1}) \\ V\dfrac{dC_A}{dt}=F(C_{A1}-C_A) \end{cases} \tag{15.3}$$

この式は C_{A1} を消去して 2 階の常微分方程式：

$$\tau^2 \frac{d^2C_A}{dt^2}+2\tau\frac{dC_A}{dt}+C_A=C_{A0} \tag{15.4}$$

になる．この形式のプロセスを **2 次遅れ系** という．

【例題 15.2】 2 次遅れ系のステップ応答 〈eche15_2.xlsm〉

溶媒容積 $V=5\,\mathrm{m^3}$，流量 $F=0.1\,\mathrm{m^3/s}$ の 2 槽モデル（図 15.3）において，始めは $C_{A0}=0$ であり，$t=50\,\mathrm{s}$ で $C_{A0}=1.0\,\mathrm{mol/m^3}$ に変えると第 2 槽の出口濃度 C_A はどうなるか．これは 2 次遅れ系のステップ応答を求める問題である．

〈解答例〉

図 15.4 のシート上の **セル G1：G4** にモデルの定数，**B5**，**C5** に連立微分方程式 (15.3) を記述し，**B7：B9** に積分区間と刻み幅を設定する．**ボタン**クリックで積分を実行する．結果をグラフで示す．2 次遅れ系のステップ応答は，立ち上がり時に変曲点が現れる S 字状である．

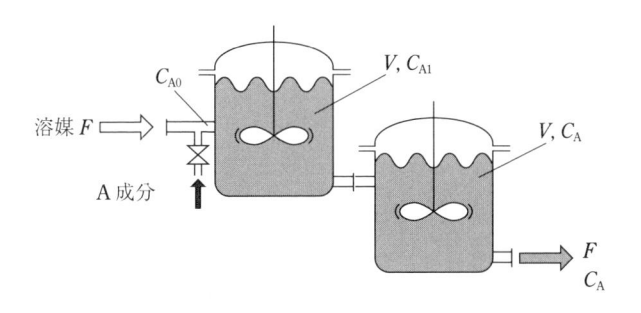

図 15.3　連結 2 槽の完全混合槽

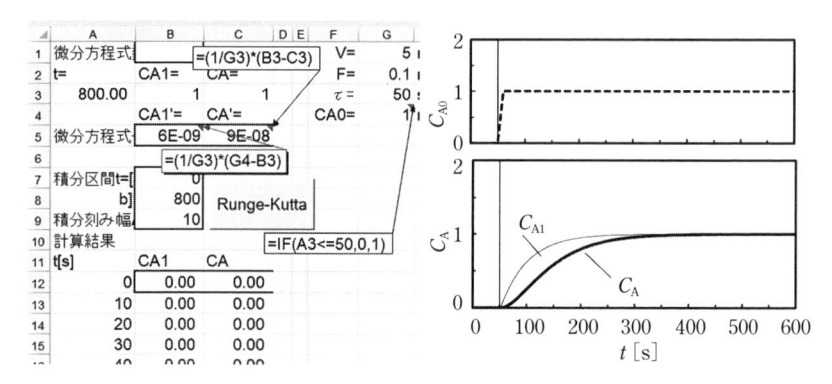

図 15.4 2次遅れ系のステップ応答〈eche15_2.xlsm〉

流入にむだ時間のある混合槽の濃度応答：実際のプロセスでは流入濃度の変化が槽の入口に達するまでに時間差のある場合がある（図15.5）．このような系を表すため，完全混合槽の入口濃度に**遅れ時間** t_d 前の濃度 $C_{A0}(t-t_d)$ を用いるモデルが，**1次遅れ＋むだ時間系**である．次式のように式(15.1)の C_{A0} の代わりに $C_{A0}(t-t_d)$ を用いる．

$$V\frac{dC_A}{dt}=F\{C_{A0}(t-t_d)-C_A\} \tag{15.5}$$

【例題 15.3】 1次遅れ＋むだ時間系のステップ応答〈eche15_3.xlsm〉
入口濃度変化 $C_{A0}(t)$ が槽入口に達するまでにむだ時間 $t_d=50\,\mathrm{s}$ 遅れるプロセスを考える．初めは濃度 $C_{A0}=C_A=0$ の定常状態にあった．$t=50\,\mathrm{s}$ で $C_{A0}=1.0\,\mathrm{mol/m^3}$ にステップ変化させると C_A はどうなるか．

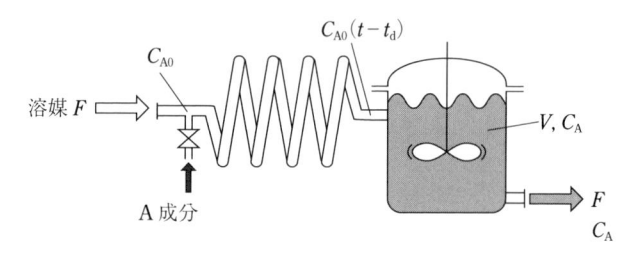

図 15.5 1次遅れ＋むだ時間系

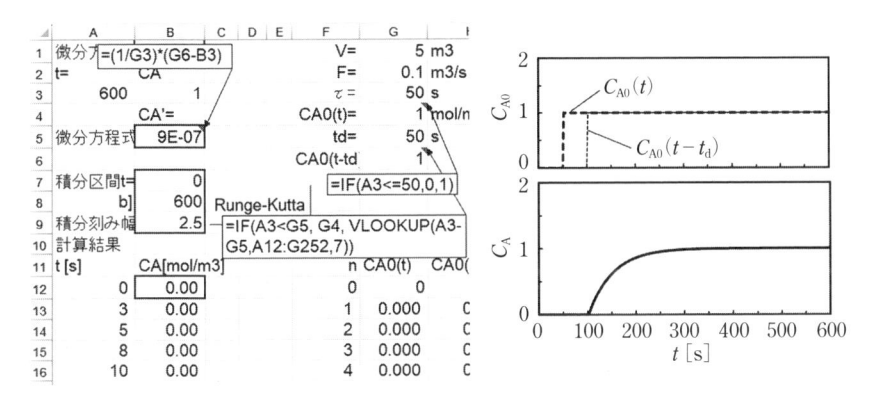

図 15.6　1次遅れ＋むだ時間系のステップ応答〈eche15_3.xlsm〉

〈解答例〉

図 15.6 のシートで**セル G1：G3** にモデルの定数，**G4** にステップ変化する $C_{A0}(t)$ を記述する．**G6** に t_d 時間前の $C_{A0}(t-t_d)$ を設定する．これは実行時に VBA プログラム内で **G 列**に $C_{A0}(t)$ を出力し，**VLOOKUP** 関数で t_d 前の C_{A0} を **G6** に引用している．**B5** に微分方程式(15.5)を記述し，**B7：B9** に積分区間と刻み幅を設定して，**ボタン**クリックで積分を実行する．結果をグラフで示す．ステップ応答が時間 t_d 遅れて exp 型に立ち上がる．

15.2　プロセス制御

ステップ入力に対して1次遅れ系では exp 型の応答，2次遅れ系ではS字状の応答となる．これらが各プロセスの**動特性**である．

ある動特性のプロセスで系全体が濃度 C_{Ass} の定常状態にあるとき，**目標値** C_{Aset} を設定して入口濃度 C_{A0} の操作で出口濃度 C_A を変えることを考える．これが**制御**の一種であり，C_{A0} を**操作変数**，C_A を**被制御変数**という．制御では**偏差** e：

$$e = C_{Aset} - C_A \tag{15.6}$$

をもとに操作変数 C_{A0} が操作される．

15.2.1 比例制御

比例制御(**P 制御**)では次式のように操作変数 C_{A0} を偏差 e に比例させて操作する．K_P を**比例ゲイン**という．

$$C_{A0} = K_P e + C_{Ass} = K_P(C_{Aset} - C_A) + C_{Ass} \quad (15.7)$$
比例項 P

【例題 15.4】 1 次遅れ系／ステップ変化の比例制御〈eche15_4.xlsm〉

1 次遅れ系モデルで $V=5\,\mathrm{m}^3$, $F=0.1\,\mathrm{m}^3/\mathrm{s}$, $C_{A0}=C_A=C_{Ass}=0$ の定常状態であった．$t=50\,\mathrm{s}$ で新たな設定値 $C_{Aset}=1.0\,\mathrm{mol/m}^3$ を与えて，比例制御による C_A の応答を示せ．$K_P=2.5$ とする．

〈解答例〉

式(15.1)と比例制御の基礎式(式(15.7))の連立の微分方程式を解く問題となる．図 15.7 がこれを解いた Excel シートである．**セル G1：G5** に時定数 τ，定常値 C_{Ass}，時間変化の設定値 C_{Aset} と K_P の値を設定する．**B5, G8** に式(15.1)，(15.7)を記述し，**B7：B9** に積分区間，刻み幅，**B12** に C_A の初期値を入れ，**ボタン**クリックで積分を実行する．

得られた C_{A0}，C_A の時間応答をグラフに示す．C_A は単なるステップ応答(例題 15.1)より応答が速いが，設定値 $C_{Aset}=1.0$ に至らずに定常値[*1]になる．

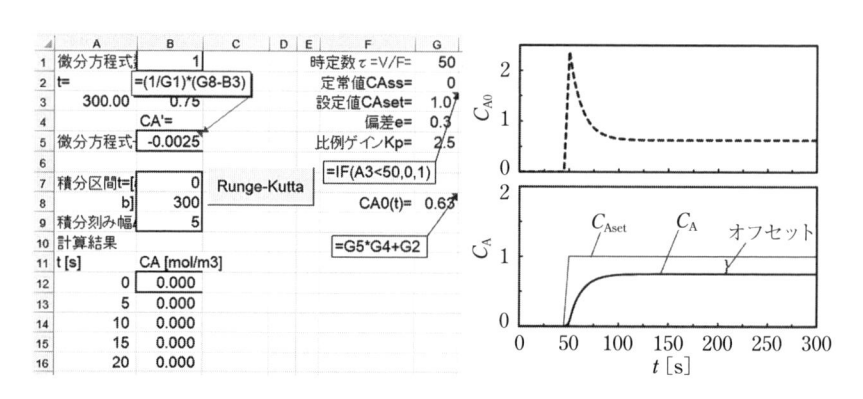

図 15.7 1 次遅れ系／ステップ変化の比例制御〈eche15_4.xlsm〉

[*1]: 式(15.7)を式(15.1)に代入して $\left(\dfrac{dC_A}{dt}\right)=0$ とすると定常値：$C_{A\infty} = \dfrac{K_P C_{Aset}}{K_P + 1}$ である．

これが比例制御で特徴の**オフセット**である．

15.2.2 比例・積分制御

比例制御で不可避のオフセットを解消するため，**比例・積分制御**(次式)では操作変数に積分項Iを加える．積分項は偏差 e の時間 $t=0$ からの積分値を計算し，これが0になるまで C_{A0} を変える働きを持つ．T_I が**積分時間**である．

$$C_{A0} = K_\mathrm{p}(C_{A\mathrm{set}} - C_A) + \frac{K_\mathrm{p}}{T_\mathrm{I}} \int_0^t (C_{A\mathrm{set}} - C_A)\,\mathrm{d}t + C_{A\mathrm{ss}} \tag{15.8}$$

比例項P　　　　　　積分項I

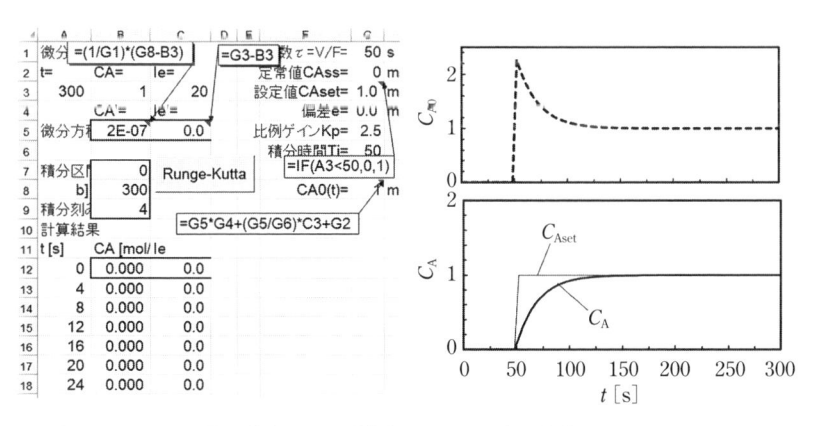

【例題 15.5】 1次遅れ系/ステップ変化の比例・積分制御〈eche15_5.xlsm〉

1次遅れ系モデルで $V=5\,\mathrm{m}^3$, $F=0.1\,\mathrm{m}^3/\mathrm{s}$, $C_{A0}=C_A=C_{A\mathrm{ss}}=0$ の定常状態であった．$t=50\,\mathrm{s}$ で新たな設定値 $C_{A\mathrm{set}}=1.0\,\mathrm{mol/m}^3$ を与えて，比例・積分制御による C_A の応答を示せ．$K_\mathrm{p}=2.5$, $T_\mathrm{I}=50$ とする．

〈解答例〉

モデル式(15.1)と制御式(15.8)の連立常微分方程式を解く問題となる．図15.8のシートで**G1：G6**に定数を入れ，**B5**に式(15.1)を記述する．**C列**の変数 Ie で式(15.8)の積分項I($Ie = \int_0^t (C_{A\mathrm{set}} - C_A)\,\mathrm{d}t$)を計算する．時間 t の Ie 値(**C3**)を用いて**G8**に式(15.8)の $C_{A0}(t)$ を計算する．積分区間，初期値を設

図 15.8　1次遅れ系/ステップ変化の比例・積分制御〈eche15_5.xlsm〉

定して**ボタン**クリックで積分を実行する．得られた C_{A0}，C_A の時間応答を図中のグラフに示す．C_A は目標値 C_{Aset} に一致した．積分項Iを加えることでP制御でのオフセットをなくすことができる．

【例題 15.6】 2次遅れ系/ステップ変化の比例・積分制御〈eche15_6.xlsm〉

2次遅れ系モデルで $C_{A0}=C_A=C_{Ass}=0$ の定常状態であった．$t=50$ s で新たな設定値 $C_{Aset}=1.0$ mol/m³ を与えて，比例・積分制御による C_A の応答を示せ．$K_p=2.5$，$T_I=50$ とする．

〈解答例〉

動特性モデル(式(15.3))と制御式(15.8)の連立常微分方程式を解く問題となる．図15.9のシートで **B5**，**G8** に式(15.3)，(15.8)を記述し，**D列**の変数 Ie で式(15.8)の積分項Iを計算する．積分区間，刻み幅，初期値を入れて，**ボタン**クリックで積分を実行する．得られた C_{A0}，C_A の時間応答をグラフに示す．2次遅れ系も比例・積分制御で十分な制御ができる．

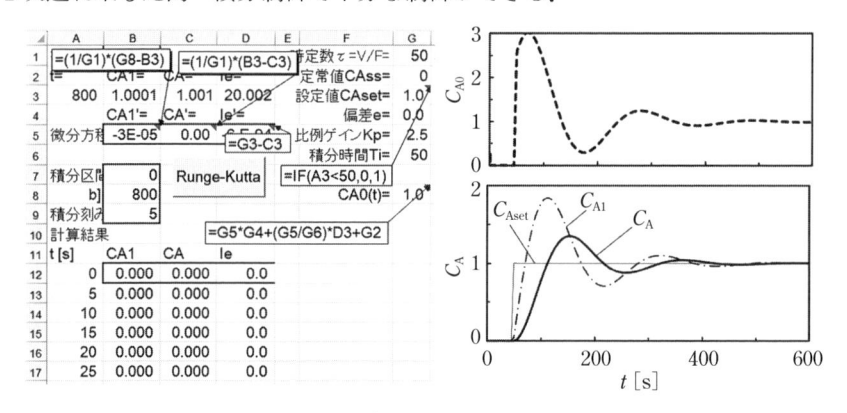

図 15.9 2次遅れ系/ステップ変化の比例・積分制御〈eche15_6.xlsm〉

【例題 15.7】 1次遅れ＋むだ時間系/ステップ変化の比例・積分制御 〈eche15_7.xlsm〉

むだ時間 $t_d=20$ s の1次遅れ＋むだ時間系モデルで $C_{A0}=C_A=C_{Ass}=0$ の定常状態であった．$t=50$ s で新たな設定値 $C_{Aset}=1.0$ mol/m³ を与えて，比例・積分制御による C_A の応答を示せ．$K_p=2$，$T_I=100$ とする．

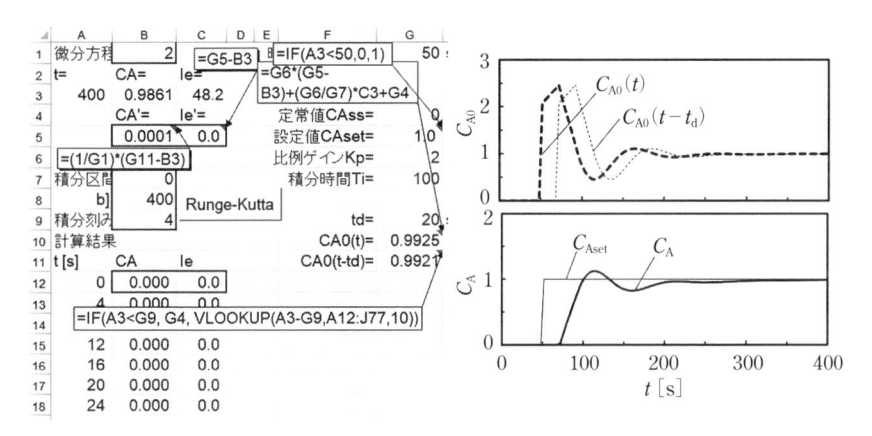

図 15.10　1次遅れ＋むだ時間系/ステップ変化の比例・積分制御〈eche15_7.xlsm〉

〈解答例〉

動特性モデル（式(15.5)）と制御式(15.8)の連立常微分方程式を解く問題となる．図 15.10 のシートで**セル G1：G9** にモデルの定数を記述する．G10 に $C_{A0}(t)$（式(15.8)）を記述して，**VLOOKUP** 関数を利用して **G11** に t_d 時間前の $C_{A0}(t-t_d)$ を計算する．**B5** に式(15.5)を記述し，**C 列**の変数 Ie で式(15.8)の積分項 I を計算する．積分区間，刻み幅，初期値を入れて，**ボタンクリック**で積分を実行する．得られた C_{A0}，C_A の時間応答をグラフに示す．この系も比例・積分制御で十分な制御ができる．

15.2.3　比例・積分・微分制御（PID 制御）

さらに制動操作を改善するために行うのが**比例・積分・微分制御（PID 制御）**で，操作変数が次式となる．

$$C_{A0} = K_p(C_{Aset}-C_A) + \frac{K_p}{T_I}\int_0^t (C_{Aset}-C_A)\mathrm{d}t + K_p T_d \frac{\mathrm{d}(C_{Aset}-C_A)}{\mathrm{d}t} + C_{Ass}$$

　　　　　比例項 P　　　　　積分項 I　　　　　　微分項 D

(15.9)

右辺 3 項目が微分項 D であり，操作変数の振動的な挙動を抑制する働きを持つ．T_d が**微分時間**というパラメータである．PID 制御では比例ゲイン K_p，積分時間 T_I，微分時間 T_d の三つの制御パラメータを用いる．

【例題 15.8】 2次遅れ系/ステップ変化の PID 制御〈eche15_8.xlsm〉

2次遅れ系モデルで $C_{A0}=C_A=C_{Ass}=0$ の定常状態であった．$t=50$ s で新たな設定値 $C_{Aset}=1.0$ mol/m^3 を与えて，PID 制御による C_A の応答を示せ．$K_p=2$，$T_i=50$，$T_d=30$ とする．

〈解答例〉

動特性モデル(式(15.3))と制御式(式(15.9))による C_{A1}，C_A，C_{A0} に関する連立常微分方程式を解く問題となる．図15.11 の Excel シートで**セル B5：C5** に式(15.3)を記述する．**D列**の変数 Ie で式(15.9)の積分項を計算し，微分項は **C5** を用いる．これらから **G8** に式(15.9)の $C_{A0}(t)$ を記述する．積分区間，刻み幅を入れて**ボタン**クリックで積分を実行する．得られた C_{A0}，C_A の時間応答をグラフに示す．例題 15.6 の比例・積分制御に比べて，微分項を加えた PID 制御で振動を抑制できる．

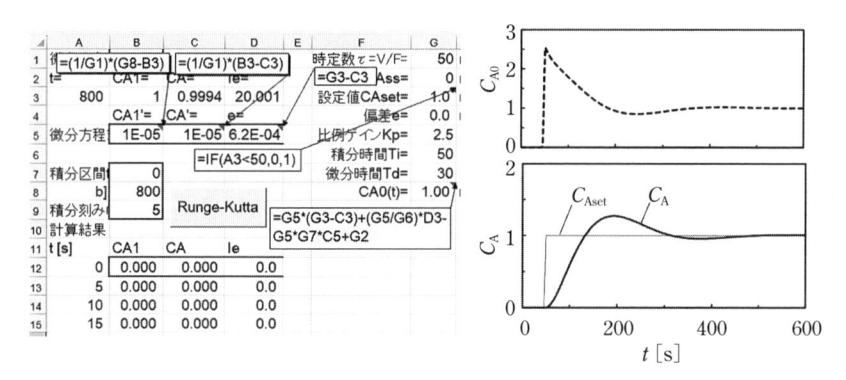

図 15.11　2次遅れ系/ステップ変化の PID 制御〈eche15_8.xlsm〉

参考文献

1) 伊東章,"Excel で気軽に化学プロセス計算",丸善出版(2014).
2) 化学工学会編,伊東章著,"例題で学ぶ化学プロセスシミュレータ",コロナ社(2018).
3) 伊東章,"基礎式から学ぶ化学工学",化学同人(2017).
4) 化学工学会編,伊東章著,"Excel で気軽に移動現象論",丸善出版(2014).
5) 伊東章,大川原真一,"CFD で移動現象論 111 例題―Ansys Fluent による計算解法―",コロナ社(2023).
6) 伊東章,"ベーシック分離工学",化学同人(2013).
7) 浅野康一,"化学プロセス計算 新訂版",p. 146,共立出版(2000).
8) 化学工学会編,"BASIC による化学工学プログラミング",培風館(1985).
9) 化学工学協会編,"化学工学プログラミング演習",培風館(1976).
10) 三井東圧化学,EQUATRAN 例題集(化学工学編),三井東圧化学(1991).
11) M. B. Cutlip, M. Shacham, "Problem Solving in Chemical and Biochemical Engineering with POLYMATH, Excel, and MATLAB", 2nd ed., p. 20, Prentice Hall (2008).
12) J. ハイルボーン編,大矢建正訳,"数値計算プログラム BASIC",p. 82,マグロウヒル好学社(1982).
13) 化学工学会編,"改訂七版 化学工学便覧",丸善出版(2011).
14) H. J. Holmes, M. van Winkle, *Ind. Eng. Chem.*, **62**, 21-31(1970).
15) 平田光穂,大江修造,長浜邦雄,"電子計算機による気液平衡データ",講談社(1975).
16) E. J. Henley, D. K. Roper, J. D. Seader, "Separation Process Principles", 3rd ed., John Wiley & Sons (2011).
17) 疋田晴夫,"化学工学通論 I",朝倉書店(1982).
18) G. W. Cassell, N. Dural, A. L. Hines, *Ind. Eng. Chem. Res.*, **28**, 1369-1374(1989).
19) L. J. Zeman, A. L. Zydney, "Microfiltration and Ultrafiltration", Marcel Dekker (1996).
20) 木村尚史,中尾真一,"分離の技術",大日本図書(1997).
21) H. Yunoki, K. Nagata, K. Kokubo, A. Ito, A. Watanabe, *J. Chem. Eng. Jpn.*, **35**, 76-82(2002).
22) E. Glueckauf, *Trans. Faraday Soc.*, **51**, 1540-1550(1955).
23) P. C. Wankat, "Rate-controlled Separations", p. 313, Elsevier Science Pub.(1990).
24) P. A. Belter, E. L. Cussler, W.-S. Hu, "Bioseparations", p. 195, John Wiley & Sons (1988).
25) 橋本健治編著,"クロマト分離工学",p. 68,培風館(2005).
26) 化学工学会編,"新版化学工学―解説と演習―",p. 187,槇書店(2002).
27) A. L. Hines, R. N. Maddox, "Mass Transfer", p. 105, Prentice Hall(1985).
28) 橋本健治,荻野文丸編,"現代化学工学",p. 226,産業図書(2001).
29) 化学工学会監修,多田豊編,"化学工学 改訂第 3 版―解説と演習―",p. 247,朝倉書店(2008).
30) 日野幹雄,"流体力学",p. 267,朝倉書店(1992).

31) 橋本健治，"反応工学"，p. 169，p. 174，培風館(1979).
32) Y. A. Cengel, A. J. Ghajar, "Heat and Mass Transfer", 4th ed., McGraw-Hill(2007).
33) F. P. Incropera, D. P. Dewitt, T. L. Bergman, A. S. Lavine, "Fundamentals of Heat and Mass Transfer", 6th ed., John Wiley & Sons(2007).
34) J. R. Welty, C. E. Wicks, R. E. Wilson, G. L. Rorrer, "Fundamentals of Momentum, Heat, and Mass Transfer", 5th ed., John Wiley & Sons(2008).
35) 橋本健治，"反応工学"，p. 150，培風館(1979).
36) 久保田宏，関沢恒男，"反応工学概論 第2版"，p. 147-149，日刊工業新聞社(1986).

索 引

A～Z

Antoine 式　15
equilibrium wave pulse theory　89
Fenske の式　31
FUG 法　32
HETP　54
HTU　50
Klinkenberg の近似解　86
K-value　21, 43
LDF モデル　82
McCabe-Thiele の図式解法　25
Michaelis-Menten 式　157
n 次反応　155
PID 制御　175
Rachford-Rice 法　23
Rayleigh の式　19
Rosin-Rammler 分布関数式　109
Runge-Kutta 法　10, 11, 125
Runge-Kutta-Fehlberg 法　14, 125
Ruth の濾過方程式　67
van Laar 式　15
VBA　8
Wilson 式　17

あ 行

圧力比　56
1 次遅れ系　168
1 次遅れ＋むだ時間系　170
移動単位数　50
インパルス入力　127
液液平衡　35
液相基準　44
オリフィス　121
温度境界層方程式　136

か 行

回分吸着　80
回分式濃縮操作　73
回分反応　159
化学量論係数　3
核発生速度　114
活量係数　15
管型反応器　161
含水率　103
完全混合　56
乾燥速度　105
還流比　28
気液平衡　15
気相基準　44
逆浸透　65
境界層方程式　124
境界値問題　125
強制対流伝熱　138
行列演算関数　149
クロスフロー　56
　——流速　66
　——濾過　68
クロマトグラフィー　89
ケーク層　66
血液透析　65
ゲル層　66
ゲル分極モデル　77
限外濾過　65
減率乾燥　100
恒率乾燥　100
個数基準　108
個数密度関数　113
固定層吸着　85
ゴールシーク　4
混合拡散係数　86, 126
混合拡散モデル　126

さ 行

最小液流量 46
最小還流比 31
最小理論段数 30
差分解法 133
自然対流伝熱 138
湿球温度 95
湿度図表 94
質量基準 108
時定数 150
シュレーディンガー方程式 12
蒸気相推進力モデル 62
晶　析 113
常微分方程式 2
触媒反応層 163
浸透圧 65
数値積分 8
図式解法 1
ステップ応答 168
正規分布 111
成長速度 114
精密濾過 65
精　留 25
積算分布 108
設計型問題 25
絶対湿度 94
線成長速度 113
総括伝熱係数 145
総括物質移動係数 78
操作型問題 25
操作線 46
相対湿度 94
槽列モデル 128
ソルバー 5

た 行

対流伝熱 136
多重効用蒸発 105
多成分系蒸留 32
多段抽出 37
単蒸留 19
単抽出 35
断熱増湿 97

断熱冷却線 94
逐次反応 157
調　湿 94
沈降速度 118
沈降分離 117
抵抗係数 123
デッドエンド濾過 66
伝熱係数 138
透過係数 55
透析法 78
動特性 167
動粘度 124

な 行

ナノ濾過 65
2次遅れ系 169
2重境膜モデル 44
ヌッセルト数 137
熱応答 149
熱交換器 143
熱風伝導乾燥 100
濃度分極 65, 70

は 行

破過曲線 85
パーベーパレーション 62
反応速度定数 156
非線形方程式 1
非定常熱伝導 131
比例制御 172
比例・積分制御 173
比例・積分・微分制御 175
頻度分布 108
フィンの伝熱 142
複合伝熱 140
物質移動係数 44, 70
物質移動容量係数 49
部分分離効率 118
プラグフロー 56
フラッシュ蒸留 20
プラントル数 101, 137
分配係数 80
分離限界粒子径 118
分離膜 55

平衡含水率　103
平衡定数　153
平衡反応率　155
偏微分方程式　2
ヘンリーの法則　43
放射伝熱　139
ポピュレーションバランスモデル　113
ポンプ動力　120

　　　ま　行

膜モジュール　55
マクロ　8
メディアン径　109
モード径　110

　　　ら　行

理想分離係数　56
リフト速度　68
粒子径分布　108
流速変化法　72
理論段　25
理論段数　25, 90
理論段モデル　90
レイノルズ数　123
連続撹拌槽型反応器　160
連続濃縮操作　74
連立方程式　1
露点温度　95

執筆者紹介

伊東　章（いとう　あきら）
1982 年　東京工業大学大学院理工学研究科化学工学専攻
　　　　博士課程修了
1988 年　新潟大学工学部化学工学科助教授
2007 年　新潟大学工学部化学システム工学科教授
2009 年　東京工業大学大学院理工学研究科化学工学専攻教授
2018 年　東京工業大学名誉教授

Excel で気軽に化学工学　第 2 版

令和 7 年 9 月 30 日　発　行

編　者　公益社団法人 化学工学会

発行者　池　田　和　博

発行所　丸善出版株式会社
〒101-0051　東京都千代田区神田神保町二丁目17番
編集：電話(03)3512-3263／FAX(03)3512-3272
営業：電話(03)3512-3256／FAX(03)3512-3270
https://www.maruzen-publishing.co.jp

© The Society of Chemical Engineers, Japan, 2025

組版印刷・中央印刷株式会社／製本・株式会社 松岳社

ISBN 978-4-621-31183-7 C 3058　　　　Printed in Japan

JCOPY 〈(一社)出版者著作権管理機構 委託出版物〉
本書の無断複写は著作権法上での例外を除き禁じられています．複写される場合は，そのつど事前に，(一社)出版者著作権管理機構（電話 03-5244-5088, FAX 03-5244-5089, e-mail：info@jcopy.or.jp）の許諾を得てください．